TEATRO SELECTO
DE
FEDERICO GARCIA LORCA
(1927)

Federico García Lorca

TEATRO SELECTO

DE

FEDERICO GARCIA LORCA

MARIANA PINEDA
LA ZAPATERA PRODIGIOSA
BODAS DE SANGRE
YERMA
LA CASA DE BERNARDA ALBA
RETABLILLO DE DON CRISTOBAL

PROLOGO

DE

ANTONIO GALLEGO MORELL

Decano de la Facultad de Filosofía y Letras de Granada

ESCELICER

Depósito legal: M. 7.578 -1969   Printed in Spain

Talleres de ESCELICER, S. A.-Comandante Azcárraga, s/n.-Madrid

PROLOGO

DE

ANTONIO GALLEGO MORELL

*F*EDERICO *García Lorca es, acaso, el escritor español más universal del último medio siglo. Un día, al llegar a Nápoles, sorprendí toda la ciudad repleta de pasquines en las fachadas en los que se anunciaba la representación en la Pineta de la isla de Ischia de* La Zapatera prodigiosa *y* Amor de don Perlimplín con Belisa en su jardín, *protagonizadas por una Virna Lisi que comenzaba a ser popular en Italia como artista de la televisión; otro día compraba en los "bouquinistes" del Sena una edición de* Yerma *en versión pakistaní, y en aquella otra librería sueca de Helsinki me decían que Lorca era, sin duda, el escritor español más vendido junto a "Don Quijote". No existe, por otra parte, escritor español contemporáneo de bibliografía más numerosa y mundial. ¿Y cuál es el Lorca de este éxito y de esta difusión?: ¿El poeta lírico o el autor de teatro?*

Lorca es un escritor entero, sin posibilidades de trocearlo. Su teatro es una manifestación más en su mundo. El Lorca poeta lírico, prosista, autor dramático, conferenciante, músico, pintor, cultivador del género epistolar, juglar en suma, son facetas—y no distintas—de una única manera literaria de entendérselas con la vida y desde niño. En Lorca no es posible establecer cuándo la poesía lírica deja de ser eso para comenzar a ser

drama, cuándo su teatro se convierte en estampa
lírica, cuándo el pintor de sus dibujos infantiles
está soñando, entre lápices de colores, las decoraciones para la escenificación de sus obras; cuándo
las manos sobre el teclado del piano fuerzan su
poesía o su teatro hacia ópera o zarzuela.

Más que "carpintería teatral", en Lorca encontramos "carpintería poética". Pero sería inexacto
emplear el apelativo de "teatro poético" para ca-
racterizar la producción dramática del escritor granadino. Al acercarnos a su teatro es cuando de
veras topamos con la más auténtica imagen de
Lorca, con ese tremendo poeta tradicional que lleva
dentro. Porque Lorca es el más acusadamente poeta tradicional de la España contemporánea. Cuantas razones ordenemos para adelantar a Lope como
creador de nuestro teatro nacional, son válidas,
en el siglo XX, para Lorca. Es otra vez el octosíla-
bo en escena, la copla popular recogida en la plaza,
el baile y el decir del pueblo; los verso y costumbres y la tradición oral, la devoción popular y las
supersticiones, los paisajes reales y vividos alter-
nando con el vuelo de la fantasía, la mezcla de
ternura y humor, la visión realista de las situaciones, los personajes extraídos de figuras cotidianas
con las que el escritor se cruza en la vida, la crítica de las costumbres, el apoyo en lo musical y
en lo poético... Este nuevo Lope que comienza a
hacer teatro en pleno siglo XX, desde la misma
geografía del viejo romancero de frontera, también arranca, como un tópico prelopista, con el
carro de la misma farsa por delante a hacer teatro por los pueblos de España. Este Lorca que es
tantas cosas a la vez—autor y público, juglar y tro-
vador—, nace a la literatura con una visión dramática y teatral—prefiero colocar albarda sobre

albarda—de la naturaleza y de toda su entera crea-
ción. En el libro Impresiones y paisajes, *estos úl-*
timos están sorprendidos por un escritor que qui-
siera presentarlos en escena; en el Libro de Poemas*—el volumen poético que es capital para la*
valoración del Lorca sucesivo—, los temas están
tratados pensando en una posible escenificación,
y otro tanto podría afirmarse respecto al Romancero Gitano. *Si Lorca no hubiese escrito una sola*
obra teatral—lo cual es inimaginable dado su tem-
peramento—, el crítico necesitaría seguir hablando
de su mundo dramático y teatral al analizar e
interpretar su producción lírica.

Lorca no estrena por vez primera hasta el día 22
de marzo de 1920: El maleficio de la mariposa, *de*
la mano de Catalina Bárcena, en el teatro Eslava,
de Madrid. La obra de Lorca es presentada junto
a la farsa Colombina está rabiosa, *de Lorde y Mar-*
sele, adaptada por Sinibaldo Gutiérrez, y el sai-
nete en un acto En capilla, *original de Antonio*
Ramos Martín. En aquel Madrid de Benavente
—Los intereses creados—, *Lorca consigue un rui-*
doso fracaso. He aquí un fragmento de una de
las críticas, publicadas en la prensa, de aquel des-
graciado estreno: "... Un núcleo mayor de espec-
tadores entendió desde el primer cuadro que El
maleficio de la mariposa *no era teatral. Empezó el*
ruido, nos quedamos a medias. Yo no puedo juz-
gar una obra que en rigor no la he escuchado. Si
el señor García Lorca publica el poema que ano-
che dejamos de oír, es posible que leyéndole expe-
rimente una complacencia grandísima que tendré
mucho gusto en proclamar. Entiendo, con la ma-
yoría del público, que El maleficio de la mariposa,
que puede ser una excelente manifestación de poe-
sía lírica, carece en absoluto de teatralidad." En

otro diario se afirma que la obra no es una fábula
vulgar, "sino la obra de un poeta que no carece
de exaltación lírica y de cierta fantástica visua-
lidad". He aquí lo que venimos afirmando: la
tensión poética como dominante y esencial en el
teatro de Lorca. Pero todo escritor novel fracasa
siempre por ese camino. Para asomarse por vez
primera a las tablas, críticos y público piden que
se ofrezcan testimonios de que se conocen los
recursos del mundo teatral. Parece que hubiese
que ser un poco tramoyista y otro mucho profe-
sor de magia o escritor de género policíaco. Se
pedía entonces al escritor novel acción, argumen-
to. Tiempos vendrían después en que triunfarían
las estampas líricas. Se le achaca entonces a Lorca que su primer teatro es para ser leído; triun-
faría después el teatro para ser leído de Valle-
Inclán como gran espectáculo plástico. Lorca, fra-
casado en los escenarios madrileños, se refugia en
su teatro privado de marionetas. Adapta para su
Teatro Cachiporra Andaluz un viejo cuento en tres
estampas y un cromo La niña que riega la alba-
haca y el Príncipe Preguntón; el cuento escenifi-
cado completa un programa de guiñol, en el que
figuran el entremés Los dos habladores, de Cer-
vantes, y Misterio de los Reyes Magos. Lorca
reparte unas hojas, en papel verde, que firma como
El Dueño del Teatrillo, pinta los decorados para
dicha representación, consigue la colaboración per-
sonal de Manuel de Falla y hasta en el arranque
del programa de mano es fácil sorprender la prosa del poeta: "Oigan, señores, el programa de esta
fiesta para los niños que yo pregono desde la ven-
tanita del guiñol, ante la frente del mundo." El
futuro teatro de García Lorca inicia su marcha.
El poeta escribe a Manuel de Falla: "Hay que ha-

cer la tragedia (nunca bien alabada) del caballero de la flauta y el mosquito de trompetilla, el idilio salvaje de don Cristóbal y la "señá" Rita, la muerte de Pepe-Hillo en la plaza de Madrid y algunas otras farsas de nuestra invención. Luego habrá que llevar romances de crímenes y algún milagro de la Virgen del Carmen, donde hablan los peces y las olas del mar." Parece aparentemente que con este texto de Lorca se abren las puertas de sus actividades con "La Barraca". Pero más exactamente lo que se abren son las puertas de su inmediata producción teatral. He ahí los estímulos literarios de su mundo dramático. Esto es lo más entrañablemente popular de Lorca: no tanto sus maneras como la fuente de donde brotan sus temas, sus recuerdos, sus personajes, sus situaciones.

Lorca ha visto ya representaciones del teatro de Villaespesa, los ballets de Diaghilev, ha leído piezas de teatro medieval, no se pierde esas apariciones de cómicos y de "cristobicas" que montan su tinglado en la plaza del pueblo. Y él mismo monta las marionetas en funciones domésticas y familiares para entretener a los amiguillos de sus hermanas. De ese recóndito mundo nacerá su segunda obra de teatro. "Desde niño estoy oyendo esa estrofa tan evocadora de

> Marianita salió de paseo
> y a su encuentro salió un militar.."

Y por eso Lorca escribe Mariana Pineda. *Exactamente como Lope:*

> Que de noche le mataron
> al caballero,
> la gala de Medina,
> la flor de Olmedo.

Y sólo con esa sugerencia el Fénix escribe El ca-

ballero de Olmedo. *Insisto en que no es caprichoso
el paralelo Lope-Lorca; sólo rompe una impresio-
nante serie de simultaneidades vivas, por encima
del tiempo, el distinto lugar de nacimiento que
tan decisivamente condiciona la literatura de ambos. Porque Lope es la encarnación de Madrid en
nuestras letras y la obra total de Lorca es indes-
cifrable sin Granada.*

   Tampoco triunfó Mariana Pineda. *El Epistolario
recientemente publicado del poeta con Melchor
Fernández Almagro prueba cuán dramática fue
para Lorca su lucha por conseguir el estreno de
esta obra: los silencios de la Xirgu, las evasivas
de Marquina, incluso la propia confesión del poeta de que la obra no le gusta. Y cuando la obra
es conocida nuevamente se achacan al teatro de
Lorca las mismas características que le llevaron
al fracaso con su primer estreno.* Mariana Pineda
*fue estrenada por Margarita Xirgu el 24 de junio
de 1927, en el teatro Goya, de Barcelona. "L'obra
del senyor García Lorca—leemos al día siguiente
en la prensa barcelonesa—pertany de ple al teatre
poètic. Més que en l'acció, l'interès radica en la
bellesa dels versos—d'imatges arriscades i bellissi-
mes, a volts—i en la suggestió de l'ambient." Los
decorados y figurines para esta primera representación fueron concebidos por Salvador Dalí y por
el propio Lorca. Para crearlos, las sugerencias y
los estímulos no son los mismos de donde nace
el texto, sino que vienen impuestos por una visión
espacial, que nace de la lámina de Mediterráneo
y de cielo que se contempla desde la casa de los
Dalí en Cadaqués. Poco después—¿otra vez teatro
para ser leído?—la obra se publica en la colección
madrileña* La Farsa: *este texto impreso—1 de septiembre de 1928—, recoge la primera edición de*

*la pieza, fue corregida y vigilada su impresión por
Lorca, va ilustrada con viñetas del autor y es, por
lo tanto, el texto base para una edición futura y
crítica de la obra.*

*En 1930, el 24 de diciembre, Margarita Xirgu es-
trena en el teatro Español, de Madrid,* La zapatera
prodigiosa, *en su originaria versión breve. Es la
época en que acompaña al piano a "La Argentini-
ta" en la interpretación de canciones populares andaluzas que el propio Lorca armoniza. Tiene en
los oídos la música de Manuel de Falla. Ha vuelto
a recoger un lugar común de la tradición literaria
española: el viejo y la niña. Ha estado ya en el
barrio negro de Harlem y ha recogido el son de
negros en Cuba.*

En 1931 y 1932 trabaja en tres obras teatrales:
Retablillo de don Cristóbal, Amor de don Perlimplín *y* Así que pasen cinco años. *Por entonces funda con Eduardo Ugarte "La Barraca". El* Retablillo
de don Cristóbal *fue representado con decorados
y marionetas de Manuel Fontanals en el Teatro
Avenida, de Buenos Aires, el 22 de marzo de 1934.*
Amor de don Perlimplín con Belisa en su jardín
*fue ofrecida en sesión privada en el "Club Anfisto-
ra", en Madrid, el 5 de abril de 1933.*

*En 1933 ofrece en su teatro de "La Barraca"
una versión escénica de* La tierra de Alvargonzá-
lez, *de Antonio Machado. El 8 de marzo de ese
mismo año la compañía de Josefina Díaz de Ar-
tigas estrena en el teatro Beatriz, de Madrid,* Bodas
de sangre. *El 29 de diciembre de 1934, otra vez, en
el teatro Español, Margarita Xirgu estrena* Yerma.
*Es ya la consagración teatral de Federico. Pese a
las opiniones encontradas,* Bodas de sangre *y* Yerma *son su éxito definitivo. El teatro comienza a
darle dinero. El hijo de familia se siente ya econó-*

micamente emancipado. Ha triunfado en la literatura. Nadie recuerda ya el fracaso del teatro Eslava en 1920. El Falla del Amor brujo *asoma su música a la Residencia de Estudiantes, el círculo madrileño en que por vez primera se dio a conocer Lorca. Se reponen sus obras en los escenarios de Barcelona y de Madrid, se estrenan en Buenos Aires. Lola Membrives hace* Bodas de sangre, Mariana Pineda *y* La zapatera prodigiosa *en el teatro Avenida bonaerense. El teatro de Lorca vuelve a reponerse en honor de los marinos del "Juan Sebastián Elcano", que visitan Buenos Aires: Lorca comienza a ser un autor de teatro nacional. Antes de que surja el mito. Es decir, en vida.* La zapatera prodigiosa *rebasa las cincuenta reposiciones continuadas. El poeta visita América del Sur e incluso se representan en aquellas jornadas triunfales los* Títeres de cachiporra. *Lorca escribe y lee su* Charla sobre el teatro, *y el 12 de diciembre de 1935 Margarita Xirgu estrena en el Principal Palace, de Barcelona,* Doña Rosita la soltera o el lenguaje de las flores. *Los decorados son de Manuel Fontanals, el cartel es original de Grau Sala y el propio Lorca prepara la música que la obra exige.*

Lorca es homenajeado aquí y allá, pero siempre por su teatro. La revista "Cruz y Raya" convence al poeta para publicar en sus cuidadas ediciones Bodas de sangre, *que asoma a las librerías a finales de enero de 1936. En junio de ese mismo año lee a unos amigos* La casa de Bernarda Alba, *y esos mismos días Pura Ucelay, en el "Club Anfistora", ensaya y prepara el estreno de* Así que pasen cinco años. La casa de Bernarda Alba *quedó sin estrenar cuando el poeta es muerto en su Granada.*

¿Pero qué diferencia existe entre un estreno en

forma y una lectura de Lorca? Lorca matiza el diálogo, grita y susurra, produce efectos escénicos con sus manos o sus silbidos, evoca cómo debieran ser los decorados y cómo los trajes. Después de 1936 Lorca hubiese seguido triunfante y fecundo su carrera de autor teatral. Lo que se trunca en el trágico verano de aquel año no es un poeta totalmente maduro entonces, con su obra redondeada y completa; lo que se corta es la vida de un autor dramático que acaba casi de iniciar su recorrido. Los fracasos primeros replegaron, otra vez, exclusivamente hacia la poesía lírica al Lorca de El maleficio de la mariposa *y de* Mariana Pineda. *Pero ahora es distinto. De su viaje a América ha vuelto un escritor que cree encontrar en el teatro su renovada fuente de sugerencias.* La casa de Bernarda Alba *inicia un nuevo ciclo. Ya cuenta más el tema que la emoción lírica, pero continúa ésta empañando la escena. El "papel de aleluyas", como recuerdo al elaborar su teatro, continúa vigente. El* Amor de don Perlimplín con Belisa en su jardín *es pieza que juega un papel decisivo en todo el conjunto de la producción teatral de Lorca. Porque es una pieza que se va hacia "esperpento", hacia la constante valleinclanesca. Y Lorca es un equilibrio entre la estampa plástica, cromática y quieta del novecientos y la contorsión y el grito dominantes en el escritor gallego. Lorca es, por paradoja, un caso sorprendente en nuestras letras: por temperamento se deslizaba hacia la aventura vanguardista, pero cuida de crear una literatura en la que dominan los elementos de poeta tradicional, de poeta de cancionero. Lorca es un ejemplo más de esa Edad Media literaria española que resurge a cada hora como milagroso Guadiana en nuestra cultura. La mejor obra—sin duda alguna*

para mí—de Federico García Lorca es su Llanto
por Ignacio Sánchez Mejías, *en el que además de
un recuerdo terminante de las* Coplas *de Jorge
Manrique encontramos la resurrección en nuestra época del concepto y del vocablo del* Planto
*medieval. A despecho de Dalines y Picassos, de
Guillenes y Salinas, de Diegos y Larreas, de ismos
y de cultura cinematográfica, que llega a alcanzar,
Lorca es un escritor tradicional, el más tradicional de nuestra época. Y es que cuando se arranca
de la tierra, lo demás viene de forma natural. De
la tierra—pacer, flauta, cielo y queso—nace ese
milagro poético que se llamó Miguel Hernández y
sus versos resucitan los de Garcilaso. Y de la tierra
andaluza—"Asquerosa", Vega de Zufaiya, Fuentevaqueros, Huerta de San Vicente—brota la literatura de Lorca, el más universal hoy de nuestros escritores contemporáneos. Y es universal porque es
profundamente español. Y su teatro es una puesta
al día del teatro de Lope, y del teatro medieval
y del teatro tópico del romanticismo. Y sobre todo
de ese teatro ambulante y popular que circulaba
por los pueblos españoles.*

En 1937, Yerma *triunfa en Buenos Aires; en
1938, en Valencia, se edita póstumamente el* Retablillo de don Cristóbal, *en Buenos Aires,* Doña
Rosita la soltera *y en París se estrena* Noces de
sang *según la versión de Marcelle Auclair y de
Jean Prévost.*

*En el Madrid nervioso de la guerra civil, en el
teatro de la Zarzuela, se montan* Los títeres de
Cachiporra, *y en 1945 se estrena en Buenos Aires*
La casa de Bernarda Alba. *Lorca es ya el mito
Lorca. Salir al extranjero, desde la España de los
años cuarenta y cincuenta, es ir coleccionando su
nombre en todas las carteleras teatrales. Es ele-*

gido para teatros de ensayo y grupos universitarios y para grandes representaciones. Su nombre salta a las grandes colecciones de poetas y autores de teatro. Y también su teatro, junto al de Goldoni, al de Beckett, al de Brecht, al del propio Casona, es un teatro tras el que asoma su perfil ese gran poeta tradicional que fue el escritor de Fuentevaqueros. Tradicional cuando lleva a su teatro ritmos y sones populares, romances y tradiciones, y cuando recoge los temas viejos como el de la mujer estéril o la obsesión erótica. O cuando recurre al símbolo como decisivo recurso teatral; símbolo que en alguna ocasión es un giro del lenguaje, como acontecía en el teatro de Gil Vicente, que Lorca también conoció. Pero hay algo que Lorca no recoge de nadie: la atmósfera de misterio, la llegada de las situaciones poéticas a la escena, preparadas como en un teatro de intriga. La luna también tiene en su teatro un papel, y el silencio, y la ausencia. Acaso estos símbolos ausentes sean uno de los rasgos más peculiares del teatro de Lorca: un recurso que culmina en La casa de Bernarda Alba, donde una costumbre—el luto—es el tema central de la obra, y un ausente —el hombre—, el obsesivo y nebuloso protagonista.

A lo largo de la literatura española alternan, se superponen o separan dos direcciones literarias: realismo e idealismo. Su constante confrontación acentúa sus perfiles. Con Lorca irrumpe en el teatro un nuevo sentido del realismo, un "realismo idealizado". Maneja un arsenal de elementos costumbristas, pero cuando los encaja en su sitio pierden ya su anecdótico origen y se convierten en símbolos de validez universal. Maneja un realismo español que en sus manos parece un cliché de dramaturgo griego. ¡Qué lejos del teatro de Lorca

el Lorca del Romancero gitano! *Y qué cerca de la
plaza de toros en que muere Ignacio Sánchez Mejías el luto que impone la "Bernarda" en su última
obra de teatro.*

*Lorca era un teatro en marcha. El poeta no hu-
biese ofrecido nuevas sorpresas. El dramaturgo sí,
y al dramaturgo, la experiencia de una guerra civil, vivida y probada, le hubiese brindado un semi-
llero de inquietudes. Pero no volvió a escribir más
teatro y fue arrastrado por el teatro de la vida.*

*¿Interesa hoy a la juventud el teatro de Lorca?
Ellos dicen que ya no. Como también comienzan
a decir que no les interesa Unamuno ni, desde luego, Ortega. Pero los mejores de esos jóvenes afir-
man todo con lenguaje orteguiano, con desplante
unamunesco, con la gracia y el garbo juvenil del
mejor Lorca. Y es que son tres clásicos de nuestra época. Y aunque en sus páginas haya ya mucha foto sepia de ayer, son una literatura con vigencia. Como tuvo vigencia en estos últimos años
la reposición por Amparo Soler Leal de* La zapatera prodigiosa, *la obra deliciosa a la que Virna Lisi
daba vida, no hace mucho, en una isla de moda,
junto a las de Sorrento y Capri. En efecto, la juventud de hoy está de vuelta de* El romancero gitano, *que recitaban de memoria nuestros padres,
pero volverá al teatro de Lorca como ha vuelto, y
con sorprendente fuerza, al teatro de Valle-Inclán.
Lorca, que era todo intuición, supo ver que su literatura de mañana sería una literatura dramática,
y pensando en teatro y poetizando en teatro escri-
bió su mejor obra, el* Llanto por Ignacio Sánchez
Mejías, *del que he sido espectador en diversas esce-
nificaciones y en diferentes lenguas. Qué extraños
sonaban sus versos traducidos al alemán aquella
tarde en Munich:*

¡Qué gran torero en la plaza!
¡Qué gran serrano en la sierra!
¡Qué blando con las espigas!
¡Qué duro con las espuelas!
¡Qué tierno con el rocío!
¡Qué deslumbrante en la feria!
¡Qué trémulo con las últimas
banderillas de tiniebla!

Lorca traza su serie de piropos para el torero muerto, pero nos sirven para todo. Porque todos tenemos, o podemos tener, unas "últimas banderillas de tiniebla". Este es el duende de las metáforas andaluzas de Lorca: que el vocablo banderillas *puede significar muchas cosas, ¡y no digamos la palabra* tiniebla!

Lorca es el último poeta que ha acertado a llevar al teatro no el verso —esto es secundario—, sino el aliento lírico. No lo que la palabra tiniebla *entraña de número de sílabas y de posible rima, sino la capacidad que el vocablo tiene de misterio, de humedad afectiva, de duermevela. El teatro de Lorca acaso fracasaría en sus versiones cinematográficas y televisivas: sería difícil triunfar en el empeño. Porque para ese teatro es esencial el "climax" que sólo puede trascender del escenario real a unos espectadores en vivo. De aquí la certeza de una vuelta al teatro de Lorca, porque a este teatro es al que se vuelve, al teatro que no admite otra componenda que no sea la teatral, la teatral empañada de valores poéticos; y eso —no otra cosa— es toda la producción dramática de Federico García Lorca: el teatro más fronterizo a la poesía, y por eso su creación poética está elaborada pensando en su escenificación. En esto es un teatro límite. Y en muchas cosas, un teatro que acierta a superar todos los lastres de un romanticismo de oca-*

sión y de un modernismo de anticuario. Su drama
es que juega a ser fiel a su nostalgia por el ayer,
y está inquieto ante las nostalgias presentidas para el mañana. Y su teatro acusa esta insatisfacción,
esta intranquilidad, este estar en vilo. Pero toda
esta atmósfera complace al público de la sala.

No fue el suyo el teatro testimonio de una sociedad, como acontece con el de Benavente. Pero es
testimonio de una realidad: la literatura más que
como ficción como realidad. Porque la historia, las
circunstancias, las mujeres y los hombres, las cosas, tienen junto a su objetivo contorno un perfil
literario. Ese es el que se mueve en el teatro de
Lorca. "Leído" o "representado" son situaciones
ocasionales. Para Calderón la vida era sueño, y ese
fue el problema que llevó a su teatro. Lorca se asoma a la vida como si se sentase en un palco pros-
cenio, en el palco inmenso de su vega granadina;
por eso comenzó por llevar a la escena mariposas,
cucarachas y otros insectos, y terminó llevando
unos pañuelos negros para la cabeza de las mujeres enlutadas que encontraba en el tranvía que le
llevaba de su pueblo a la ciudad. El gran tema de
Lorca es lo que la obra tiene de vertiente literaria,
es decir, de poesía, de temblor lírico. Y el público
se sienta en las butacas no para intentar adivinar
el final de la obra, sino para inquietarse con su
propio desarrollo. En su teatro no interesa tanto
el desenlace como las peripecias de la acción. Y
la acción cobra dinamismo al ser sometida a una
tensión poética. Su teatro adelanta a la mujer como protagonista. Intensifica en cada obra los rasgos individuales de una heroína concreta, pero su-
pera este retrato anecdótico para crear un tipo
genérico: la mujer. Los personajes de Lope también son concretos, están sacados de la vida coti-

diana o de la historia, pero se elevan a símbolos por milagro de la palabra del poeta. Así, los personajes de Lorca, así su mundo dramático. Es otra vez más el conjuro literario que tenía la voz de Federico. Con sus manos el poeta movía el guiñol de la farsa, pintaba las decoraciones, recortaba los trajes de los personajes, pero era su voz la que daba vida a su mundo teatral. También en su teatro, como en sus poemas, como en sus cartas, está Federico en persona. Como lo estaba en sus obras Aristófanes, otro "clásico".

Antonio Gallego Morell
Decano de la Facultad de Filosofía y
Letras de Granada.

BIBLIOGRAFIA

BIBLIOGRAFIA

EDICIONES

TEATRO

Diez versos de una comedia escrita por F. G. L., en colaboración con Ostos Gabella, siendo ambos niños.—En *Malvarrosa*, entregas 5-6, mecanografiadas.

El maleficio de la mariposa. Estrenada por la compañía de Catalina Bárcena, en la temporada 1919-1920.—En *Obras completas*, Madrid, Aguilar, 1967, 13.ª ed., págs. 669-721.

El paseo de Buster Keaton.—En *Teatro desconocido de Federico García Lorca* en *Anales. Organo de la Universidad Central del Ecuador*, tomo LXXXII, núm. 337, en 1954. Quito. (Reproduce, además, los dibujos *Leyenda de Jerez* y *Nostalgia*.)

Teatro breve (1928): *El paseo de Buster Keaton, La doncella, el marinero y el estudiante, Quimera.*—En *Obras completas*, Madrid, Aguilar, 1967, 13.ª ed., págs. 893-910.

Petit théâtre. Textes recueillis et traduits par Claude Couffon. Illustr. de Doubout, París, Les Lettres Mondiales, 1951, 61 págs.

El paseo de Buster Keaton. La doncella, el marinero y el estudiante. Quimera.—En *Espiga*, Buenos Aires, núms. 16-17, 1952-1953.

Títeres de Cachiporra: La niña que riega la alba-haca y el príncipe preguntón. Dialogado v adaptado al Teatro Cachiporra Andaluz. [Inédita. Representada en Granada, Fiesta de Reyes Magos, 1923, y más tarde en la Sociedad de Cursos y Conferencias de Madrid.]

Títeres de Cachiporra: Tragicomedia de Don Cristóbal y la señá Rosita. Estudio y notas de Juan Guerrero Zamora. *Raíz,* Madrid, Facultad de Filosofía y Letras, 1949, núm. 3. Buenos Aires, Ediciones Losange, 1954.—En *Obras completas,* Aguilar, Madrid, 1967, 13.ª ed., págs. 723-780.

Mariana Pineda (1925). *Romance popular en tres estampas.* [Puesto en escena por Salvador Dalí; estrenada en el teatro Fontalba, de Madrid, en octubre de 1927, Madrid, Rivadenevra, 1928 (*La Farsa,* año II, núm. 52, 1, IX, 1928 [con tres dibuios de Federico García Lorca: caricatura de Federico García Lorca por Emilio Ferrer; bocetos de las decoraciones por Barberoll).— Santiago de Chile. Edit. M o d e r n a [1928]. Id. [1937].—Buenos Aires. Edit. Argentores, 1937, [Con *Romancero gitano*].—En *Obras Completas,* Buenos Aires, Losada, 1938, t. V, págs. 131-252.— Buenos Aires, Losada, 1943.—México, Edit. Isla, 1945.—Buenos Aires, Losada, 1948.—En *Obras completas,* Madrid, Aguilar, 1967, 13.ª ed., páginas 781-891. Madrid, Novelas v Cuentos 1968. [Con *La zapatera prodigiosa* v *Bodas de sangre.*]

Amor de Don Perlimplín con Belisa en su iardín. Aleluya erótica en cuatro cuadros. Versión de cámara. [Estrenada en 1933]—En *Obras completas,* Buenos Aires, Losada, 1938, t. I, páginas 141-89.—Buenos Aires. Losada, 1940. [Con *Bodas de sangre* y *Retablillo de Don Cristóbal.*]

En *Obras completas*, Madrid, Aguilar, 1967, 13.ª edición, págs. 979-1.018.

La zapatera prodigiosa. Farsa violenta en dos actos (1930). [Estrenada en el teatro Español, de Madrid, en 1930, y en versión ampliada en el Coliseum en 1935.]—En *Obras completas*, Buenos Aires, Edit. Losada, 1938, t. III, págs. 105-90.— Buenos Aires, Losada, 1948, 120 págs.—En *Obras completas*, Madrid, Aguilar, 1967, 13.ª ed., páginas 911-978.—Madrid. Novelas y Cuentos, 1968. [con *Bodas de sangre* y *Mariana Pineda*.]

La zapatera prodigiosa. Edited. with introd., exercises, notes and vocabulary by Edith F. Helman. New York, W. W. Norton, 1952. (Sobre esta edición vid. *Revista Hispánica Moderna*, New York, año XX, 1954, núms. 1-2.)

Así que pasen cinco años. (Escena inédita: *Romance del maniquí*.)—En *Hora de España*, Valencia, 1937, núm. 11, págs. 67-74.—En *Repertorio americano*, San José, Costa Rica, 18 diciembre 1937. En *Obras completas*. Buenos Aires, Losada, 1938, tomo VI, págs. 113-39.—En *Obras completas*, Madrid, Aguilar, 1967, 13.ª ed., págs. 1.045-1.144.

El público. (Escenas de un drama en cinco actos.) *Los Cuatro Vientos*, Madrid, núm. 3, 1934.—En *Obras completas*. Buenos Aires, Losada, 1938, tomo VI, págs. 13-112.—En *Obras completas*, Madrid, Aguilar, 1967, 13.ª ed., págs. 1.145-1.169.

Retablillo de Don Cristóbal. Farsa para guiñol (1931). [Valencia, Comisariado General de Guerra, s. a.]—En *Obras completas*, Buenos Aires, Losada, 1937, t. I, págs. 191-218.—Buenos Aires, Losada, 1940, 214 págs.—[Con *Bodas de sangre* y *Amor de Don Perlimplín*.]—En *Obras completas*, Madrid. Aguilar, 1967, 13.ª ed., págs. 1.019-1.043.

*Bodas de sangre. Tragedia en tres actos y siete cua-
dros* (1933). [Estrenada el 8 de marzo de 1933 en
el teatro Beatriz, Madrid.] Madrid, Cruz y Raya,
1935, 125 págs. [cubierta: 1936]—Buenos Aires,
Teatro del Pueblo, 1936. (Colección Argentores.)
Madrid, Cruz y Raya, 1936.—Acto III. *Revista de
las Indias*, Bogotá, 1936, núm. 3, págs. 69-79.—Santiago de Chile [Editorial Moderna, 1937.].—En
Obras completas, Buenos Aires, Losada, 1938, t. I,
páginas 25-140.—Grafos, La Habana, 1940, VIII,
número 86.—Buenos Aires, Losada, 1944. [Con
Amor de Don Perlimplín con Belisa en su jardín
y *Retablillo de Don Cristóbal*.]—En *Obras completas*, Madrid, Aguilar, 1967, 13.ª ed., págs. 1.171-
1.272.

*Yerma. Poema trágico en tres actos y en dos cua-
dros cada uno, en prosa y en verso*. [Estre-
nada en 1935.] Buenos Aires, e d i c i o n e s
A n a c o n d a, 1937, 93 páginas. — Santiago
de Chile, Edit. Moderna, 1937.—Lima, Edit. La-
tina (1937)—[Con *Llanto por Ignacio Sánchez Mejías*.]—En *Obras completas*, Buenos Aires, Losada, 1938, t. III, págs. 9-104.—Santiago de Chile,
Editorial Iberia, s. a.—Buenos Aires, Losada,
1944. [Con *La zapatera prodigiosa*.]—Id., Buenos
Aires, Losada, 1946. (*Obras completas*, III.) Buenos Aires, Losada, 1948.—Buenos Aires, Losada,
1949. [Con *La zapatera prodigiosa*.]—En *Obras
completas*, Madrid, Aguilar, 1967, 13.ª ed., páginas 1.273-1.350.—Madrid, Novelas y Cuentos, 1968.
[Con *Mariana Pineda* y *La zapatera prodigiosa*.]
Doña Rosita la soltera, o *El lenguaje de las flores.
Poema granadino del novecientos, dividido en varios jardines, con escenas de canto y baile* (1935)
[Estrenada en el Principal Palace, de Barcelona,
diciembre, 1935.]—En *Obras completas*, Buenos

Aires, Losada, 1938, t. V, págs. 9-129.—Buenos Aires, Losada, 1944. [Con *Mariana Pineda*.] (*Obras completas*, V.)—En *Obras completas*, Madrid, Aguilar, 1967, 13.ª ed., págs. 1.351-1.438.

La casa de Bernarda Alba. [Inédita.] [Concebida para ser estrenada en octubre de 1936 por el teatro Español, de Madrid. En *El Universal*, Caracas, septiembre 1938.]—*La casa de Bernarda Alba. Drama de mujeres en los pueblos de España*, Buenos Aires, Losada, 1945. [Estrenada en el teatro Avenida, de Buenos Aires, 8 de marzo de 1945.]—Buenos Aires, Losada, 1946. (*Obras completas* recopiladas por Guillermo de Torre, VIII.) [Con *Prosas póstumas*.] 2.ª ed., Buenos Aires, Losada, 1949.—Barcelona, Ayma, S. A., Editora, 1964.—En *Obras completas*, Madrid, Aguilar, 1967, 13.ª ed., págs. 1.439-1.532.

Los sueños de mi prima Aurelia. Inédita. ¿Perdida?

La destrucción de Sodoma. Inédita. ¿Perdida?

La niña que riega la albahaca y el príncipe preguntón. Inédita. ¿Perdida?

El sacrificio de Ifigenia. Inédita. ¿Perdida?

TRADUCCIONES

TEATRO

Dramatische Dichtungen. Deutsch von Enrique Beck (*Mariana Pineda, In seinen Garten liebt Don Perlimplín, Belisa. Die wundersame Schustersfrau, Sobald fünf Jahre verghen, Bluthozeit, Yerma, Doña Rosita breibt ledig, Bernarda Alba Haus*). Wiesbaden, Insel-Verlag, 1954.

Five plays. Introd. by Stark Young. Trad. de Richard L. O'Connell and James Graham. New York, Scribner's 1941, XXXVI-251 páginas. [Contiene: trad. inglesa de *Yerma, Así que pasen cinco años, Doña Rosita la soltera, Amor de Don Perlimpín y La zapatera prodigiosa.*]

Three tragedies of Federico García Lorca. Transl. by Richard L. O'Connell and James Graham-Luján. New York, New Directions Press, 1947, 378 págs. [*Blood wedding, Yerma, Bernarda Alba.*]

Comedies (*The Shoemaker's Prodigious Wife, Don Perlimplín, Doña Rosita the Spinster* [*Maleficio de la mariposa*]. Transl. by Richard L. O'Connell and James Graham-Luján. New York, New Directions Press, 1954, Introduction by Francisco García Lorca.

Teatro. Traduzione di Vittorio Bodini. Milano, Einaudi, 1952, XXVIII + 590 páginas.

Teatro spagnolo. A cura di Elio Vittorini. Milano, Bompiani. Coll. Pantheon.

La noce meurtrière. Trad. de Marcelle Auclair y Jean Prévost [de *Bodas de sangre*]. En *La Nouvelle Revue Française,* París, 1938, núms. 295, 296 y 297. [Se representó con el título *Noces de sang.*]

Théâtre. I. *Noces de sang. Yerma. Doña Rosita.* París, Gallimard, 1953.

Noces de sang. Yerma. Traduit de l'espagnol par Marcelle Auclair, en collaboration avec Jean Prévost et Paul Lorenz. París, Gallimard, 1946, 215 páginas.

Noces de sang. Traduit par Robert Namia. Alger, Charlot.

Blood wedding. A tragedy in three acts and seven scenes. Transl. by Gilbert Neiman.—En *New directions, in prose and poetry*, Norfolk, Connecticut, 1939, págs. 3-61.

Nozze di sangue. Trad. di Giuseppe Valentini. En *Il dramma*, núms. 410-411, Torino, 1, X, 1943.

Nozze di sangue. Lamento por Ignacio Sánchez Mejías. Diálogo dell Amargo. A cura e traduzione di Elio Vittorini. Milano, Bompiani, 1942.

Nozze di sangue. Milano, Bompiani. Coll. Corona.

Krovavaja svad'ba. Traducción rusa de F. V. Kel'in y A. V. Fecral'-skij. Moskova, Leningrad, Iskusstvo, 1939.

Bloásbròllop, Yerma, Bernardas Hus. I översättning av Karin Alin och Hijalmal Gullberg. Stockolm, P. A. Norstedt & Söners, 1947. 302 págs.

Yerma. Poème tragique en prose et en verse. Préf. et trad. d'Etienne Vauthier. [Bruxelles, Imp. van Dooslaer, 1939.] (*Journal des poètes*. Les cahiers du Journal des poètes, 64.) [Contiene una fotografía de Lorca con su madre (con la dedicatoria: "Para Eduardo, con la que yo más amo en el mundo. 1935. Federico").]

Yerma, poème tragique. Trad. de Joan Vict. París, P. Seghers, 1947, 151 páginas. (*Le théâtre vivant*, t. 2).

Yerma. Versión française de Jean Camp.—En *L'Avant-Scène, Journal du Théâtre*. París, número 98, 1954.

Yerma. Trad. e intr. di Luggero Jaccobi. Roma, Edizioni del Secolo, 1944.

Yerma. Drama tragis dalam tiga babak dan enam adegan. Pertietakan: Balai Pustaka. Djakarta, 1960.

Mariana Pineda, trad. par André Massis. París, au Théâtre Charles-de-Rochefort, 1946.

Mariana Pineda. Versione di Nardo Languasco. En *Il dramma*, Torino, números 12-13, 15, V, 1946.

Mariana Pineda. A cura di A. Baldo con un saggio di O. Macri. Modena. Guanda, 1946, 160 páginas. (Collana del Teatro Universale).

Amour de Don Perlimplin et de Belise dans leur jardin. Trad. par Jean-Marie Soutou. Lyon, Barkzat, 1945.

Amour de Don Perlimplín avec Belise en son jardin. Imagérie poétique en 4 tableaux. Version française de Jean Camp. París, Librairie théâtrale, 1954.

Amore di Don Perlimplin con Belisa nel suo giardin. Versione di Dimma Chirone. En *Il dramma*, Torino, números 12-13, del 15 de mayo 1946.

La savatière prodigieuse. Trad. de Mathilde Pomès. París, R. Laffont, 1946, 60 págs.

Le public.—En *La nouvelle Nouvelle Revue Française*, París, 1955.

La zapatera prodigiosa. Edited with introd. exercises and vocabulary by Edith F. Helman, New York, W. W. Norton, 1952, 192 págs.

La zapatera prodigiosa. Vers. di Nardo Languasco. *Il dramma*, Torino, números 12-13, del 15 mayo 1946.

La zapatera prodigiosa. Obra traducida al ruso por A. Kagarlitski (prosa) y F. Klein (versos).

La maison de Bernarda Alba. Trad. de Jean-Marie Créach. Pref. de Jean Cassou. Ilustrée par Carlos Fonsère. Paris, Le Club Français du Livre, 1947, XI-119 págs.

La maison de Bernarda. Adaptation française de Jean Créach. En *France-Illustration*, París, 1951.

Petit théâtre. Textes recueillis et traduits par Claude Couffon. Ilustr. de Dubout. París, Les Lettres Mondiales [1951]. [Contiene, en español y francés: *La doncella, el marinero y el estudiante;*

Quimera, El paseo de Buster Keaton, tres trabajos inéditos.]

Le petit rétable de Don Cristobal. Farce pour marionnettes. Adaptation française d'André Camp. París, Librairie Théâtrale, 1954.

Le petit rétable de Don Cristobal. Traduit par Robert Naucia. Alger, Charlot, 1945.

The Frame of Don Cristobal.—En *Some Little Known Writings of F. G. L.* Transl. by Edwin Honig.—En *New Directions.* Norfolk, núm. 8, 1944.

Quadretto di Don Cristobal. Farsa per marionette. Versione italiana di Dimma Chirone.—En *Il dramma.* Torino, 15 mayo 1946.

ESTUDIOS Y HOMENAJES

TEATRO

(Sobre la representación de *Peribáñez,* de Lope de Vega, por el Club Anfistora.)—En *El Sol,* Madrid, 26 enero 1935.

ALDUNATE, R.: *El teatro de Federico García Lorca.*— En *Mercurio,* Santiago, 11 abril 1937.

ALDUNATE PHILLIP, Arturo: *Federico García Lorca a través de Margarita Xirgu,* Santiago de Chile, Nascimento, 1937, 74 págs.

ALTOLAGUIRRE, M.: *Nuestro teatro.*—En *Hora de España,* Valencia, 1937, núm. 9, págs. 32-37.

ASSAF, José E.: *Federico García Lorca y José María Pemán.*—En *El teatro argentino como problema nacional,* Buenos Aires, 1937, págs. 157-71.

BABÍN DE VICENTE, M. T.: *García Lorca, poeta del teatro.*—En *Asomante,* San Juan (Puerto Rico), 1948, IV, núm. 2, págs. 45-57.

BENTLEY, Eric: *Aspects of Theatre,* New York, Knopt, 1953.

CARRILLO URDANIVIA, Graciela: *El teatro de Federico García Lorca.*—En *Inquietud*, Lima, 1939, I, número 2, págs. 43-50; 3, Lima, 1940, núm. 6, páginas 79-81.

CASSOU, Jean: *Cop d'oeil sur le théâtre.*—En *Les Nouvelles Littéraires*, París, 7 enero 1939, pág. 6.

CHABÁS, Juan: *Vacaciones de La Barraca.*—En *Luz*, Madrid, 3 sep. 1934.—*F. G. L. y la tragedia.*—En *Luz*, Madrid, 3 julio 1934.

D'AMICO, Silvia: *Storia del teatro drammatico*, volumen IV, Garzanti, 1950.

— *Teatro sulla sabbia.*—En *Tribuna*, 18, IX, 1935.

DIEGO, G.: *El teatro musical de Federico García Lorca.*—En *El Imparcial*, Madrid, 16 abr. 1933. En *La Prensa*, N. Y.; 3 julio 1933.

DÍEZ CANEDO, Enrique: *El teatro universitario La Barraca.*—En *El Sol*, Madrid, 22 agosto 1932.

— *Panorama del teatro español desde 1914 a 1936.* En *Hora de España*, Valencia, 1938, núm. 16, páginas 44-48.

DUDGEON, P. O.: *J. M. Synge and Federico García Lorca.*—En *Fantasy*, núm. 26, 1942.

GARCÍA-LUENGO, Eusebio: *Revisión del teatro de Federico García Lorca*, Madrid, Imp. Aga, 1951, 34 págs. (*Cuadernos de Política y Literatura*, 3.)

— *Carta sobre revisión del teatro de Federico García Lorca.*—En *Indice*, Madrid, año 7, número 49 (XXIX), 15 marzo 1952.

GARRIERI, Raffaele, sobre *Cartas a sus amigos y dibujos de Federico García Lorca.*—En *Epoca*, Italia, núm. 111.

GONZÁLEZ MENA, J.: *El teatro de Federico García Lorca.*—En *Todo*, México, 12 marzo 1936.

GUERRERO ZAMORA, Juan: *El teatro de Federico García Lorca*, Madrid, Colección Raíz, vol. 2, 1948, 19 págs.

LAFFRANQUE, MARIE: *Lorca* (Col. "Theatre de tous les temps", 3) París, 1966. (Traducción española en prensa por "Editorial Albaicín", de Granada).

LEVI, Ezio: *La Barraca di García Lorca.*—En *Scenario*, X, 1934.

LUISI, L.: *El teatro de García Lorca* (Ensayos), Montevideo, 1937, II, número 16.

MACRÍ, Oreste: *Teatro di Federico García Lorca.*— En *La Rassegna d'Italia*, Milano, mayo 1946.

MACHADO BONET, Ofelia: *Federico García Lorca. Su producción dramática*, Montevideo, Uruguay, Imprenta Rosgal, 1951, 229 págs.

MARÍA Y CAMPOS, A.: *Lope de Vega y García Lorca en México.*—En *Presencias de teatro* (*Crónicas 1934-1936*), México, Botas, 1937, págs. 263-75. [Con motivo de las representaciones de *La dama boba*, con escenificación de Lorca, y de *Yerma* y *Doña Rosita la soltera...*, por Margarita Xirgu.]

MONNER SANS, José María: *Panorama del nuevo teatro*. La Plata, Biblioteca de Humanidades, 1939.

MORENO VILLA, José: *Vida en claro*, México, 1944.

MORTON, F., sobre *From Lorca's theatre*, transl. by R. L. O'Connell and J. Graham. *Theatre Arts Monthly*, New York, 1941, XXV, págs. 920-23.

NIETO ARTETA, Luis E.: *Universalidad y sexualismo en el teatro. Casona y García Lorca.*—En *Revista de las Indias*, Bogotá, dic. 1941, núm. 36.

O'CONNELL, Richard, y LUJÁN JAMES, ORAHAM: *From Lorca's Theatre*, New York, 1941.

ORCAJO ACUÑA, F.: *Teatro de hoy*, Buenos Aires, Amigos del Libro Rioplatense, 1936. [Contiene: *Federico García Lorca, creador de atmósferas vivas.*]

PANDOLFI, Vito: *Spettacolo del secolo*, Pisa, Nitri

Lischi, 1953. (Sobre el teatro de Federico García Lorca.)

PÉREZ MARCHAND, Monelisa Lina: *Apuntes sobre el concepto de la tragedia en la obra dramática de García Lorca.*—En *Asomante*, S. J. (Puerto Rico), 1948, IV, núm. I, págs. 86-96.

PÉREZ-MINIK, Domingo: *Debates sobre el teatro español contemporáneo*, Santa Cruz de Tenerife, Goya Ediciones, 1953.

RAMÍREZ DE ARELLANO: *García Lorca y su positiva influencia sobre nuestro teatro.* [Sobre *Condenados*, de Suárez Carreño.]—En *Ateneo*, Madrid, 30 agosto 1952.

SÁENZ DE LA CALZADA, C.: *El teatro universitario español La Barraca.*—En *América*, México, agosto 1940, págs. 35-37.

SALINAS, Pedro: *Dramatismo y teatro de Federico García Lorca.*—En *Literatura española del siglo XX*, México, Séneca, 1941, págs. 289-302.

SURCHI, Sergio: *Sulla natura popolare del teatro di García Lorca.*—En *Sipario*, Milano, enero 1953, número 81.

TRÍAS MONJE, J.: *La mujer en el teatro de García Lorca.*—En *Asomante*, San Juan de Puerto Rico, I, 1945.

VALBUENA PRAT, A.: *Historia de la literatura española*, Barcelona, 1937, tomo II, págs. 969-70.

YOUNG, Stark: *Prologue of From Lorca's theatre*, transl. by R. L. O'Connell and Jame Graham Luján. New York, Scribner's, 1941.

ZAÑARTU, S.: *Teatro de García Lorca.*—En *El Sur*, Concepción (Chile), 22 agosto 1937.

Sobre *"El maleficio de la mariposa"*

FERNÁNDEZ ALMAGRO, Melchor: *El primer estreno de Federico García Lorca.*—En *A B C*, Madrid, 12 (o 13) junio 1952.

GUARDIA, A. de la: *La primera obra dramática de Federico García Lorca.*—En *La Nación*, Buenos Aires, 17 noviembre 1940.

Sobre *"Los títeres de Cachiporra"*

BIANCHI, Sara: *El guiñol en García Lorca*, Buenos Aires, Cuadernos del Unicornio, ¿1953?

GUERRERO ZAMORA, Juan: *Una obra inédita de Federico García Lorca. (Títeres de Cachiporra, tragicomedia de don Cristóbal y la señá Rosita.)*— En *Raíz, Cuadernos literarios de la Facultad de Filosofía y Letras*, Madrid, núms. 3-4, 1948-1949.

MANE, Bernardo: *Retablillo titiritero bajo el cielo español.*—En *La Prensa*, Buenos Aires, 14 noviembre 1954.

MORA GUARNIDO, J.: *Crónicas granadinas. El Teatro Cachiporra de Andalucía.*—En *El Sol*, 18 enero 1923.

TORRE, Guillermo de: *Federico García Lorca y sus orígenes dramáticos.*—En Federico García Lorca: *Cinco farsas breves seguidas de Así que pasen cinco años*, Buenos Aires, Losada, 1953, Biblioteca Contemporánea.—En *Clavileño*, Madrid.

Sobre *"Mariana Pineda"*

AYALA, F.: [*Un drama de García Lorca: Mariana Pineda. Estatua de piedra. Estatua de cera.*] En *La Gaceta Literaria*, Madrid, núm. 13, 1 julio 1927.

— *Mariana Pineda.*—En *La Gaceta Literaria*, Madrid, núm. 20, 15 octubre 1927.

Díez-Canedo, E.: *Mariana Pineda*, de Federico García Lorca, en Fontalba. En *El Sol*, Madrid, 13 octubre 1927.

Fernández Almagro, M., sobre Federico García Lorca: *Mariana Pineda.*—En *La Voz*, Madrid, 13 octubre 1927.

Floridor: *Mariana Pineda.*—En *A B C*, Madrid, 13 octubre 1927.

García Lorca, Francisco: Introducción a *The Comedies of Federico García Lorca*. New York, New Directions, 1954.

Homenaje a García Lorca (por el estreno de *Mariana Pineda*).—En *La Gaceta Literaria*, núm. 21, 1 noviembre 1927.

Lavandero, R.: *La heroína y su poeta.*—En *Verdades*, San Juan (Puerto Rico), enero 1937, páginas 20-21.

M. R. C.: *La Vanguardia*, Barcelona, 26 junio 1927.

Machado, M.: *La Libertad*, Madrid, 13 oct. 1927.

Mariana Pineda.—En *Times*, *Times Literary Supplement*, London, 9 agosto 1938.

Mesa, E. de: *Apostillas a la escena*, Madrid, s. a., páginas 338-42.

R. G.: *Representación de Mariana Pineda.*—En *Hora de España*, Valencia, 1937, núm. 8, págs. 75-76. [Puesta en el teatro Principal, de Valencia, con motivo del II Congreso Internacional de Escritores para la Defensa de la Cultura, por Manuel Altolaguirre.]

Sobre *"Amor de Don Perlimplín"*

Fernández Almagro, M.: En *El Sol*, Madrid, 6 abril 1933.

Sobre "La zapatera prodigiosa"

[Sobre la versión ampliada de *La zapatera prodigiosa*, estrenada el 18 marzo 1935.]—En *El Sol*, Madrid, 19 marzo 1935.

ANDRENIO: En *La Voz*, Madrid, 25 diciembre 1930. — *La Voz*, Madrid, 19 marzo 1935. [Sobre la versión ampliada.]

ESPINOSA, Agustín: En *El Sol*, Madrid, 19 marzo 1935.

F.: *La zapatera prodigiosa.*—En *A B C*, Madrid, 19 marzo 1935.

FERNÁNDEZ ALMAGRO, M.: En *La Voz*, Madrid, 25 diciembre 1930.—En *Ya*, Madrid, 19 marzo 1935.

GONZÁLEZ RUANO, C.: *Bajo la sonrisa de La zapatera prodigiosa.*—En *Crónica*, Buenos Aires, 11 enero 1930.

GUIBOURG, E.: *La zapatera, fórmula teatral.*—En *Noticias Gráficas*, Buenos Aires, 4 dic. 1933.

HALE, L.: [Sobre la transmisión de *La zapatera prodigiosa* por la B B C.]—En *The Observer*, London, 27 julio 1954.

HELMAN, Edith F.: Introducción a F. G. L.: *La zapatera prodigiosa*. Edited with Introduction exercises, Notes and Vocabulary by... New York, W. W. Norton, 1952.—Sobre esta edición vid. *Revista Hispánica Moderna*, New York, año XX, en abril 1954, números 1-2.

OBREGÓN, A. de: *La zapatera prodigiosa*, de García Lorca (nueva versión).—En *Diario de Madrid*, Madrid, 19 marzo 1935.

TEZANOS PINTO, Fausto de: *La zapatera prodigiosa*, de Federico García Lorca.—En *Criterio*, Buenos Aires.

Sobre "Así que pasen cinco años"

AUB. MAX: *Nota* (*Así que pasen cinco años.*)—
En *Hora de España*, Madrid, 1937, núm. 11,
páginas 67-74.

DÁVILA, Carlos: *García Lorca en Nueva York:
Así que pasen cinco años.*—En *Revista de América*, Bogotá, 1945, II, págs. 158-59.

XIRAU, Ramón: *Así que pasen cinco años.*—En *Prometeus*, México, 2.ª época, núm. 2, marzo 1952.

Sobre "Retablillo de don Cristóbal"

GUIBOURG. A., sobre *Retablillo de don Cristóbal y
doña Rosita, aleluya popular basada en el viejo
y desvergonzado guiñol andaluz.*—En *Criterio*,
Buenos Aires, 26 marzo 1934.

Sobre "Bodas de sangre"

Bodas de sangre, de García Lorca, bajo el título
de "Bitter oleander", en *Nueva York.*—En *La
Prensa*, New York, 8 feb. 1935.

*Bodas de sangre gana admiradores a diario para
el teatro español aquí.*—En *La Prensa*, N. Y.,
22 feb. 1935.

Bodas de sangre.—En *Indice Literario*, Madrid,
1933, II, págs. 105-106.

Noces de sang de Federico García Lorca au Studio des Champs-Elysées. (Opiniones de Morvan
Lebesque, Thierry Maulnier, Jacques Lemarchand).—En *Théâtre de France*, II, París, Les
Publications de France, 1953.

Marriage of blood. Adapted by J. Langdon-Davies and P. [sic] Weissberger. En *The New Statesman and Nation,* London, 1939, XVII, pág. 458.

A. C.: En *A B C,* Madrid, 9 marzo 1933.

ATKINSON, B., sobre *Bitter oleander. A play in three acts and seven scenes from the Spanish of Federico García Lorca.* English transl. by J. A. Weissberger.—En *New York Times,* N. Y., 12 febrero 1935.

BAUS, F.: Apreciación sobre *Bodas de sangre.*—En *El Universal,* Caracas, 30 abril 1939.

BRION, M.: *Les Nouvelles Littéraires,* París, 4 julio 1936.

BROW, J. M.: *Bitter oleander.*—En *New York Evening Post,* N. Y., 12 feb. 1935.

D. F., sobre *Blood wedding.* Transl. by G. Neiman. En *Saturday Review of Literature,* New York, 1940, XXI, pág. 21.

DU GARD, M. M.: *Noces de sang. trois actes de Federico García Lorca (à l'Atelier).*—En *Les Nouvelles Littéraires,* París, 11 junio 1938.

E. A.: En *Hoja Literaria,* Madrid, marzo 1933, página 9.

FERNÁNDEZ ALMAGRO, M.: En *El Sol,* Madrid, 9 marzo 1933.

FLETCHER, J. G.: sobre *Blood wedding.*—En *Poetry,* Chicago, 1940, LXIV, pág. 343.

HAMMOND, P.: *"Bitter oleander" by Federico García Lorca, transl. from the Spanish by José Weissberger... presented by the Neighborhood Playhouse at the Lyceum Theatre.*—En *New York Herald Tribune,* N. Y., 12 febrero 1934.

ISAACS, Edith J. R.: sobre *Bitter oleander.*—En *Theatre Art. Monthly,* N. Y., 1935, XIX, págs. 248-53.

J. E. A.: *Bodas de sangre en francés.*—En *Criterio* Buenos Aires, 1938, XXXV, págs. 354-55.

— *Del elogio inmoderado.*—En *Criterio*, Buenos Aires, 1938, XXXIV. [Con motivo de la versión cinematográfica de *Bodas de sangre.*]

— *La traducción francesa de Bodas de sangre, de Federico García Lorca.*—En *Criterio*, Buenos Aires, 1938, XXXV, págs. 401-402. [Trad. de Marcelle Auclair y J. Prévost.]

KREYMBORG, A., sobre *Blood wedding.*—En *The Living Age*, Boston, 1940, CCCLXIII, pág. 95.

LOCKRIDGE, R., sobre *Bitter oleander.*—En *New York Sun*, N. Y., 12 febrero 1935.

MANTLE, B., sobre *Bitter oleander.*—En *Daily News*, New York, 13 febrero 1935.

MASSA, P.: *El poeta García Lorca y su tragedia Bodas de sangre.*—En *Crónica*, Madrid, 9 abril 1933.

MERAC, R.: *Noces de sang.*—En *Gringoire*, París, 26 enero 1939. [Representada en París en l'Atelier por la compañía Le Rideau de París.]

PACHECO, C.: *Bodas de sangre*, de Federico García Lorca, en el teatro Español de Madrid.—En *Criterio*, Buenos Aires.

PEGO, A.: *Crónica de Norteamérica. Ni Benavente ni García Lorca.*—En *La Vanguardia*, Barcelona, 13 marzo 1935. [sobre *Bitter oleander.*]

RILEY, E. C.: *Clavideño, Revista de la Asociación Internacional de Hispanismo*, Madrid, núm. 7, enero-febrero 1951.

RUIZ VILAPLANA: *Recuerdos de Federico García Lorca: "Bodas de sangre", en París.*—En *Mi Revista*, Barcelona, 1938, III, núm. 43, 1 pág. sin numerar.

SALINAS, Pedro: *El teatro de Federico García Lorca.*—En *Indice Literario*, Madrid, 1936, año V, número 37, págs. 25-31. [Con motivo de la publi-

cación de *Bodas de sangre*]—Reimp. con el título *Dramatismo y teatro de Federico García Lorca, en Literatura española del siglo XX*, México,
Séneca, 1941, págs. 289-302.

SCHMIDT, Augusto Federico: *Mauriac. Lorca e a
eternidade do theatro.*—En *Revista do Brasil*,
Río de Janeiro, 1938, I, págs. 225-30. [Con motivo
de *Bodas de sangre*.]

YOUNG, C., sobre *Bitter oleander.*—En *The New Re-
public*, N. Y., 1935, LXXXII, pág. 78.

Sobre *"Yerma"*

[Sobre la lectura del *Llanto* hecha por Federico
García Lorca en el teatro Español de Madrid con
motivo de la 100 representación de *Yerma*.]—En
El Sol, Madrid, 12 y 13 marzo 1935.

[Solicitud de los actores de Madrid para que se
haga para ellos una representación especial de
Yerma.]—En *El Sol*, Madrid, 31 enero 1935.

Yerma et la critique. (Opiniones de Jean-Nepveu-
Degas, en *L'Oservateur;* Morvan Lebesque, en
Carrefour; Jacques Lemarchand, en *Le Figaro
Littéraire;* Marc Beigbeder, en *Les Lettres Fran-
çaises;* Gustave Joly, en *L'Ausrore:* Jean Guigne-
bert, en *Libération;* Dusane, en *Samedi-Soir;* Guy
Verdot, en *Franc-Tireur;* Robert Kemp, en *Le
Monde;* J. Vigneron, en *La Croix;* Marcelle Ca-
pron, en *Combat;* André Paul Antoine, en *L'In-
formation*)—En *L'Avant-Scène. Journal du Théâtre*, París, núm. 98, 1954.

A. C.: *Yerma.*—En *A B C*, Madrid, 30 diciembre,
1954.

AVECILLA, C. R.: En *El Pueblo*, Madrid, 1 enero
1935.

BARGA, Corpus: *Tragicomedia. Yerma y la política.* En *Diario de Madrid,* Madrid, 7 enero 1935.—En *Repertorio Americano,* S. J. (Costa Rica), 23 febrero 1935.

CARRILLO URDANIVIA, Graciela: *El teatro de Federico García Lorca: Yerma y su obsesión de inmortalidad.—3,* Lima, 1940, núm. 6, págs. 79-81.

COLECCHIA, Frances: *El teatro de García Lorca visto a través de su drama poético "Yerma".*—En *Estudios, Revista de Cultura Hispánica,* Duquesne University, Pittsburgh, Pa., 1952, I, núm. 3, páginas 9-17.

CORREA, Gustavo: *Yerma. Estudios estilísticos.*— En *Revista de las Indias,* Bogotá, 1949, XXXV, número 109, págs. 11-63.

DÍEZ CANEDO, E.: *Un poeta dramático.*—En *La Voz,* Madrid, 31 diciembre 1934.

FERNÁNDEZ ALMAGRO, M.: En *El Sol,* Madrid, 30 diciembre 1934.

GARCÍA LORCA, Francisco: *Yerma dans l'ouvre de Federico García Lorca.*—En *L'Avant-Scène,* París, núm. 98, 1954.

GUIBERT, F.: *Margarita Xirgu en Yerma.*—En *Capítulo,* Buenos Aires, 1937, I, núm. 1, pág. 46.

HARO, E.: En *La Libertad,* Madrid, 30 diciembre 1934.

J. E. A.: *Yerma, un drama que da náuseas.*—En *Criterio,* Buenos Aires, 1937, XXXIII, págs. 259-61.

JARNÉS, Benjamín: En *La Vanguardia,* Barcelona, 20 diciembre 1936.

LUENGO, Eusebio: *Yerma y el teatro de Lorca.*—En *Letra,* Madrid, núm. 1, 1935.

MARÍN ALCALDE, A.: En *Ahora,* Madrid, 31 diciembre 1934.

MORI, A.: *Una jornada gloriosa en el Español.*—En *El Liberal,* Madrid, 30 diciembre 1934.

Novás Calvo, L.: En *Revista Cubana*, La Habana, 1935, I, págs. 266-69.

Obregón, A. de: En *Diario de Madrid*, Madrid, 31 diciembre 1934.

Pedro, Valentín de: *Yerma, de Federico García Lorca, en el teatro Español de Madrid.*—En *El Hogar*, Buenos Aires, 15 marzo 1935.

Pérez de la Ossa, H.: *El teatro.*—En *Revista de Estudios Hispánicos*, Madrid, 1935, I, págs. 66-68.

Rossell, A.: *Shakespeare y García Lorca, víctimas de los taquígrafos.*—En *Pan*, Buenos Aires, 1937, III, núm. 140, págs. 17 y 52. [Sobre las versiones clandestinas de *Yerma*, que, según Margarita Xirgu, están hechas a base de versiones taquigráficas.]

Scheimer, Rosa: *Acotaciones al margen de Yerma, de García Lorca.*—En *Claridad*, Buenos Aires, 1937, año XVI, núm. 315, 4 págs. sin numerar.

Sender, R. J.: *El poeta en la escena.*—En *La Libertad*, Madrid, 5 enero 1935.

Sobre "Doña Rosita la soltera"

Doña Rosita ou Le langage des fleurs au Théâtre des Noctambules.—En *Théâtre de France*, III, páginas 129-122. París, Les Publications de France, 1953. (Con opiniones de varios críticos de teatro franceses.)

[Sobre *Doña Rosita*].—En *El Sol*, Madrid, 23 mayo 1935.

[Entrevista en que habló de sus proyectos teatrales. *Destrucción de Sodoma, Doña Rosita...*].—En *El Sol*, Madrid, 1 enero 1935.

Bianco, José: *García Lorca en el Odeón.*—En *Sur*, Buenos Aires, 1937, núm. 32, págs. 75-80.

Blanco-Amor, Eduardo: *Nueva obra teatral de Gar-*

cía Lorca.—En *La Nación*, Buenos Aires, 24 noviembre 1935.—En *Revista de las Indias*, Bogotá,
1937, I, núm. 5, págs. 46-49.

ESPINA, A.: *Estreno de la última obra de García
Lorca en el Principal Palace*, Barcelona.—En *El
Sol*, Madrid, 15 diciembre 1935.

J. E. A.: *La verdad sobre García Lorca a propósito
de Doña Rosita la soltera.*—En *Criterio*, Buenos
Aires, 1937, año X, núm. 480, págs. 43-45; núm. 481,
páginas 63-65.

LINARES, J.: En *El Hogar*, Buenos Aires, 14, V, 1937.

MASSA, Pedro: *Estreno de Doña Rosita la soltera o
el lenguaje de las flores, nueva obra de G. L. in-
terpretada por M. Xirgu.*—En *Crónica*, Madrid.

OCAMPO, Victoria: *Carta a Federico García Lorca.*
(Después del estreno de *Doña Rosita la soltera*
en *Buenos Aires*.)—En *Sur*, Buenos Aries, 1937,
VII, núm. 33, págs. 81-83.

Sobre "La casa de Bernarda Alba"

BENTLEY, Eric: Sobre *La casa de Bernarda Alba.—*
En *Asomante*, Puerto Rico, abril-junio 1953.

DUGHERA, Eduardo A.: *Un aspecto de La casa de
Bernarda Alba.* Santa Fe, Inst. Social. Publ. número 66 (Universidad Nacional del Litoral). (Re-
seña del artículo anterior, en *Indice Cultural
Español*, Madrid, octubre 1953, págs. 1037-38).

EICHELBAUM, S.: *Margarita Xirgu reaparecerá con
la última obra de García Lorca.*—En *Argentina
Libre*, Buenos Aires, 26 septiembre 1940.

GUARDIA, A. de la: *La casa de Bernarda Alba.*—En
Latitud, Buenos Aires, I, núm. 3, 1945.

SALAZAR, Adolfo: *Un drama inédito de García Lorca.*—En *El Universal*, Caracas, 11, XI, 1938.

— *Carteles*, La Habana, 10 abril 1938.—En *El Universal*, Caracas, 11 septiembre 1938.

MARIANA PINEDA

ROMANCE POPULAR EN TRES ESTAMPAS
(1925)

PERSONAJES

MARIANA PINEDA.
ISABEL LA CLAVELA.
DOÑA ANGUSTIAS.
AMPARO.
LUCÍA.
NIÑO.
NIÑA.
SOR CARMEN.
NOVICIA 1.ª
NOVICIA 2.ª
MONJA.

DON PEDRO SOTOMAYOR.
FERNANDO.
NIÑAS. MONJAS.
PEDROSA.
ALEGRITO.
CONSPIRADOR 1.°
CONSPIRADOR 2.°
CONSPIRADOR 3.°
CONSPIRADOR 4.°
MUJER DEL VELÓN.

Telón representando el desaparecido arco árabe de
las Cucharas y perspectiva de la plaza Bibarrambla, en Granada, encuadrado en un margen ama-
rillento, como una vieja estampa iluminada en
azul, verde, amarillo, rosa y celeste, sobre un
fondo de paredes negras. Una de las casas que
se vean estará pintada con escenas marinas y guirnaldas de frutas. Luz de luna. Al fondo, las niñas
cantarán con acompañamiento el romance popular:

¡Oh, qué día tan triste en Granada,
que a las piedras hacía llorar
al ver que Marianita se muere
en cadalso por no declarar!

Marianita sentada en su cuarto
no paraba de considerar:
"Si Pedrosa me viera bordando
la bandera de la Libertad."

(*Más lejos.*)

¡Oh, qué día tan triste en Granada,
las campanas doblar y doblar!

(*De una ventana se asoma una* Mujer *con un velón encendido. Cesa el
coro.*)

MUJER.

　¡Niña! ¿No me oyes?

NIÑA. (*Desde lejos.*)

　¡Ya voy!

> 　(*Por debajo del arco aparace una*
> NIÑA *vestida según la moda del año*
> *1850, que canta:*)

Como lirio cortaron el lirio,
como rosa cortaron la flor,
como lirio cortaron el lirio,
más hermosa su alma quedó.

> 　(*Lentamente, entra en su casa. Al*
> *fondo, el coro continúa.*)

¡Oh, qué día tan triste en Granada,
que a las piedras hacía llorar!

TELON LENTO

Casa de Mariana. Paredes blancas. Al fondo, bal-
concillos pintados de oscuro. Sobre una mesa, un
frutero de cristal lleno de membrillos. Todo el
techo estará lleno de esta misma fruta, colgada.
Encima de la cómoda, grandes ramos de rosas de
seda. Tarde de otoño. Al levantarse el telón aparece DOÑA ANGUSTIAS, madre adoptiva de Mariana, sentada, leyendo. Viste de oscuro. Tiene un
aire frío, pero es maternal al mismo tiempo. ISA-
BEL LA CLAVELA viste de maja. Tiene treinta y siete años.

ESCENA PRIMERA

CLAVELA. (*Entrando.*)
  ¿Y la niña?
ANGUSTIAS. (*Dejando la lectura.*)
        Borda y borda lentamente.
  Yo lo he visto por el ojo de la llave.
  Parecía el hilo rojo, entre sus dedos,
  una herida de cuchillo sobre el aire.
CLAVELA.
  ¡Tengo un miedo!
ANGUSTIAS.
            ¡No me digas!
CLAVELA. (*Intrigada.*)
                  ¿Se sabrá?
ANGUSTIAS.
  Desde luego, por Granada no se sabe.
CLAVELA.
  ¿Por qué borda esa bandera?
ANGUSTIAS.
                  Ella me dice
  que la obligan sus amigos liberales.

        (*Con intención.*)

  Don Pedro, sobre todos; y por ellos
  se expone...

        (*Con gesto doloroso.*)

a lo que no quiero acordarme.

CLAVELA.

Si pensara como antigua, le diría...
embrujada.

ANGUSTIAS. (*Rápida.*)

Enamorada.

CLAVELA. (*Rápida.*)

¿Sí?

ANGUSTIAS. (*Vaga.*)

¿Quién sabe?

(*Lírica.*)

Se le ha puesto la sonrisa casi blanca,
como vieja flor abierta en un encaje.
Ella debe dejar esas intrigas.
¿Qué le importan las cosas de la calle?
Y si borda, que borde unos vestidos
para su niña, cuando sea grande.
Que si el rey no es buen rey, que no lo sea;
las mujeres no deben preocuparse.

CLAVELA.

Esta noche pasada no durmió.

ANGUSTIAS.

¡Si no vive! ¿Recuerdas...? Ayer tarde...

(*Suena una campanilla alegremente.*)

Son las hijas del Oidor. Guarda silencio.

(*Sale* CLAVELA, *rápida.* ANGUSTIAS *se
dirige a la puerta de la derecha y
llama.*)

Marianita, sal, que vienen a buscarte.

ESCENA II

Entran dando carcajadas las hijas del Oidor de
la Chancillería. Visten enormes faldas de volan-
tes y vienen con mantillas, peinadas a la moda
de la época, con un clavel en cada sien. Lucía es
rubia tostada, y Amparo, morenísima, de ojos
profundos y movimientos rápidos.

ANGUSTIAS. (*Dirigiéndose a besarlas, con los bra-
zos abiertos.*)
    ¡Las dos bellas del Campillo
    por esta casa!
AMPARO. (*Besa a* Doña Angustias *y dice a* Clavela:)
                ¡Clavela!
    ¿Qué tal tu esposo el clavel?
CLAVELA. (*Marchándose, disgustada, y como te-
miendo más bromas.*)
    ¡Marchito!
Lucía. (*Llamando al orden.*)
                ¡Amparo!
            (*Besa a* ANGUSTIAS.)

AMPARO. (*Riéndose.*)
                        ¡Paciencia!
    ¡Pero clavel que no huele,
    se corta de la maceta!
Lucía.
    Doña Angustias, ¿qué os parece?
ANGUSTIAS. (*Sonriendo.*)
    ¡Siempre tan graciosa!
AMPARO.
                Mientras

que mi hermana lee y relee
novelas y más novelas,
o borda en el cañamazo
rosas, pájaros y letras,
yo canto y bailo el jaleo
de Jerez, con castañuelas:
el vito, el ole, el sorongo,
y ojalá siempre tuviera
ganas de cantar, señora.

ANGUSTIAS. (*Riendo.*)
    ¡Qué chiquilla!

> (AMPARO *coge un membrillo y lo*
> *muerde.*)

LUCÍA. (*Enfadada.*)
                    ¡Estate quieta!

AMPARO. (*Habla con lo agrio de la fruta entre los*
dientes.)
    ¡Buen membrillo!

> (*Le da un calofrío por lo fuerte del*
> *ácido, y guiña.*)

ANGUSTIAS. (*Con las manos en la cara.*)
                    ¡Yo no puedo
    mirar!

LUCÍA. (*Un poco sofocada.*)
                    ¿No te da vergüenza?

AMPARO.
    Pero ¿no sale Mariana?
    Voy a llamar a su puerta.

> (*Va corriendo y llama.*)

    ¡Mariana, sal pronto, hijita!

LUCÍA.
    ¡Perdonad, señora!

ANGUSTIAS. (*Suave.*)
                    ¡Déjala!

ESCENA III

La puerta se abre y aparece MARIANA vestida
de malva claro, con un peinado de bucles, peineta
y una gran rosa detrás de la oreja. No tiene más
que una sortija de diamantes en su mano sinies-
tra. Aparece preocupada, y da muestras, conforme
avanza el diálogo, de vivísima inquietud. Al entrar MARIANA en escena, las dos muchachas corren
a su encuentro.

AMPARO. (*Besándola.*)
    ¡Cuánto has tardado!
MARIANA. (*Cariñosa.*)
                        ¡Niñas!
LUCÍA. (*Besándola.*)
                            ¡Marianita!
AMPARO.
    ¡A mí otro beso!
LUCÍA.
                ¡Y otro a mí!
MARIANA.
                            ¡Preciosas!

        (*A* DOÑA ANGUSTIAS.)

    ¿Trajeron una carta?
ANGUSTIAS.
                    ¡No!

        (*Queda pensativa.*)

AMPARO. (*Acariciándola.*)

                              Tú, siempre
joven y guapa.

MARIANA. (*Sonriendo con amargura.*)

                              ¡Ya pasé los treinta!

AMPARO.

    ¡Pues parece que tienes quince!

> (*Se sientan en un amplio sofá, una
> a cada lado.* DOÑA ANGUSTIAS *recoge su
> libro y arregla una cómoda.*)

MARIANA. (*Siempre con un dejo de melancolía.*)

                              ¡Amparo!
    ¡Viudita y con dos niños!

LUCÍA.

                         ¿Cómo siguen?

MARIANA.

    Han llegado ahora mismo del colegio.
    Y estarán en el patio.

ANGUSTIAS.

                         Voy a ver.
    No quiero que se mojen en la fuente.
    ¡Hasta luego, hijas mías!

LUCÍA. (*Fina siempre.*)

                         ¡Hasta luego!

> (*Se va* DOÑA ANGUSTIAS.)

ESCENA IV

MARIANA.

Tu hermano Fernando, ¿cómo sigue?

LUCÍA.

Dijo
que vendría a buscarnos para saludarte.

(*Ríe.*)

Se estaba poniendo su levita azul.
Todo lo que tienes le parece bien.
Quiere que vistamos como tú te vistes.
Ayer...

AMPARO. (*Que tiene siempre que hablar, la interrumpe.*)

Ayer mismo nos dijo que tú

(LUCÍA *queda seria.*)

tenías en los ojos... ¿Qué dijo?

LUCÍA. (*Enfadada.*)

¿Me dejas
hablar?

(*Hace intención de hacerlo.*)

AMPARO. (*Rápida.*)

¡Ya me acuerdo! Dijo que en tus ojos
había un constante desfile de pájaros.

(*Le coge la cabeza por la barbilla
y le mira los ojos.*)

Un temblor divino, como de agua clara,
sorprendida siempre bajo el arrayán,

o temblor de luna sobre una pecera
donde un pez de plata finge rojo sueño.
LUCÍA. (*Sacudiendo a* MARIANA.)
    ¡Mira! Lo segundo son inventos de ella.

                (*Ríe.*)

AMPARO.
    ¡Lucía, eso dijo!
MARIANA.

                ¡Qué bien me causáis
con vuestra alegría de niñas pequeñas!
La misma alegría que debe sentir
el gran girasol, al amanecer,
cuando sobre el tallo de la noche vea
abrirse el dorado girasol del cielo.

                (*Les coge las manos.*)

La misma alegría que la viejecilla
siente cuando el sol se duerme en sus manos
y ella lo acaricia creyendo que nunca
la noche y el frío cercarán su casa.
LUCÍA.
    ¡Te encuentro muy triste!
AMPARO.

                        ¿Qué tienes?

                (*Entra* CLAVELA.)

MARIANA. (*Levantándose rápidamente.*)

                            ¡Clavela!
    ¿Llegó? ¡Di!
CLAVELA. (*Triste.*)

                ¡Señora, no ha venido nadie!

                (*Cruza la escena y se va.*)

LUCÍA.
Si esperas visita, nos vamos.
AMPARO.

Lo dices,
y salimos.
MARIANA. (*Nerviosa.*)
¡Niñas, tendré que enfadarme!
AMPARO.
No me has preguntado por mi estancia en
[Ronda.
MARIANA.
Es verdad que fuiste; ¿y has vuelto contenta?
AMPARO.
Mucho. Todo el día baila que te baila.

(MARIANA *está inquieta, y, llena de
angustia, mira a las puertas y se dis-
trae.*)

LUCÍA. (*Seria.*)
Vámonos, Amparo.
MARIANA. (*Inquieta por algo que ocurre fuera de
la escena.*)
¡Cuéntame! Si vieras
cómo necesito de tu fresca risa,
cómo necesito de tu gracia joven.
Mi alma tiene el mismo color del vestido.

(MARIANA *sigue de pie.*)

AMPARO.
Qué cosas tan lindas dices, Marianilla.
LUCÍA.
¿Quieres que te traiga una novela?
AMPARO.

Tráele
la plaza de toros de la ilustre Ronda.

(*Ríen. Se levanta y se dirige a* MA-
RIANA.)

5

¡Siéntate!

(MARIANA *se sienta y la besa.*)

MARIANA. (*Resignada.*)
                    ¿Estuviste en los toros?
LUCÍA.
                                        ¡Estuvo!

AMPARO.
En la corrida más grande
que se vio en Ronda la vieja.
Cinco toros de azabache,
con divisa verde y negra.
Yo pensaba siempre en ti;
yo pensaba: si estuviera
conmigo mi triste amiga,
mi Marianita Pineda.
Las niñas venían gritando
sobre pintadas calesas
con abanicos redondos
bordados de lentejuelas.
Y los jóvenes de Ronda
sobre jacas pintureras,
los anchos sombreros grises
calados hasta las cejas.
La plaza, con el gentío,
(calañés y altas peinetas)
giraba como un zodíaco
de risas blancas y negras.
Y cuando el gran Cayetano
cruzó la pajiza arena
con traje color manzana,
bordado de plata y seda,
destacándose gallardo
entre la gente de brega
frente a los toros zaínos
que España cría en su tierra,

parecía que la tarde
se ponía más morena.

¡Si hubieras visto con qué
gracia movía las piernas!

¡Qué gran equilibrio el suyo
con la capa y la muleta!

Ni Pepe-Hillo, ni nadie
toreó como él torea.

Cinco toros mató; cinco,
con divisa verde y negra.

En la punta de su estoque
cinco flores dejó abiertas,
y en cada instante rozaba
los hocicos de las fieras,
como una gran mariposa
de oro con alas bermejas.

La plaza, al par que la tarde,
vibraba fuerte, violenta,
y entre el olor de la sangre
iba el olor de la sierra.

Yo pensaba siempre en ti;
yo pensaba: si estuviera
conmigo mi triste amiga,
mi Marianita Pineda.

....

MARIANA. (*Emocionada y levantándose.*)

¡Yo te querré siempre a ti
tanto como tú me quieras!

LUCÍA. (*Levantándose.*)

Nos retiramos; si sigues
escuchando a esta torera,
hay corrida para rato.

AMPARO.

Y dime: ¿estás más contenta?;
porque este cuello, ¡oh, qué cuello!

(*La besa en el cuello.*)

no se hizo para la pena.

LUCÍA. (*En la ventana.*)

Hay nubes por Parapanda.
Lloverá, aunque Dios no quiera.

AMPARO.

¡Este invierno va a ser de agua!
¡No podré lucir!

LUCÍA.

¡Coqueta!

AMPARO.

¡Adiós, Mariana!

MARIANA.

¡Adiós, niñas!

(*Se besan.*)

AMPARO.

¡Que te pongas más contenta!

MARIANA.

Tardecillo es. ¿Queréis
que os acompañe Clavela?

AMPARO.

¡Gracias! Pronto volveremos.

LUCÍA.

¡No bajes, no!

MARIANA.

¡Hasta la vuelta!

(*Salen.*)

ESCENA V

Mariana atraviesa rápidamente la escena y mira
la hora en uno de esos grandes relojes dorados,
donde sueña toda la poesía exquisita de la hora y
el siglo. Se asoma a los cristales y ve la última luz
de la tarde.

Mariana.

Si toda la tarde fuera
como un gran pájaro, ¡cuántas
duras flechas lanzaría
para cerrarle las alas!
Hora redonda y oscura
que me pesa en las pestañas.
Dolor de viejo lucero
detenido en mi garganta.
Ya debieran las estrellas
asomarse a mi ventana
y abrirse lentos los pasos
por la calle solitaria.
¡Con qué trabajo tan grande
deja la luz a Granada!
Se enreda entre los cipreses
o se esconde bajo el agua.
¡Y esta noche que no llega!

(*Con angustia.*)

¡Noche temida y soñada;
que me hieres ya de lejos
con larguísimas espadas!

FERNANDO. (*En la puerta.*)
  Buenas tardes.
MARIANA. (*Asustada.*)
                        ¿Qué?

              (*Reponiéndose.*)

                              ¡Fernando!
FERNANDO.
  ¿Te asusto?
MARIANA.

              No te esperaba

              (*Reponiéndose.*)

  y tu voz me sorprendió.
FERNANDO.
  ¿Se han ido ya mis hermanas?
MARIANA.
  Ahora mismo. Se olvidaron
  de que vendrías a buscarlas.

              (FERNANDO *viste elegantemente la mo-
              da de la época. Mira y habla apasiona-
              damente. Tiene dieciocho años. A ve-
              ces le temblará la voz y se turbará a
              menudo.*)

FERNANDO.
  ¿Interrumpo?
MARIANA.

              Siéntate.

              (*Se sientan.*)

FERNANDO. (*Lírico.*)
  ¡Cómo me gusta tu casa!
  Con este olor a membrillos.

              (*Aspira.*)

Y qué preciosa fachada
tienes..., llena de pinturas
de barcos y de guirnaldas.

MARIANA. (*Interrumpiéndole.*)
¿Hay mucha gente en la calle?

(*Inquieta.*)

FERNANDO. (*Sonríe.*)
¿Por qué preguntas?

MARIANA. (*Turbada.*)

Por nada.

FERNANDO.
Pues hay mucha gente.

MARIANA. (*Impaciente.*)

¿Dices?

FERNANDO.
Al pasar por Bibarrambla
he visto dos o tres grupos
de gente envuelta en sus capas
que aguantando el airecillo
a pie firme comentaban
el suceso.

MARIANA. (*Ansiosamente.*)

¿Qué suceso?

FERNANDO.
¿Sospechas de qué se trata?

MARIANA.
¿Cosas de masonería?

FERNANDO.
Un capitán que se llama,

(MARIANA *está como en vilo.*)

no recuerdo..., liberal,
prisionero de importancia,
se ha fugado de la cárcel
de la Audiencia.

(*Viendo a* MARIANA.)

¿Qué te pasa?

MARIANA.

Ruego a Dios por él. ¿Se sabe
si le buscan?

FERNANDO.

                    Ya marchaban,
antes de venir yo aquí,
un grupo de tropas hacia
el Genil y sus puentes
para ver si lo encontraban,
y es fácil que lo detengan
camino de la Alpujarra.
¡Qué triste es esto!

MARIANA. (*Llena de angustia.*)

                    ¡Dios mío!

FERNANDO.

Y las gentes cómo aguantan.
Señores, ya es demasiado.
El preso, como un fantasma,
se escapó; pero Pedrosa
ya buscará su garganta.
Pedrosa conoce el sitio
donde la vena es más ancha,
por donde brota la sangre
más caliente y encarnada.
¡Qué chacal! ¿Tú le conoces?

              (*La luz se va retirando de la escena.*)

MARIANA.

Desde que llegó a Granada.

FERNANDO. (*Sonriendo.*)

¡Bravo amigo, Marianita!

MARIANA.

Le conocí por desgracia.

El está amable conmigo
y hasta viene por mi casa,
sin que yo pueda evitarlo.
¿Quién le impediría la entrada?

FERNANDO.

Ojo, que es un viejo verde.

MARIANA.

Es un hombre que me espanta.

FERNANDO.

¡Qué gran alcalde del crimen!

MARIANA.

¡No puedo mirar su cara!

FERNANDO. (*Serio.*)

¿Te da mucho miedo?

MARIANA.

¡Mucho!

Ayer tarde yo bajaba
por el Zacatín. Volvía
de la iglesia de Santa Ana,
tranquila, pero de pronto
vi a Pedrosa. Se acercaba,
seguido de dos golillas,
entre un grupo de gitanas.
¡Con un aire y un silencio!
¡El notó que yo temblaba!

(*La escena está en una dulce penumbra.*)

FERNANDO.

¡Bien supo el rey lo que se hizo
al mandarlo aquí a Granada!

MARIANA. (*Levantándose.*)

Ya es noche. ¡Clavela! ¡Luces!

FERNANDO.

Ahora los ríos sobre España,

en vez de ser ríos son
largas cadenas de agua.

MARIANA.

Por eso hay que mantener
la cabeza levantada.

CLAVELA. (*Entrando con dos candelabros.*)
¡Señora, las luces!

MARIANA. (*Palidísima y en acecho.*)
¡Déjalas!

(*Llaman fuertemente a la puerta.*)

CLAVELA.

¡Están llamando!

(*Coloca las luces.*)

FERNANDO. (*Al ver a* MARIANA *descompuesta.*)
¡Mariana!
¿Por qué tiemblas de ese modo?

MARIANA. (*A* CLAVELA, *gritando en voz baja.*)
¡Abre pronto, por Dios, anda!

(*Sale* CLAVELA *corriendo.* MARIANA
*queda en actitud expectante junto a
la puerta, y* FERNANDO, *de pie.*)

ESCENA VI

FERNANDO.
  Sentiría en el alma ser molesto...
  Marianita, ¿qué tienes?
MARIANA. (*Angustiada exquisitamente.*)
                    Esperando,
  los segundos se alargan de manera
  irresistible.
FERNANDO. (*Inquieto.*)
                ¿Bajo yo?
MARIANA.
                      Un caballo
  se aleja por la calle. ¿Tú lo sientes?
FERNANDO.
  Hacia la vega corre.

            (*Pausa.*)

MARIANA.
                    Ya ha cerrado
  el postigo Clavela.
FERNANDO.
                ¿Quién será?
MARIANA. (*Turbada y reprimiendo una honda angustia.*)
  ¡Yo no lo sé!

            (*Aparte.*)

            ¡Ni siquiera pensarlo!
CLAVELA. (*Entrando.*)
  Una carta, señora.

            (MARIANA *coge la carta ávidamente.*)

FERNANDO. (*Aparte.*)

¡Qué será!

CLAVELA.

Me la entregó un jinete. Iba embozado
hasta los ojos. Tuve mucho miedo.
Soltó las bridas y se fue volando
hacia lo oscuro de la plazoleta.

FERNANDO.

Desde aquí lo sentimos.

MARIANA.   ¿Le has hablado?

CLAVELA.

Ni yo le dije nada, ni él a mí.
Lo mejor es callar en estos casos.

> (FERNANDO *cepilla el sombrero con
> su manga; tiene el semblante inquieto.*)

MARIANA. (*Con la carta.*)

¡No la quisiera abrir! ¡Ay, quién pudiera
en esta realidad estar soñando!
¡Señor, no me quitéis lo que más quiero!

> (*Rasga la carta y lee.*)

FERNANDO. (*A* CLAVELA, *ansiosamente.*)

Estoy confuso. ¡Esto es tan extraño!
Tú sabes lo que tiene. ¿Qué le ocurre?

CLAVELA.

Ya le he dicho que no lo sé.

FERNANDO. (*Discreto.*)

Me callo.

Pero...

CLAVELA. (*Continuando la frase.*)

¡Pobre doña Mariana mía!

MARIANA. (*Agitad*a.)

¡Acércame, Clavela, el candelabro!

> (CLAVELA *se lo acerca corriendo.* FER-
> NANDO *cuelga lentamente la capa so-
> bre sus hombros.*)

CLAVELA. (*A* MARIANA.)
   ¡Dios nos guarde, señora de mi vida!
FERNANDO. (*Azorado e inquieto.*)
   Con tu permiso...
MARIANA. (*Queriendo reponerse.*)
                         ¿Ya te vas?
FERNANDO.

                                    Me marcho;
   voy al café de la Estrella.
MARIANA. (*Tierna y suplicante.*)
                         Perdona
   estas inquietudes...
FERNANDO. (*Digno.*)
                   ¿Necesitas algo?
MARIANA. (*Conteniéndose.*)
   Gracias... Son asuntos familiares hondos,
   y tengo yo misma que solucionarlos.
FERNANDO.
   Yo quisiera verte contenta. Diré
   a mis hermanillas que vengan un rato,
   y ojalá pudiera prestarte mi ayuda.
   Adiós, que descanses.

           (*Le estrecha la mano.*)

MARIANA.
                   Adiós.
FERNANDO. (*A* CLAVELA.)
   Buenas noches.
CLAVELA.
           Salga, que yo le acompaño.

       (*Se van.*)

MARIANA. (*En el momento de salir* FERNANDO, *da
rienda suelta a su angustia.*)
   ¡Pedro de mi vida! ¿Pero quién irá?
   Ya cercan mi casa los días amargos.

Y este corazón, ¿adónde me lleva,
que hasta de mis hijos me estoy olvidando?
¡Tiene que ser pronto y no tengo a nadie!
¡Yo misma me asombro de quererle tanto!
¿Y si le dijese... y él lo comprendiera?
¡Señor, por la llaga de vuestro costado!

> (*Sollozando.*)

Por las clavelinas de su dulce sangre,
enturbia la noche para los soldados.

> (*En un arranque, viendo el reloj.*)

¡Es preciso! ¡Tengo que atreverme a todo!

> (*Sale corriendo hacia la puerta.*)

¡Fernando!

CLAVELA. (*Que entra.*)

> ¡En la calle, señora!

MARIANA. (*Asomándose rápidamente a la ventana.*)

> ¡Fernando!

CLAVELA. (*Con las manos cruzadas.*)
¡Ay, doña Mariana, qué malita está!
Desde que usted puso sus preciosas manos
en esa bandera de los liberales,
aquellos colores de flor de granado
desaparecieron de su cara.

MARIANA. (*Reponiéndose.*)

> Abre,
y respeta y ama lo que estoy bordando.

CLAVELA. (*Saliendo.*)
Dios dirá; los tiempos cambian con el tiempo.
Dios dirá: ¡Paciencia!

> (*Sale.*)

MARIANA.

> Tengo, sin embargo,
que estar muy serena, muy serena, aunque
me siento vestida de temblor y llanto.

ESCENA VII

Aparece en la puerta FERNANDO, con el alto sombrero de cintas entre sus manos enguantadas. Le precede CLAVELA.

FERNANDO. (*Entrando, apasionado.*)
  ¿Qué quieres?
MARIANA. (*Firme.*)
          Hablar contigo.

      (*A* CLAVELA.)

  Puedes irte.
CLAVELA. (*Marchándose, resignada.*)
          ¡Hasta mañana!

              (*Se va, turbada, mirando con ternura y tristeza a su señora. Pausa.*)

FERNANDO.
  Dime, pronto.
MARIANA.
          ¿Eres mi amigo?
FERNANDO.
  ¿Por qué preguntas, Mariana?

              (MARIANA *se sienta en una silla, de perfil al público, y* FERNANDO *junto a ella, un poco de frente, componiendo una clásica estampa de la época.*)

  ¡Ya sabes que siempre fui!

MARIANA.
¿De corazón?

FERNANDO.

¡Soy sincero!

MARIANA.
¡Ojalá que fuese así!

FERNANDO.
Hablas con un caballero.

(*Poniéndose la mano sobre la blanca pechera.*)

MARIANA. (*Segura.*)
¡Lo sé!

FERNANDO.
¿Qué quieres de mí?

MARIANA.
Quizá quiera demasiado
y por eso no me atrevo.

FERNANDO.
No quieras ver disgustado
este corazón tan nuevo.
Te sirvo con alegría.

MARIANA. (*Temblorosa.*)
Fernando, ¿y si fuera...?

FERNANDO. (*Ansiosamente.*)

¿Qué?

MARIANA.
Algo peligroso.

FERNANDO. (*Decidido.*)

Iría.
Con toda mi buena fe.

MARIANA.
¡No puedo pedirte nada!
Pero esto no puede ser.
Como dicen por Granada,
¡soy una loca mujer!

FERNANDO. (*Tierno.*)
　Marianita.
MARIANA.
　　　　　　¡Yo no puedo!
FERNANDO.
　¿Por qué me llamaste? Di.
MARIANA. (*En un arranque trágico.*)
　Porque tengo mucho miedo,
　de morirme sola aquí.
FERNANDO.
　¿De morirte?
MARIANA. (*Tierna y desesperada.*)
　　　　　　　Necesito,
　para seguir respirando
　que tú me ayudes, mocito.
FERNANDO. (*Lleno de pasión.*)
　Mis ojos te están mirando,
　y no lo debes dudar.
MARIANA.
　Pero mi vida está fuera,
　por el aire, por la mar,
　por donde yo no quisiera.
FERNANDO.
　¡Dichosa la sangre mía
　si puede calmar tu pena!
MARIANA.
　No; tu sangre aumentaría
　el grosor de mi cadena.

　　　　　(*Se lleva decidida las manos al pe-
　　　　　cho para sacar la carta.* FERNANDO *tie-
　　　　　ne una actitud expectante y conmo-
　　　　　vida.*)

¡Confío en tu corazón!

　　　　　(*Saca la carta. Duda.*)

6

¡Qué silencio el de Granada!
Fija, detrás del balcón,
hay puesta en mí una mirada.

FERNANDO. (*Extrañado.*)

¿Qué estás hablando?

MARIANA.

Me mira
(*Levantándose.*)
la garganta, que es hermosa,
y toda mi piel se estira.
¿Podrás conmigo, Pedrosa?

(*En un arranque.*)

Toma esta carta, Fernando.
Lee despacio y entendiendo.
¡Sálvame! Que estoy dudando
si podré seguir viviendo.

(FERNANDO *coge la carta y la desdo-
bla. En este momento, el reloj da las
ocho lentamente. Las luces topacio y
amatista de las velas hacen temblar
líricamente la habitación.* MARIANA *pasea la escena y mira angustiada al joven. Este lee el comienzo de la carta
y tiene un exquisito, pero contenido,
gesto de dolor y desaliento. Pausa, en
la que se oye el reloj y se siente la
angustia de* MARIANITA.)

FERNANDO. (*Leyendo la carta, con sorpresa, y mirando asombrado y triste a* MARIANA.)

"Adorada Marianita."

MARIANA.

No interrumpas la lectura.
Un corazón necesita
lo que pide en la escritura.

FERNANDO. (*Leyendo, desalentado, aunque sin afectación.*)

"Adorada Marianita: Gracias al traje de capuchino, que tan diestramente hiciste llegar a mi poder, me he fugado de la torre de Santa Catalina, confundido con otros frailes, que salían de asistir a un reo de muerte. Esta noche, disfrazado de contrabandista, tengo absoluta necesidad de salir para Válor y Cadiar, donde espero tener noticias de los amigos. Necesito antes de las nueve el pasaporte que tienes en tu poder y una persona de tu absoluta confianza que espere con un caballo, más arriba de la presa del Genil, para, río adelante, internarme en la sierra. Pedrosa estrechará el cerco como él sabe, y si esta misma noche no parto, estoy irremisiblemente perdido. Me encuentro en la casa del viejo don Luis; que no lo sepa nadie de tu familia. No hagas por verme, pues me consta que estás vigilada. Adiós, Mariana. Todo sea por nuestra divina madre la libertad. Dios me salvará. Adiós, Mariana. Un abrazo y el alma de tu amante.—*Pedro de Sotomayor.*"

(*Enamoradísimo.*)

¡Mariana!

MARIANA. (*Rápida, llevándose una mano a los ojos.*)
¡Me lo imagino!
Pero silencio, Fernando.

FERNANDO. (*Dramático.*)
¡Cómo has cortado el camino
de lo que estaba soñando!

(MARIANA *protesta mímicamente.*)

No es tuya la culpa, no;
ahora tengo que ayudar
a un hombre que empiezo a odiar,
y el que te quiere soy yo.

El que de niño te amara
lleno de amarga pasión.
Mucho antes de que robara
don Pedro tu corazón.
¡Pero quién te deja en esta
triste angustia del momento!
Y torcer mi sentimiento
¡ay qué trabajo me cuesta!

MARIANA. (*Orgullosa.*)

¡Pues iré sola!

(*Humilde.*)

¡Dios mío,
tiene que ser al instante!

FERNANDO.

Yo iré en busca de tu amante.
Por la ribera del río.

MARIANA. (*Orgullosa y corrigiendo la timidez y tristeza de* FERNANDO *al decir "amante".*)

Decirte cómo le quiero
no me produce rubor.
Me escuece dentro su amor
y relumbra todo entero.
El ama la libertad
y yo la quiero más que él.
Lo que dice es mi verdad
agria, que me sabe a miel.
Y no me importa que el día
con la noche se enturbiara,
que con la luz que emanara
su espíritu viviría.
Por este amor verdadero
que muerde mi alma sencilla
me estoy poniendo amarilla
como la flor del romero.

FERNANDO. (*Fuerte.*)
  Mariana, dejo que vuelen
  tus quejas. Mas ¿no has oído
  que el corazón tengo herido
  y las heridas me duelen?
MARIANA. (*Popular.*)
  Pues si mi pecho tuviera
  vidrieras de cristal,
  te asomaras y lo vieras
  gotas de sangre llorar.
FERNANDO.
  ¡Basta! ¡Dame el documento!

        (MARIANA *va a una cómoda rápida-*
        mente.)

  ¿Y el caballo?
MARIANA. (*Sacando los papeles.*)
            En el jardín.
  Si vas a marchar, al fin,
  no hay que perder un momento.
FERNANDO. (*Rápido y nervioso.*)
  Ahora mismo.

        (MARIANA *le da los papeles.*)

FERNANDO.
            ¿Y aquí va...?
MARIANA. (*Desazonada.*)
  Todo.
FERNANDO. (*Guardándose el documento en la levita.*)
        ¡Bien!
MARIANA.
            ¡Perdón, amigo!
  Que el Señor vaya contigo.
  Yo espero que así sea.
FERNANDO. (*Natural, digno y suave, poniéndose len-*
tamente la capa.)

Yo espero que así será.
Está la noche cerrada.
No hay luna, y aunque la hubiera,
los chopos de la ribera
dan una sombra apretada.
Adiós.

(*Le besa la mano.*)

Y seca ese llanto,
pero quédate sabiendo
que nadie te querrá tanto
como yo te estoy queriendo.
Que voy con esta misión
para no verte sufrir,
torciendo el hondo sentir
de mi propio corazón.

(*Inicia el mutis.*)

MARIANA.
Evita guarda o soldado...
FERNANDO. (*Mirándola con ternura.*)
Por aquel sitio no hay gente.
Puedo marchar descuidado.

(*Amargamente irónico.*)

¿Qué quieres más?
MARIANA. (*Turbada y balbuciente.*)
                    Sé prudente.
FERNANDO. (*En la puerta, poniéndose el sombrero.*)
Ya tengo el alma cautiva;
desecha todo temor.
Prisionero soy de amor,
y lo seré mientras viva.
MARIANA.
Adiós.
(*Coge el candelero.*)

FERNANDO.
>No salgas, Mariana.
>El tiempo corre, y yo quiero
>pasar el puente primero
>que don Pedro. Hasta mañana.

>>(*Salen.*)

ESCENA VIII

La escena queda solitaria medio segundo. Apenas
han salido MARIANA y FERNANDO por una puerta, cuando aparece DOÑA ANGUSTIAS por la de enfrente, con un candelabro. El fino y otoñal perfume
de los membrillos invade el ambiente.

ANGUSTIAS.
   Niña, ¿dónde estás? ¡Niña!
   Pero señor, ¿qué es esto?
   ¿Dónde estabas?
MARIANA. (*Entrando con un candelabro.*)
   Salía con Fernando.
ANGUSTIAS.
                      ¡Qué juego
   inventaron los niños!
   Regáñales.
MARIANA. (*Dejando el candelabro.*)
            ¿Qué hicieron?
ANGUSTIAS.
   ¡Mariana, la bandera
   que bordas en secreto...
MARIANA. (*Interrumpiendo, dramáticamente.*)
   ¿Qué dices?
ANGUSTIAS.
            ...han hallado
   en el armario viejo
   y se han tendido en ella
   fingiéndose los muertos!

Tilín, talán; abuela,
dile al curita nuestro
que traiga banderolas
y flores de romero;
que traigan encarnadas
clavelinas del huerto.
Ya vienen los obispos,
decían *uri memento*,
y cerraban los ojos
poniéndose muy serios.
Serán cosas de niños;
está bien. Mas yo vengo
muy mal impresionada,
y me da mucho miedo
la dichosa bandera.

MARIANA. (*Aterrada.*)
¿Pero cómo la vieron?
¡Estaba bien oculta!

ANGUSTIAS.
Mariana, ¡triste tiempo
para esta antigua casa,
que derrumbarse veo,
sin un hombre, sin nadie,
en medio del silencio!
Y luego, tú...

MARIANA. (*Desorientada y con aire trágico.*)
                    ¡Por Dios!

ANGUSTIAS.
Mariana, ¿tú qué has hecho?
Cercar estas paredes
de guardianes secretos.

MARIANA.
Tengo el corazón loco
y no sé lo que quiero.

ANGUSTIAS.
¡Olvídalo, Mariana!

MARIANA. (*Con pasión.*)
  ¡Olvidarlo no puedo!

        (*Se oyen risas de niños.*)

ANGUSTIAS. (*Haciendo señas para que* MARIANA
calle.)
  Los niños.
MARIANA.

              Vamos pronto.
  ¿Cómo alcanzaron eso?
ANGUSTIAS.
  Así pasan las cosas.
  ¡Mariana, piensa en ellos!

        (*Coge un candelabro.*)

MARIANA.
  Sí, sí; tienes razón.
  Tienes razón. ¡No pienso!

        (*Salen.*)

                TELON

ESTAMPA SEGUNDA

Sala principal en la casa de Mariana. Entonación
en grises, blancos y marfiles, como una antigua
litografía. Estrado blanco, a estilo Imperio. Al
fondo, una puerta con una cortina gris, y puertas
laterales. Hay una consola con urna y grandes
ramos de flores de seda. En el centro de la habitación, un pianoforte y candelabros de cristal.
Es de noche. Están en escena la CLAVELA y los
NIÑOS DE MARIANA. Visten la deliciosa moda in-
fantil de la época. La CLAVELA está sentada, y a los
lados, en taburetes, los niños. La estancia es
limpia y modesta, aunque conservando ciertos
muebles de lujo heredados por MARIANA.

ESCENA PRIMERA

CLAVELA.
No cuento más.

(*Se levanta.*)

NIÑO. (*Tirándole del vestido.*)
Cuéntanos otra cosa.
CLAVELA.
¡Me romperás el vestido!
NIÑA. (*Tirando.*)

Es muy malo.
CLAVELA. (*Echándoselo en cara.*)
Tu madre lo compró.
NIÑO. (*Riendo y tirando del vestido para que se siente.*)

¡Clavela!
CLAVELA. (*Sentándose a la fuerza y riendo también.*)

¡Niños!
NIÑA.
El cuento aquel del príncipe gitano.
CLAVELA.
Los gitanos no fueron nunca príncipes.
NIÑA.
¿Y por qué?
NIÑO.

No los quiero a mi lado.
Sus madres son las brujas.

NIÑA. (*Enérgica.*)

¡Embustero!

CLAVELA. (*Reprendiéndola.*)
¡Pero niña!

NIÑA.

Si ayer vi yo rezando
al Cristo de la Puerta Real dos de ellos.
Tenían unas tijeras así... y cuatro
borriquitos peludos que miraban...
con unos ojos... y movían los rabos
dale que le das. ¡Quién tuviera alguno!

NIÑO. (*Doctoral.*)
Seguramente los habían robado.

CLAVELA.
Ni tanto ni tan poco. ¿Qué se sabe?

(*Los* NIÑOS *se hacen burla sacando
la lengua.*)

¡Chitón!

NIÑO.

¿Y el romancillo del bordado?

NIÑA.
¡Ay duque de Lucena! ¿Cómo dice?

NIÑO.
Olivarito, olivo..., está bordado.

(*Como recordando.*)

CLAVELA.
Os lo diré; pero cuando se acabe,
en seguida a dormir.

NIÑO.

Bueno.

NIÑA.

¡Enterados!

CLAVELA. (*Se persigna lentamente, y los* NIÑOS *la
imitan, mirándola.*)

Bendita sea por siempre
la Santísima Trinidad,
y guarde al hombre en la sierra
y al marinero en el mar.
A la verde, verde orilla
del olivarito está...

NIÑA. (*Tapando con una mano la boca a* CLAVELA
y continuando ella.)
Una niña bordando.
¡Madre! ¿Qué bordará?

CLAVELA. (*Encantada de que la* NIÑA *lo sepa.*)
Las agujas de plata,
bastidor de cristal,
bordaba una bandera,
cantar que te cantar.
Por el olivo, olivo,
¡Madre, quién lo dirá!

NIÑO. (*Continuando.*)
Venía un andaluz,
bien plantado y galán.

> (*Aparte por la puerta del fondo* MA-
> RIANA, *vestida de amarillo claro, un
> amarillo de libro viejo, y oye el ro-
> mance, glosando con gestos lo que en
> ella evoca la idea de b a n d e r a y
> muerte.*)

CLAVELA.
Niña, la bordadora,
mi vida, ¡no bordar!,
que el duque de Lucena
duerme y dormirá.

NIÑA.
La niña le responde:
"No dices la verdad:
el duque de Lucena

me ha mandado bordar
esta roja bandera
porque a la guerra va."
Niño.

Por las calles de Córdoba
lo llevan a enterrar,
muy vestido de fraile
en caja de coral.

Niña. (*Como soñando.*)

La albahaca y los claveles
sobre la caja van,
y un verderol antiguo
cantando el pío pa.

Clavela. (*Con sentimiento.*)

¡Ay duque de Lucena,
ya no te veré más!
La bandera que bordo
de nada servirá.
En el olivarito
me quedaré a mirar
cómo el aire menea
las hojas al pasar.

Niño.

Adiós, niña bonita,
espigada y juncal,
me voy para Sevilla,
donde soy capitán.

Clavela.

Y a la verde, verde orilla
del olivarito está
una niña morena
llorar que te llorar.

> (*Los* Niños *hacen un gesto de satis-
> facción. Han seguido el romance con
> alto interés.*)

ESCENA II

MARIANA. (*Avanzando.*)
  Es hora de acostarse.
CLAVELA. (*Levantándose y a los niños.*)
                    ¿Habéis oído?
NIÑA. (*Besando a* MARIANA.)
  Mamá, acuéstanos tú.
MARIANA.

                    Hija, no puedo,
  yo tengo que coserte una capita.
NIÑO.
  ¿Y para mí?
CLAVELA. (*Riendo.*)
            ¡Pues claro está!
MARIANA.

                    Un sombrero
  con una cinta verde y dos naranja.

            (*Lo besa.*)

CLAVELA.
  ¡A la costa, mis niños!
NIÑO. (*Volviendo.*)
                    Yo lo quiero
  como los hombres, alto y grande, ¿sabes?
MARIANA.
  ¡Lo tendrás, primor mío!
NIÑA.

                    Y entra luego;
  me gustará sentirte, que esta noche
  no se ve nada y hace mucho viento.

7

MARIANA. (*Bajo a* CLAVELA.)
    Cuando acabes, te bajas a la puerta.
CLAVELA.
    Pronto será; los niños tienen sueño.
MARIANA.
    ¡Que recéis sin reíros!
CLAVELA.
                            ¡Sí, señora!
MARIANA. (*En la puerta.*)
    Una salve a la Virgen y dos credos
    al Santo Cristo del Mayor Dolor,
    para que nos protejan.
NIÑA.
                            Rezaremos
    la oración de San Juan y la que ruega
    por caminantes y por marineros.

                (*Entran. Pausa.*)

ESCENA III

MARIANA. (*En la puerta.*)
    Dormir tranquilamente, niños míos,
    mientras que yo, perdida y loca, siento

    (*Lentamente.*)

    quemarse con su propia lumbre viva
    esta rosa de sangre de mi pecho.
    Soñar en la verbena y el jardín
    de Cartagena, luminoso y fresco,
    y en la pájara pinta que se mece
    en las ramas del verde limonero.
    Que yo también estoy dormida, niños,
    y voy volando por mi propio sueño,
    como van, sin saber adónde van,
    los tenues vilanicos por el viento.

ESCENA IV

Aparece DOÑA ANGUSTIAS en la puerta y en un
aparte.

ANGUSTIAS.
   Vieja y honrada casa, ¡qué locura!

   (A MARIANA.)

   Tienes una visita.
MARIANA.
                    ¿Quién?
ANGUSTIAS.
                         ¡Don Pedro!

         (MARIANA *sale corriendo hacia la
         puerta.*)

   ¡Serénate, hija mía! ¡No es tu esposo!
MARIANA.
   Tienes razón. ¡Pero no puedo!

ESCENA V

MARIANA llega corriendo a la puerta en el momento
en que DON PEDRO entra por ella. DON PEDRO tiene
treinta y seis años. Es un hombre simpático, sereno y fuerte. Viste correctamente y habla de una
manera dulce. MARIANA le tiende los brazos y le
estrecha las manos. DOÑA ANGUSTIAS adopta una
triste y reservada actitud. Pausa.

PEDRO. (*Efusivo.*)
    Gracias, Mariana, gracias.
MARIANA. (*Casi sin hablar.*)
    Cumplí con mi deber.

> (*Durante esta escena dará* MARIANA
> *muestras de una vehementísima y pro-
> funda pasión.*)

PEDRO. (*Dirigiéndose a* DOÑA ANGUSTIAS.)
                    Muchas gracias, señora.
ANGUSTIAS. (*Triste.*)
    ¿Y por qué? Buenas noches.

> (*A* MARIANA.)

                            Yo me voy
con los niños.

> (*Aparte.*)

            ¡Ay, pobre Marianita!

> (*Sale. Al salir* ANGUSTIAS, PEDRO, *efu-
> sivo, enlaza a* MARIANA *por el talle.*)

PEDRO. (*Apasionado.*)

¡Quién pudiera pagarte lo que has hecho por mí!
Toda mi sangre es nueva, porque tú me la has
exponiendo tu débil corazón al peligro.   [dado
¡Ay, qué miedo tan grande tuve por él, Mariana!

MARIANA. (*Cerca y abandonada.*)

¿De qué sirve mi sangre, Pedro, si tú murieras?
Un pájaro sin aire, ¿puede volar? ¡Entonces...!

(*Bajo.*)

Yo no podré decirte cómo te quiero nunca;
a tu lado me olvido de todas las palabras.

PEDRO. (*Con voz suave.*)

¡Cuántos peligros corres sin el menor desmayo!
¡Qué sola estás, cercada de maliciosa gente!
¡Quién pudiera librarte de aquellos que te ace-
con mi propio dolor y mi vida, Mariana!   [chan
¡Día y noche, qué largos sin ti por esa sierra!

MARIANA. (*Echando la cabeza en el hombro y como
soñando.*)

¡Así! Deja tu aliento sobre mi frente. Limpia
esta angustia que tengo y este sabor amargo;
esta angustia de andar sin saber dónde voy,
y este sabor de amor que me quema la boca.

(*Pausa. Se separa rápidamente del
caballero y le coge los codos.*)

¡Pedro! ¿No te persiguen? ¿Te vieron entrar?

PEDRO. (*Se sienta.*)

Nadie.

Vives en una calle silenciosa, y la noche
se presenta endiablada.

MARIANA.

Yo tengo mucho miedo.

PEDRO. (*Cogiéndole una mano.*)

¡Ven aquí!

MARIANA. (*Se sienta.*)
        Mucho miedo de que esto se adivine,
de que pueda matarte la canalla realista.
Y si tú...

        (*Con pasión.*)

        yo me muero, lo sabes, yo me muero.
PEDRO. (*Con pasión.*)
  ¡Marianita, no temas! ¡Mujer mía! ¡Vida mía!
En el mayor sigilo conspiramos. ¡No temas!
La bandera que bordas temblará por las calles
entre el calor entero del pueblo de Granada.
Por ti la Libertad suspirada por todos
pisará tierra dura con anchos pies de plata.
Pero si así no fuese; si Pedrosa...
MARIANA. (*Aterrada.*)

                   ¡No sigas!

PEDRO.
  ...sorprende nuestro grupo y hemos de morir...
MARIANA.

                     ¡Calla!

PEDRO.
  Mariana, ¿qué es el hombre sin libertad? ¿Sin
                          [esa
luz armoniosa y fija que se siente por dentro?
¿Cómo podría quererte no siendo libre, dime?
¿Cómo darte este firme corazón si no es mío?
No temas; ya he burlado a Pedrosa en el campo,
y así pienso seguir hasta vencer contigo,
que me ofreces tu amor y tu casa y tus dedos.
MARIANA.
  ¡Y algo que yo no sé decir, pero que existe!
  ¡Qué bien estoy contigo! Pero, aunque alegre,
                        [noto
un gran desasosiego que me turba y enoja;

me parece que hay hombres detrás de las
[cortinas,
que mis palabras suenan claramente en la calle.
PEDRO. (*Amargo.*)
¡Eso sí! ¡Qué mortal inquietud, qué amargura!
¡Qué constante pregunta al minuto lejano!
¡Qué otoño interminable sufrí por esa sierra!
¡Tú no lo sabes!
MARIANA.

     Dime: ¿corriste gran peligro?
PEDRO.
Estuve casi en manos de la justicia,

   (MARIANA *hace un gesto de horror.*)

         pero
me salvó el pasaporte y el caballo que enviaste
con un extraño joven, que no me dijo nada.
MARIANA. (*Inquieta y sin querer recordar.*)
Y dime.
PEDRO.
   ¿Por qué tiemblas?
MARIANA. (*Nerviosa.*)

       Sigue. ¿Después?
PEDRO.

          Después
vagué por la Alpujarra. Supe que en Gibraltar
había fiebre amarilla; la entrada era imposible,
y esperé bien oculto la ocasión. ¡Ya ha llegado!
Venceré con tu ayuda, ¡Mariana de mi vida!
¡Libertad, aunque con sangre llame a todas las
[puertas!
MARIANA. (*Radiante.*)
¡Mi victoria consiste en tenerte a mi vera!
En mirarte los ojos mientras tú no me miras.
Cuando estás a mi lado olvido lo que siento

y quiero a todo el mundo;
hasta al rey y a Pedrosa.
Al bueno como al malo. ¡Pedro!, cuando se
se está fuera del tiempo,   [quiere
y ya no hay día ni noche, ¡sino tú y yo!
PEDRO. (*Abrazándola.*)

                                        ¡Mariana!
Como dos blancos ríos de rubor y silencio,
así enlazan tus brazos mi cuerpo combatido.
MARIANA. (*Cogiéndole la cabeza.*)

Ahora puedo perderte, puedo perder tu vida.
Como la enamorada de un marinero loco
que navegara eterno sobre una barca vieja,
acecho un mar oscuro, sin fondo ni oleaje,
en espera de gentes que te traigan ahogado.
PEDRO.

No es hora de pensar en quimeras, que es hora
de abrir el pecho a bellas realidades cercanas
de una España cubierta de espigas y rebaños,
donde la gente coma su pan con alegría,
en medio de estas anchas eternidades nuestras
y esta aguda pasión de horizonte y silencio.
España entierra y pisa su corazón antiguo,
su herido corazón de Península andante,
y hay que salvarla pronto con manos y con
                                        [dientes.
MARIANA. (*Pasional.*)

Y yo soy la primera que lo pide con ansia.
Quiero tener abiertos mis balcones al sol
para que llene el suelo de flores amarillas
y quererte, segura de tu amor sin que nadie
me aceche, como en este decisivo momento.

        (*En un arranque.*)

¡Pero ya estoy dispuesta!

        (*Se levanta.*)

PEDRO. (*Entusiasmado, se levanta.*)
                        ¡Así me gusta verte,
hermosa Marianita! Ya no tardarán mucho
los amigos, y alienta
ese rostro bravío y esos ojos ardientes

        (*Amoroso.*)

sobre tu cuello blanco, que tiene luz de luna.

            (*Fuera comienza a llover y se levan-*
            ta el viento. MARIANA *hace señas a* PE-
            DRO *de que calle.*)

ESCENA VI

CLAVELA. (*Entrando.*)
Señora... Me parece que han llamado.

> (PEDRO y MARIANA *adoptan actitudes
> indiferentes. Dirigiéndose a* DON PEDRO.)

¡Don Pedro!
PEDRO. (*Sereno.*)
                    ¡Dios te guarde!
MARIANA.
¿Tú sabes quién vendrá?
CLAVELA.
Sí, señora; lo sé.
MARIANA.
¿La seña?
CLAVELA.
          No la olvido.
MARIANA.
Antes de abrir, que mires
por la mirilla grande.
CLAVELA.
Así lo haré, señora.
MARIANA.
No enciendas luz ninguna,
pero ten en el patio
un velón prevenido,
y cierra la ventana del jardín.
CLAVELA. (*Marchándose.*)
                    En seguida.

MARIANA.
   ¿Cuántos vendrán?
PEDRO.
                     Muy pocos.
   Pero los que interesan.
MARIANA.
   ¿Noticias?
PEDRO.
              Las habrá
   dentro de unos instantes.
   Si, al fin, hemos de alzarnos,
   decidiremos.
MARIANA.
                 ¡Calla!

         (*Hace ademán a* DON PEDRO *de que
         se calle, y queda escuchando. Fuera se
         oye la lluvia y el viento.*)

   ¡Ya están aquí!
PEDRO. (*Mirando el reloj.*)
                     Puntuales,
   como buenos patriotas.
   ¡Son gente decidida!
MARIANA.
   ¡Dios nos ayude a todos!
PEDRO.
   ¡Ayudará!
MARIANA.
             ¡Debiera,
   si mirase a este mundo!

         (MARIANA, *corriendo, avanza hasta la
         puerta y levanta la gran cortina del
         fondo.*)

   ¡Adelante, señores!

ESCENA VII

Entran tres caballeros con amplias capas grises;
uno de ellos lleva patillas. MARIANA y DON PEDRO
los reciben amablemente. Los caballeros dan la
mano a MARIANA y a DON PEDRO.

MARIANA. (*Dando la mano al* CONSPIRADOR 1.°)
  ¡Ay qué manos tan frías!
CONSPIRADOR 1.° (*Franco.*)
                          ¡Hace un frío
que corta! Y me he olvidado de los guantes;
pero aquí se está bien.
MARIANA.
                          ¡Llueve de veras!
CONSPIRADOR 3.° (*Decidido.*)
  El Zacatín estaba intransitable.

            (*Se quitan las capas, que sacuden de
            lluvia.*)

CONSPIRADOR 2.° (*Melancólico.*)
  La lluvia, como un sauce de cristal,
  sobre las casas de Granada cae.
CONSPIRADOR 3.°
  Y el Darro viene lleno de agua turbia.
MARIANA.
  ¿Les vieron?
CONSPIRADOR 2.° (*Melancólico. Habla poco y pausa-
  damente.*)
                          ¡No! Vinimos separados
hasta la entrada de esta oscura calle.

CONSPIRADOR 1.º

¿Habrá noticias para decidir?

PEDRO.

Llegarán esta noche, Dios mediante.

MARIANA.

Hablen bajo.

CONSPIRADOR 1.º (*Sonriendo.*)

   ¿Por qué, doña Mariana?
Toda la gente duerme en este instante.

PEDRO.

Creo que estamos seguros.

CONSPIRADOR 3.º

     No lo afirmes;
Pedrosa no ha cesado de espiarme,
y aunque yo lo despisto sagazmente,
continúa en acecho, y algo sabe.

    (*Unos se sientan y otros quedan de
    pie, componiendo una bella estampa.*)

MARIANA.

Ayer estuvo aquí.

    (*Los caballeros hacen un gesto de
    extrañeza.*)

     ¡Como es mi amigo
no quise, porque no debía, negarme!
Hizo un elogio de nuestra ciudad;
pero mientras hablaba, tan amable,
me miraba... no sé... ¡como sabiendo!,

    (*Subrayando.*)

de una manera penetrante.
En una sorda lucha con mis ojos
estuvo aquí toda la tarde.
Y Pedrosa es capaz... ¡de lo que sea!

PEDRO.

No es posible que pueda figurarse...

MARIANA.

Yo no estoy muy tranquila, y os lo digo
para que andemos con cautela grande.
De noche, cuando cierro las ventanas,
imagino que empuja los cristales.

PEDRO. (*Mirando el reloj.*)

Ya son las once y diez. El emisario
debe estar ya muy cerca de esta calle.

CONSPIRADOR 3.º (*Mirando el reloj.*)

Poco debe tardar.

CONSPIRADOR 1.º

            ¡Dios lo permita!
¡Que me parece un siglo cada instante!

> (*Entra* CLAVELA *con una bandeja de
> altas copas de cristal tallado y un
> frasco lleno de vino rojo, que deja so-
> bre el velador.* MARIANA *habla con ella.*)

PEDRO.

Estarán sobre aviso los amigos.

CONSPIRADOR 1.º

Enterados están. No falta nadie.
Todo depende de lo que nos digan
esta noche.

PEDRO.

            La situación es grave,
pero excelente si la aprovechamos.

> (*Sale* CLAVELA, *y* MARIANA *corre la
> cortina.*)

Hay que estudiar hasta el menor detalle,
porque el pueblo responde, sin dudar.
Andalucía tiene todo el aire

lleno de Libertad. Esta palabra
perfuma el corazón de sus ciudades,
desde las viejas torres amarillas
hasta los troncos de los olivares.
Esa costa de Málaga está llena
de gente decidida a levantarse:
pescadores del Palo, marineros
y caballeros principales.
Nos siguen pueblos como Nerja, Vélez,
que aguardan las noticias, anhelantes.
Hombres de acantilado y mar abierto,
y, por lo tanto, libres como nadie.
Algeciras acecha la ocasión,
y en Granada, señores de linaje
como vosotros exponen su vida
de una manera emocionante.
¡Ay, qué impaciencia tengo!

CONSPIRADOR 3.º

                 Como todos
los verdaderamente liberales.

MARIANA. (*Tímida.*)
Pero ¿habrá quién os siga?

PEDRO. (*Convencido.*)

                 Todo el mundo

MARIANA.
¿A pesar de este miedo?

PEDRO. (*Seco.*)

               Sí.

MARIANA.

                No hay nadie
que vaya a la Alameda del Salón
tranquilamente a pasearse,
y el café de la Estrella está desierto.

PEDRO. (*Entusiasmado.*)
¡Mariana, la bandera que bordaste

será acatada por el rey Fernando,
mal que le pese a Calomarde!

CONSPIRADOR 3.º

Cuando ya no le quede otro recurso
se rendirá a las huestes liberales,
que aunque se finja desvalido y solo,
no cabe duda que él hace y deshace.

MARIANA.

¿No es Fernando un juguete de los suyos?

CONSPIRADOR 3.º

¿No tarda mucho?

PEDRO. (*Inquieto.*)

      Yo no sé decirte.

CONSPIRADOR 3.º

¿Si lo habrán detenido?

CONSPIRADOR 1.º

       No es probable.
Oscuridad y lluvia le protegen,
y él está siempre vigilante.

MARIANA.

Ahora llega.

PEDRO.

    Y al fin sabremos algo.

  (*Se levantan y se dirigen a la puerta.*)

CONSPIRADOR 3.º

Bien venido, si buenas cartas trae.

MARIANA. (*Apasionada, a* PEDRO.)

Pedro, mira por mí. Sé muy prudente,
que me falta muy poco para ahogarme.

ESCENA VIII

Aparece por la puerta el Conspirador 4.º Es un
hombre fuerte; campesino rico. Viste el traje popular de la época: sombrero puntiagudo de alas
de terciopelo, adornado con borlas de seda; cha-
queta con bordados y aplicaduras de paño de todos los colores en los codos, en la bocamanga y
en el cuello. El pantalón, de vueltas, sujeto por
botones de filigrana, y las polainas, de cuero, abiertas por un costado, dejando ver la pierna. Trae
una dulce tristeza varonil. Todos los personajes
están de pie cerca de la puerta de entrada. Mariana no oculta su angustia, y mira, ya al recién llegado, ya a Don Pedro, con un un aire doliente y
escrutador.

Conspirador 4.º
    ¡Caballeros! ¡Doña Mariana!

            (Estrecha la mano de Mariana.)

Pedro. (Impaciente.)

                        ¿Hay noticias?
Conspirador 4.º
    ¡Tan malas como el tiempo!
Pedro.

                        ¿Qué ha pasado?
Conspirador 1.º (Irritado.)
    Casi lo adivinaba.
Mariana. (A Pedro.)

                ¿Te entristeces?

PEDRO.

¿Y las gentes de Cádiz?

CONSPIRADOR 4.°

Todo en vano.
Hay que estar prevenidos. El Gobierno
por todas partes nos está acechando.
Tendremos que aplazar el alzamiento,
o luchar o morir, de lo contrario.

PEDRO. (*Desesperado.*)

Yo no sé qué pensar; que tengo abierta
una herida que sangra en mi costado,
y no puedo esperar, señores míos.

CONSPIRADOR 3.° (*Fuerte.*)

Don Pedro, triunfaremos esperando.
La situación no puede durar mucho.

CONSPIRADOR 4.° (*Fuerte.*)

Ahora mismo tenemos que callarnos.
Nadie quiere una muerte sin provecho.

PEDRO. (*Fuerte también.*)

Mucho dolor me cuesta.

MARIANA. (*Angustiada.*)

¡Hablen más bajo!

(*Se pasea.*)

CONSPIRADOR 4.°

España entera calla, ¡pero vive!
Guarde bien la bandera.

MARIANA.

La he mandado
a casa de una vieja amiga mía,
allá en el Albaicín, y estoy temblando.
Quizá estuviera aquí mejor guardada.

PEDRO.

¿Y en Málaga?

CONSPIRADOR 4.°

En Málaga, un espanto.

El canalla de González Moreno...
No se puede contar lo que ha pasado.

> (*Expectación vivísima.* MARIANA, *sentada en el sofá, junto a* DON PEDRO, *después de todo el juego escénico que ha realizado, oye anhelante lo que cuenta el* CONSPIRADOR 4.°)

Torrijos, el general
noble, de la frente limpia,
donde se estaban mirando
las gentes de Andalucía,
caballero entre los duques,
corazón de plata fina,
ha sido muerto en las playas
de Málaga la bravía.
Le atrajeron con engaños
que él creyó, por su desdicha,
y se acercó, satisfecho
con sus buques, a la orilla.
¡Malhaya el corazón noble
que de los malos se fía!,
que al poner el pie en la arena
lo prendieron los realistas.
El vizconde de La Barthe,
que mandaba las milicias,
debió cortarse la mano
antes de tal villanía,
como es quitar a Torrijos
bella espada que ceñía,
con el puño de cristal,
adornado con dos cintas.
Muy de noche lo mataron
con toda su compañía.
Caballero entre los duques,
corazón de plata fina.

Grandes nubes se levantan
sobre la tierra de Mijas.
El viento mueve la mar
y los barcos se retiran
con los remos presurosos
y las velas extendidas.
Entre el ruido de las olas
sonó la fusilería,
y muerto quedó en la arena,
sangrando por tres heridas,
el valiente caballero,
con toda su compañía.
La muerte, con ser la muerte,
no deshojó su sonrisa.
Sobre los barcos lloraba
toda la marinería,
y las más bellas mujeres,
enlutadas y afligidas,
lo iba llorando también
por el limonar arriba.

PEDRO. (*Levantándose, después de oír el romance.*)
Cada dificultad me da más bríos.
Señores, a seguir nuestro trabajo.
La muerte de Torrijos me enardece
para seguir luchando.

CONSPIRADOR 1.º
Yo pienso así.

CONSPIRADOR 4.º
                    Pero hay que estarse quietos;
otro tiempo vendrá.

CONSPIRADOR 2.º (*Conmovido.*)
                    ¡Tiempo lejano!

PEDRO.
Pero mis fuerzas no se agotarán.

MARIANA. (*Bajo, a* PEDRO.)
Pedro, mientras yo viva...

CONSPIRADOR 1.º

                              ¿Nos marchamos?

CONSPIRADOR 3.º

    No hay nada que tratar. Tienes razón.

CONSPIRADOR 4.º

    Esto es lo que tenía que contaros,
    y nada más.

CONSPIRADOR 1.º

                    Hay que ser optimistas.

MARIANA.

    ¿Gustarán de una copa?

CONSPIRADOR 4.º

                              La aceptamos
    porque nos hace falta.

CONSPIRADOR 1.º

                    ¡Buen acuerdo!

        (*Se ponen de pie y cogen sus copas.*)

MARIANA. (*Llenando los vasos.*)
    ¡Cómo llueve!

        (*Fuera se oye la lluvia.*)

CONSPIRADOR 3.º

                    ¡Don Pedro está apenado!

CONSPIRADOR 4.º

    ¡Como todos nosotros!

PEDRO.

                        ¡Es verdad!
    Y tenemos razones para estarlo.

MARIANA.

    Pero a pesar de esta opresión aguda
    y de tener razones para estarlo...

        (*Levantando la copa.*)

"Luna tendida, marinero en pie",
dicen allá, por el Mediterráneo,
las gentes de veleros y fragatas.
¡Como ellos, hay que estar siempre **acechando**!

(*Como en sueños.*)

"Luna tendida, marinero en pie."
PEDRO. (*Con la copa.*)
Que sean nuestras casas como barcos.

> (*Beben. Pausa. Fuera se oyen alda-
> bonazos lejanos. Todos quedan con las
> copas en la mano, en medio de un
> gran silencio.*)

MARIANA.
Es el viento que cierra una ventana.

(*Otro aldabonazo.*)

PEDRO.
¿Oyes, Mariana?
CONSPIRADOR 4.º
¿Quién será?
MARIANA. (*Llena de angustia.*)
¡Dios santo!
PEDRO. (*Acariciador.*)
¡No temas! Ya verás como no es nada.

> (*Todos están con las capas puestas,
> llenos de inquietud.*)

CLAVELA. (*Entrando casi ahogada.*)
¡Ay señora! ¡Dos hombres embozados,
y Pedrosa con ellos!
MARIANA. (*Gritando, llena de pasión.*)
¡Pedro, vete!
¡Y todos, Virgen santa! ¡Pronto!
PEDRO. (*Confuso.*)
¡Vamos!

(CLAVELA *quita las copas y apaga los candelabros.*)

CONSPIRADOR 4.°

Es indigno dejarla.

MARIANA. (*A* PEDRO.)

¡Date prisa!

PEDRO.

¿Por dónde?

MARIANA. (*Loca.*)

¡Ay! ¿Por dónde?

CLAVELA.

¡Están llamando!

MARIANA. (*Iluminada.*)

¡Por aquella ventana del pasillo
saltarás fácilmente! Este tejado
está cerca del suelo.

CONSPIRADOR 2.°

¡No debemos
dejarla abandonada!

PEDRO. (*Enérgico.*)

¡Es necesario!
¿Cómo justificar nuestra presencia?

MARIANA.

Sí, sí, vete en seguida. ¡Ponte a salvo!

PEDRO. (*Apasionado.*)

¡Adiós, Mariana!

MARIANA.

¡Dios os guarde, amigos!

(*Van saliendo rápidamente por la
puerta de la derecha.* CLAVELA *está asomada a una rendija del balcón, que da
a la calle.* MARIANA, *en la puerta, dice:*)

¡Pedro..., y todos, que tengáis cuidado!

(*Cierra la puertecilla de la izquierda, por donde han salido los* CONSPIRA-

DORES, *y corre la cortina. Luego, dra-*
mática:)

¡Abre, Clavela! Soy una mujer
que va atada a la cola de un caballo.

(*Sale* CLAVELA. *Se dirige rápidamente*
al fortepiano.)

¡Dios mío, acuérdate de tu pasión
y de las llagas de tus manos!

(*Se sienta y empieza a cantar la*
canción del "Contrabandista", original
de Manuel García, 1808.)

Yo que soy contrabandista
y campo por mis respetos
a todos los desafío,
pues a nadie tengo miedo.
   ¡Ay! ¡Ay!
¡Ay muchachos! ¡Ay muchachas!
¿Quién me compra hilo negro?
Mi caballo está rendido
¡y yo me muero de sueño!
   ¡Ay!
¡Ay! Que la ronda ya viene
y se empezó el tiroteo.
¡Ay! ¡Ay! Caballito mío,
caballo mío careto.
   ¡Ay!
¡Ay! Caballo, ve ligero.
¡Ay! Caballo, que me muero.
   ¡Ay!

(*Ha de cantar con un admirable y*
desesperado sentimiento, escuchando
los pasos de PEDROSA *por la escalera.*)

ESCENA IX

Las cortinas del fondo se levantan y aparece Clavela, aterrada, con el candelabro de tres bujías en
una mano y la otra puesta sobre el pecho. Pedrosa
es un tipo seco, de una palidez intensa y de una
admirable serenidad. Dirá las frases con ironía
muy velada y mirará minuciosamente a todos lados, pero con corrección. Es antipático. Hay que
huir de la caricatura. Al entrar Pedrosa, Mariana
deja de tocar y se levanta del fortepiano. Silencio.

Mariana.
   Adelante.
Pedrosa. (*Adelantándose.*)
            Señora, no interrumpa
por mí la cancioncilla que ahora mismo
entonaba.

            (*Pausa.*)

Mariana. (*Queriendo sonreír.*)
            La noche estaba triste
y me puse a cantar.

            (*Pausa.*)

Pedrosa.

                        He visto luz
en su balcón y quise visitarla.
Perdone si interrumpo sus quehaceres.
Mariana.
   Se lo agradezco mucho.

PEDROSA.

¡Qué manera
de llover!

> (*Pausa. En esta escena habrá pau-
> sas imperceptibles y rotundos silencios
> instantáneos, en los cuales luchan des-
> esperadamente las almas de los dos
> personajes. Escena delicadísima de ma-
> tizar, procurando no caer en exagera-
> ciones que perjudiquen su emoción.
> En esta escena se ha de notar mucho
> más lo que no se dice que lo que se
> está hablando. La lluvia, discretamen-
> te imitada y sin ruido excesivo, llegará
> de cuando en cuando a llenar silen-
> cios.*)

MARIANA. (*Con intención.*)
¿Es muy tarde?

(*Pausa.*)

PEDROSA. (*Mirándola fijamente, y con intención
también.*)
¡Sí! Muy tarde.
El reloj de la Audiencia ya hace rato
que dio las once.
MARIANA. (*Serena e indicando asiento a* PEDROSA.)
No las he sentido.
PEDROSA. (*Sentándose.*)
Yo las sentí lejanas. Ahora vengo
de recorrer las calles silenciosas,
calado hasta los huesos por la lluvia,
resistiendo ese gris fino y glacial
que viene de la Alhambra.
MARIANA. (*Con intención y rehaciéndose.*)
El aire helado

que clava agujas sobre los pulmones
y para el corazón.

PEDROSA. (*Devolviéndole la ironía.*)
                    Pues ese mismo.
Cumplo deberes de mi duro cargo.
Mientras que usted, espléndida Mariana,
en su casa, al abrigo de los vientos,
hace encajes... o borda...

                    (*Como recordando.*)

                              ¿Quién me ha dicho
que bordaba muy bien?

MARIANA. (*Aterrada, pero con cierta serenidad.*)
                    ¿Es un pecado?

PEDROSA. (*Haciendo una seña negativa.*)
El Rey nuestro Señor, que Dios proteja,
                    (*Se inclina.*)
se entretuvo bordando en Valençay
con tu tío el infante don Antonio.
Ocupación bellísima.

MARIANA. (*Entre dientes.*)
                    ¡Díos mío!

PEDROSA.
¿Le extraña mi visita?

MARIANA. (*Tratando de sonreír.*)
                    ¡No!

PEDROSA. (*Serio.*)
                              ¡Mariana!
                    (*Pausa.*)
Una mujer tan bella como usted,
¿no siente miedo de vivir tan sola?

MARIANA.
¿Miedo? ¡Ninguno!

PEDROSA. (*Con intención.*)
                    Hay tantos liberales

y tantos anarquistas por Granada,
que la gente no vive muy segura.
>   (*Firme.*)
¡Usted ya lo sabrá!

Mariana. (*Digna.*)
>   ¡Señor Pedrosa!
¡Soy mujer de mi casa y nada más!

Pedrosa. (*Sonriendo.*)
Y yo soy juez. Por eso me preocupo
de estas cuestiones. Perdonad, Mariana.
Pero hace ya tres meses que ando loco
sin poder capturar a un cabecilla...

>   (*Pausa.* Mariana *trata de escuchar
>   y juega con su sortija, conteniendo su
>   angustia y su indignación.*)

Pedrosa. (*Como recordando, con frialdad.*)
Un tal don Pedro de Sotomayor.

Mariana.
Es probable que esté fuera de España.

Pedrosa.
No; yo espero que pronto será mío.

>   (*Al oír eso,* Mariana *tiene un ligero
>   desvanecimiento nervioso; lo suficien-
>   te para que se le escape la sortija
>   de la mano, o más bien, la arroja ella
>   para evitar la conversación.*)

Mariana. (*Levantándose.*)
¡Mi sortija!

Pedrosa.
>   ¿Cayó?
>   (*Con intención.*)
>   Tenga cuidado.

MARIANA. (*Nerviosa.*)
Es mi anillo de bodas; no se mueva,
y vaya a pisarlo.

(*Busca.*)

PEDROSA.
Está muy bien.
MARIANA.
           Parece
que una mano invisible lo arrancó.
PEDROSA.
Tenga más calma.
        (*Frío.*)
               Mire.

(*Señala el sitio donde ve el anillo,
al mismo tiempo que avanzan.*)

            ¡Ya está aquí!

(MARIANA *se inclina para recogerlo
antes que* PEDROSA; *éste queda a su
lado, y en el momento de levantarse*
MARIANA, *la enlaza rápidamente y la
besa.*)

MARIANA. (*Dando un grito y retirándose.*)
¡Pedrosa!

(*Pausa.* MARIANA *rompe a llorar de
furor.*)

PEDROSA. (*Suave.*)
       Grite menos.
MARIANA.
              ¡Virgen Santa!
PEDROSA. (*Sentándose.*)
Me parece que este llanto está de más.

Mi señora Mariana, esté serena.
MARIANA. (*Arrancándose desesperada y cogiendo
a* PEDROSA *por la solapa.*)

¿Qué piensa de mí? ¡Diga!
PEDROSA. (*Impasible.*)

Muchas cosas.
MARIANA.

Pues yo sabré vencerlas. ¿Qué pretende?
Sepa que yo no tengo miedo a nadie.
Como el agua que nace soy de limpia,
y me puedo manchar si usted me toca;
pero sé defenderme. ¡Salga pronto!
PEDROSA. (*Fuerte y lleno de ira.*)
¡Silencio!

(*Pausa. Frío.*)

Quiero ser amigo suyo.
Me debe agradecer esta visita.
MARIANA. (*Fiera.*)

¿Puedo yo permitir que usted me insulte?
¿Que penetre de noche en mi vivienda
para que yo...? ¡Canalla! No sé cómo...
(*Se contiene.*)
¡Usted quiere perderme!
PEDROSA. (*Cálido.*)

¡Lo contrario!
Vengo a salvarla.
MARIANA. (*Bravía.*)

¡No lo necesito!

(*Pausa.*)

PEDROSA. (*Fuerte y dominador, acercándose con una
agria sonrisa.*)
¡Mariana! ¿Y la bandera?
MARIANA. (*Turbada.*)

¿Qué bandera?

PEDROSA.

¡La que bordó con esas manos blancas
                    (*Las coge.*)
en contra de las leyes y del Rey!

MARIANA.

¿Qué infame le mintió?

PEDROSA. (*Indiferente.*)

                    ¡Muy bien bordada!
De tafetán morado y verdes letras.
Allá en el Albaicín la recogimos,
y ya está en mi poder como tu vida.
Pero no temas; soy amigo tuyo.

(MARIANA *queda ahogada.*)

MARIANA. (*Casi desmayada.*)

Es mentira, mentira.

PEDROSA.

                    Sé también
que hay mucha gente complicada.
Espero que dirás sus nombres, ¿verdad?

(*Bajando la voz y apasionadamente.*)

Nadie sabrá lo que ha pasado. Yo te quiero
mía, ¿lo estás oyendo? Mía o muerta.
Me has despreciado siempre; pero ahora
puedo apretar tu cuello con mis manos,
este cuello de nardo transparente,
y me querrás porque te doy la vida.

MARIANA. (*Tierna y suplicante en medio de su
desesperación, abrazándose a* PEDROSA.)

¡Tenga piedad de mí! ¡Si usted supiera!
Y déjeme escapar. Yo guardaré
su recuerdo en las niñas de mis ojos.
¡Pedrosa, por mis hijos...!

PEDROSA. (*Abrazándola, sensual.*)

La bandera
no la has bordado tú, linda Mariana,
y ya eres libre porque así lo quiero...

(MARIANA, *al ver cerca de sus labios
los labios de* PEDROSA, *lo rechaza, reaccionando de una manera salvaje.*)

MARIANA.

¡Eso nunca! ¡Primero doy mi sangre!
Que me cueste dolor, pero con honra.
¡Salga de aquí!

PEDROSA. (*Reconviniéndola.*)

¡Mariana!

MARIANA.

¡Salga pronto!

PEDROSA. (*Frío y reservado.*)

¡Está muy bien! Yo seguiré el asunto
y usted misma se pierde.

MARIANA.

¡Qué me importa!
Yo bordé la bandera con mis manos;
con estas manos, ¡mírelas, Pedrosa!,
y conozco muy grandes caballeros
que izarla pretendían en Granada.
¡Mas no diré sus nombres!

PEDROSA.

¡Por la fuerza
delatará! ¡Los hierros duelen mucho,
y una mujer es siempre una mujer!
¡Cuando usted quiera me avisa!

MARIANA.

¡Cobarde!
¡Aunque en mi corazón clavaran vidrios
no hablaría!

(*En un arranque.*)

9

¡Pedrosa, aquí me tiene!

PEDROSA.

¡Ya veremos...!

MARIANA.

¡Clavela, el candelabro!

(*Entra* CLAVELA, *aterrada, con las manos cruzadas sobre el pecho.*)

PEDROSA.

No hace falta, señora. Queda usted
detenida en nombre de la ley.

MARIANA.

¿En nombre de qué ley?

PEDROSA. (*Frío y ceremonioso.*)

¡Muy buenas noches!

(*Sale.*)

CLAVELA. (*Dramática.*)

¡Ay, señora; mi niña, clavelito,
prenda de mis entrañas!

MARIANA. (*Llena de angustia y terror.*)

Isabel,
yo me voy. Dame el chal.

CLAVELA.

¡Sálvese pronto!

(*Se asoma a la ventana. Fuera se oye
otra vez la fuerte lluvia.*)

MARIANA.

¡Me iré a casa de don Luis! ¡Cuida los niños!

CLAVELA.

¡Se han quedado en la puerta! ¡No se puede!

MARIANA.

Claro está.

(*Señalando al sitio por donde han
salido los* CONSPIRADORES.)

¡Por aquí!

CLAVELA.

¡Es imposible!

(*Al cruzar* MARIANA, *por la puerta aparece* DOÑA ANGUSTIAS.)

ANGUSTIAS.

¡Mariana! ¿Dónde vas? Tu niña llora.
Tiene miedo del aire y de la lluvia.

MARIANA.

¡Estoy presa! ¡Estoy presa, Clavela!

ANGUSTIAS. (*Abrazándola.*)

¡Marianita!

MARIANA. (*Arrojándose en el sofá.*)

¡Ahora empiezo a morir!

(*Las dos mujeres la abrazan.*)

¡Mírame y llora! ¡Ahora empiezo a morir!

TELÓN RÁPIDO

Convento de Santa María Egipcíaca, de Granada.
Rasgos árabes. Arcos, cipreses, fuentecillas y arra-
yanes. Hay unos bancos y unas viejas sillas de
cuero. Al levantarse el telón está la escena solitaria. Suenan el órgano y las lejanas voces de las
monjas. Por el fondo vienen corriendo de puntillas
y mirando a todos lados para que no las vean dos
Novicias. Visten toquitas blancas y trajes azules.
Se acercan con mucho sigilo a una puerta de la
izquierda y miran por el ojo de la cerradura.

ESCENA PRIMERA

Novicia 1.ª

¿Qué hace?

Novicia 2.ª (*En la cerradura.*)

¡Habla más bajito!

Está rezando.

Novicia 1.ª

¡Deja!

(*Se pone a mirar.*)

¡Qué blanca está, qué blanca!
Reluce su cabeza
en la sombra del cuarto.

Novicia 2.ª

¿Reluce su cabeza?
Yo no comprendo nada.
Es una mujer buena,
y la quieren matar.
¿Tú qué dices?

Novicia 1.ª

Quisiera
mirar su corazón
largo rato y muy cerca.

Novicia 2.ª

¡Qué mujer tan valiente! Cuando ayer
vinieron a leerle la sentencia
de muerte, no ocultó
su sonrisa.

Novicia 1.ª
                    En la iglesia
la vi despúes llorando
y me pareció que ella
tenía el corazón en la garganta.
¿Qué es lo que ha hecho?

Novicia 2.ª
Bordó una bandera.

Novicia 1.ª
¿Bordar es malo?

Novicia 2.ª
Dicen que es masona.

Novicia 1.ª
¿Qué es eso?

Novicia 2.ª
Pues... ¡no sé!

Novicia 1.ª
¿Por qué está presa?

Novicia 2.ª
Porque no quiere al rey.

Novicia 1.ª
¿Qué más da? ¿Se habrá visto?

Novicia 2.ª
¡Ni a la reina!

Novicia 1.ª
Yo tampoco los quiero.

                    (*Mirando.*)

¡Ay Marianita Pineda!
Ya están abriendo flores
que irán contigo muerta.

                    (*Aparece por la puerta del foro la*
                    Madre Sor Carmen Borja.)

Carmen.
Pero, niñas, ¿qué miráis?

NOVICIA 1.ª (*Asustada.*)

Hermana...

CARMEN.

¿No os da vergüenza?

Ahora mismo, al obrador.
¿Quién os enseñó esa fea
costumbre? ¡Ya nos veremos!

NOVICIA 1.ª

¡Con licencia!

NOVICIA 2.ª

¡Con licencia!

(*Se van. Cuando la* MADRE CARMEN
*se ha convencido de que las otras se
han marchado, se acerca también con
sigilo y mira por el ojo de la llave.*)

CARMEN.

¡Es inocente! ¡No hay duda!
¡Calla con una firmeza!
¿Por qué? Yo no me lo explico.

(*Sobresaltada.*)

¡Viene!

(*Sale corriendo.*)

ESCENA II

MARIANA aparece con un espléndido traje blanco.
Está palidísima.

MARIANA.
            ¡Hermana!
CARMEN. (*Volviéndose.*)
                        ¿Qué desea?
MARIANA.
      ¡Nada!
CARMEN.
            ¡Decidlo, señora!
MARIANA.
      Pensaba...
CARMEN.
                  ¿Qué?
MARIANA.
                  Si pudiera
      quedarme aquí en el beaterio,
      para siempre.
CARMEN.
                  ¡Qué contentas
      nos pondríamos!
MARIANA.
                  ¡No puedo!
CARMEN.
      ¿Por qué?
MARIANA. (*Sonriendo.*)
            Porque ya estoy muerta.
CARMEN. (*Asustada.*)
      ¡Doña Mariana, por Dios!

MARIANA.

Pero el mundo se me acerca,
las piedras, el agua, el aire,
¡comprendo que estaba ciega!

CARMEN.

¡La indultarán!

MARIANA. (*Con sangre fría.*)
¡Ya veremos!
Este silencio me pesa
mágicamente. Se agranda
como un techo de violetas,

(*Apasionada.*)

y otras veces finge en mí
una larga cabellera.
¡Ay, qué buen soñar!

CARMEN. (*Cogiéndole la mano.*)
¡Mariana!

MARIANA.

¿Cómo soy yo?

CARMEN.

Eres muy buena.

MARIANA.

Soy una gran pecadora;
pero amé de una manera
que Dios me perdonará
como a Santa Magdalena.

CARMEN.

Fuera del mundo y en él
perdona.

MARIANA.

¡Si usted supiera!
¡Estoy muy herida, hermana,
por las cosas de la tierra!

CARMEN.
Dios está lleno de heridas
de amor, que nunca se cierran.
MARIANA.
Nace el que muere sufriendo,
¡comprendo que estaba ciega!
CARMEN. (*Apenada al ver el estado de* MARIANA.)
¡Hasta luego! ¿Asistirá
esta tarde a la novena?
MARIANA.
Como siempre. ¡Adiós, hermana!

(*Se va* CARMEN.)

ESCENA III

MARIANA se dirige al fondo rápidamente, con todo
género de precauciones, y allí aparece ALEGRITO,
jardinero del convento. Ríe constantemente, con
una sonrisa suave y sana. Viste traje de cazador
de la época.

MARIANA.
¡Alegrito! ¿Qué?

ALEGRITO.
¡Paciencia
para lo que vais a oír!

MARIANA.
¡Habla pronto, no nos vean!
¿Fuiste a casa de don Luis?

ALEGRITO.
Y me han dicho que les era
imposible pretender
salvarla. Que ni lo intentan,
porque todos morirían;
pero que harán lo que puedan.

MARIANA. (*Valiente.*)
¡Lo harán todo! ¡Estoy segura!
Son gentes de la nobleza,
y yo soy noble, Alegrito.
¿No ves cómo estoy serena?

ALEGRITO.
Hay un miedo que da miedo.
Las calles están desiertas.

Sólo el viento viene y va;
pero la gente se encierra.
No encontré más que una niña
llorando sobre la puerta
de la antigua Alcaicería.

MARIANA.

¿Crees van a dejar que muera
la que tiene menos culpa?

ALEGRITO.

Yo no sé lo que ellos piensan.

MARIANA.

¿Y de lo demás?

ALEGRITO. (*Turbado.*)

¡Señora!...

MARIANA.

Sigue hablando.

ALEGRITO.

No quisiera.

(MARIANA *hace un gesto de impaciencia.*)

El caballero don Pedro
de Sotomayor se aleja
de España, según me han dicho.
Dicen que marcha a Inglaterra.
Don Luis lo sabe de cierto.

MARIANA. (*Sonríe incrédula y dramática, porque
en el fondo sabe que es verdad.*)

Quien te lo dijo desea
aumentar mi sufrimiento.
¡Alegrito, no lo creas!
¿Verdad que tú no lo crees?

(*Angustiada.*)

ALEGRITO. (*Turbado.*)

Señora, lo que usted quiera.

MARIANA.

Don Pedro vendrá a caballo
como loco cuando sepa
que yo estoy encarcelada
por bordarle su bandera.
Y, si me matan, vendrá
para morir a mi vera,
que me lo dijo una noche
besándome la cabeza.
El vendrá como un San Jorge
de diamantes y agua negra,
al aire la deslumbrante
flor de su capa bermeja.
Y porque es noble y modesto,
para que nadie lo vea,
vendrá por la madrugada,
por la madrugada fresca,
cuando sobre el cielo oscuro
brilla el limonar apenas
y el alba finge en las olas
fragatas de sombra y seda.
¿Tú qué sabes? ¡Qué alegría!
No tengo miedo, ¿te enteras?

ALEGRITO.

¡Señora!

MARIANA.

¿Quién te lo ha dicho?

ALEGRITO.

Don Luis.

MARIANA.

¿Sabe la sentencia?

ALEGRITO.

Dijo que no la creía.

MARIANA. (*Angustiada.*)

Pues es muy verdad.

ALEGRITO.

                              Me apena
darle tan malas noticias.

MARIANA.

¿Volverás?

ALEGRITO.

                    Lo que usted quiera.

MARIANA.

Volverás para decirles
que yo estoy muy satisfecha
porque sé que vendrán todos,
¡y son muchos!, cuando deban.
¡Dios te lo pague!

ALEGRITO.

                              Hasta luego.

          (*Sale.*)

María Dolores Pradera en una escena
de Mariana Pineda

Madrid

ESCENA IV

MARIANA. (*En voz baja.*)
Y me quedo sola mientras
que, bajo la acacia en flor
del jardín, mi muerte acecha.

> (*En voz b a j a y dirigiéndose al
> huerto.*)

Pero mi vida está aquí.
Mi sangre se agita y tiembla,
como un árbol de coral
con la marejada tierna.
Y aunque tu caballo pone
cuatro lunas en las piedras
y fuego en la verde brisa
débil de la primavera,
¡corre más! ¡Ven a buscarme!
Mira que siento muy cerca
dedos de hueso y de musgo
acariciar mi cabeza.

> (*Se dirige al jardín como si hablara
> con alguien.*)

No puedes entrar. ¡No puedes!
¡Ay Pedro! Por ti no entra;
pero sentada en la fuente
toca una blanda vihuela.

> (*Se sienta en un banco y apoya la
> cabeza sobre sus manos. En el jardín
> se oye una guitarra.*)

Voz.

A la vera del agua,
sin que nadie la viera,
se murió mi esperanza.

Mariana. (*Repitiendo exquisitamente la canción.*)

A la vera del agua,
sin que nadie la viera,
se murió mi esperanza.

> (*Por el foro aparecen dos* Monjas,
> *seguidas de* Pedrosa. Mariana *no los
> ve.*)

Esta copla está diciendo
lo que saber no quisiera.
Corazón sin esperanza,
¡que se lo trague la tierra!

Carmen.

Aquí está, señor Pedrosa.

Mariana. (*Asustada, levantándose y como saliendo
de un sueño.*)

¿Quién es?

Pedrosa.

¡Señora!

> (Mariana *queda sorprendida y deja
> escapar una exclamación. Las* Monjas
> *inician el mutis.*)

Mariana. (*A las* Monjas.)

¿Nos dejan?

Carmen.

Tenemos que trabajar...

> (*Se van. Hay en estos momentos una
> gran inquietud en escena.* Pedrosa,
> *frío y correcto, mira intensamente a*
> Mariana, *y ésta melancólica, pero va-
> liente, recoge sus miradas.*)

ESCENA V

PEDROSA viste de negro, con capa. Su aire frío debe
hacerse notar.

MARIANA.
Me lo dio el corazón: ¡Pedrosa!
PEDROSA.

El mismo
que aguarda, como siempre, sus noticias.
Ya es hora. ¿No os parece?
MARIANA.

Siempre es hora
de callar y vivir con alegría.

(*Se sienta en un banco. En este momento, y durante todo el acto,* MARIA-
NA *tendrá un delirio delicadísimo, que
estallará al final.*)

PEDROSA.
¿Conoce la sentencia?
MARIANA.

La conozco.
PEDROSA.
¿Y bien?
MARIANA. (*Radiante.*)

Pero yo pienso que es mentira.
Tengo el cuello muy corto para ser
ajusticiada. Ya ve. No podrían.
Además, es hermoso y blanco; nadie
querrá tocarlo.

PEDROSA. (*Completando.*)
                    ¡Mariana!
MARIANA. (*Fiera.*)
                              Se olvida
que para que yo muera tiene toda
Granada que morir. Y que saldrían
muy grandes caballeros a salvarme,
porque soy noble. Porque yo soy hija
de un capitán de navío, Caballero
de Calatrava. ¡Déjeme tranquila!

PEDROSA.
No habrá nadie en Granada que se asome
cuando usted pase con su comitiva.
Los andaluces hablan; pero luego...

MARIANA.
Me dejan sola; ¿y qué? Uno vendría
para morir conmigo, y esto basta.
¡Pero vendrá para salvar mi vida!

            (*Sonríe y respira fuertemente, lle-
            vándose las manos al pecho.*)

PEDROSA. (*En un arranque.*)
Yo no quiero que mueras tú, ¡no quiero!
Ni morirás, porque darás noticias
de la conjuración. Estoy seguro.

MARIANA. (*Fiera.*)
No diré nada, como usted querría,
a pesar de tener un corazón
en el que ya no caben más heridas.
Fuerte y sorda seré a vuestros halagos.
Antes me daban miedo sus pupilas.
Ahora le estoy mirando cara a cara

            (*Se acerca.*)

y puedo con sus ojos que vigilan
el sitio donde guardo este secreto

que por nada del mundo contaría.
¡Soy valiente, Pedrosa, soy valiente!
PEDROSA.

Está muy bien.

   (*Pausa.*)

    Ya sabe, con mi firma
puedo borrar la lumbre de sus ojos.
Con una pluma y un poco de tinta
puedo hacerla dormir un largo sueño.
MARIANA. (*Elevada.*)

¡Ojalá fuese pronto por mi dicha!
PEDROSA. (*Frío.*)

Esta tarde vendrán.
MARIANA. (*Aterrada y dándose cuenta.*)

     ¿Cómo?

PEDROSA.

     Esta tarde;
ya se ha ordenado que entres en capilla.
MARIANA. (*Exaltada y protestando fieramente de
su muerte.*)

¡No puede ser! ¡Cobardes! ¿Y quién manda
dentro de España tales villanías?
¿Qué crimen cometí? ¿Por qué me matan?
¿Dónde está la razón de la Justicia?
En la bandera de la Libertad
bordé el amor más grande de mi vida.
¿Y he de permanecer aquí encerrada?
¡Quién tuviera unas alas cristalinas
para salir volando en busca tuya!

   (PEDROSA *ha visto con satisfacción
   esta súbita desesperación de* MARIANA
   *y se dirige a ella. La luz empieza a
   tomar el tono del crepúsculo.*)

PEDROSA. (*Muy cerca de* MARIANA.)

Hable pronto, que el rey la indultaría.
Mariana, ¿quiénes son los conjurados?

Yo sé que usted de todos es amiga.
Cada segundo aumenta su peligro.
Antes que se haya disipado el día
ya vendrán por la calle a recogerla.
¿Quiénes son? Y sus nombres. ¡Vamos, pronto!
Que no se juega así con la Justicia,
y luego será tarde.

MARIANA. (*Fiera.*)

¡No hablaré!

PEDROSA. (*Fiero, cogiéndole las manos.*)
¿Quiénes son?

MARIANA.

Ahora menos lo diría.

(*Con desprecio.*)

Suelta, Pedrosa; vete. ¡Madre Carmen!

PEDROSA. (*Terrible.*)
¡Quieres morir!

(*Aparece, llena de miedo, la* MADRE
CARMEN; *dos* MONJAS *cruzan al fondo
como dos fantasmas.*)

CARMEN.

¿Qué pasa, Marianita?

MARIANA.
Nada.

CARMEN.

Señor, no es justo...

PEDROSA. (*Frío, sereno y autoritario, dirige una se-
vera mirada a la monja, e inicia el mutis.*)

Buenas tardes.

(*A* MARIANA.)

Tendré un placer muy grande si me avisa.

CARMEN.

¡Es muy buena, señor!

PEDROSA. (*Altivo.*)

No os pregunté.

(*Sale, seguido de* SOR CARMEN.)

ESCENA VI

MARIANA. (*En el banco, con dramática y tierna entonación andaluza.*)
Recuerdo aquella copla que decía
cruzando los olivos de Granada:
"¡Ay, qué fragatita,
real corsaria! ¿Dónde está
tu valentía?
Que un velero bergantín
te ha puesto la puntería."

(*Como soñando y nebulosamente.*)

Entre el mar y las estrellas
¡con qué gusto pasearía
apoyada sobre una
larga baranda de brisa!

(*Con pasión y llena de angustia.*)

Pedro, coge tu caballo
o ven montado en el día.
¡Pero pronto! ¡Que ya vienen
para quitarme la vida!
Clava las duras espuelas.

(*Llorando.*)

"¡Ay, qué fragatita,
real corsaria! ¿Dónde está
tu valentía?

Que un famoso bergantín
te ha puesto la puntería."

(*Vienen dos* Monjas.)

MONJA 1.ª
Sé fuerte, que Dios te ayuda.
CARMEN.
Marianita, hija, descansa.

(*Se llevan a* MARIANA.)

ESCENA VII

Suena el esquilón de las monjas. Por el fondo aparecen varias de ellas, que cruzan la escena y se
santiguan al pasar ante una Virgen de los Dolores que, con el corazón atravesado de puñales,
llora en el muro, cobijada por un inmenso arco
de rosas amarillas y plateadas de papel. Entre
ellas se destacan las Novicias 1.ª y 2.ª Los cipreses comienzan a teñirse de luz dorada.

NOVICIA 1.ª
    ¡Qué gritos! ¿Tú los sentiste?
NOVICIA 2.ª
    Desde el jardín; y sonaban
    como si estuvieran lejos.
    ¡Inés, yo estoy asustada!
NOVICIA 1.ª
    ¿Dónde está Marianita,
    rosa y jazmín de Granada?
NOVICIA 2.ª
    Está esperando a su novio.
NOVICIA 1.ª
    Pero su novio ya tarda.
    ¡Si la vieras cómo mira
    por una y otra ventana!
    Dice: "Si no hubiera sierras,
    lo vería en la distancia."
NOVICIA 2.ª
    Ella lo espera segura.
NOVICIA 1.ª
    ¡No vendrá por su desgracia!

NOVICIA 2.ª
    ¡Marianita va a morir!
    ¡Hay otra luz en la casa!
NOVICIA 1.ª
    ¡Y cuánto pájaro! ¿Has visto?
    Ya no caben en las ramas
    del jardín ni en los aleros;
    nunca vi tantos, y al alba,
    cuando se siente la Vela,
    cantan y cantan y cantan...
NOVICIA 2.ª
    ...y al alba
    despiertan brisas y nubes
    desde el frescor de las ramas.
NOVICIA 1.ª
    ...y al alba
    por cada estrella que muere
    nace diminuta flauta.
NOVICIA 2.ª
    ¿Y ella...? ¿Tú la has visto? Ella
    me parece amortajada
    cuando cruza el coro bajo
    con esa ropa tan blanca.
NOVICIA 1.ª
    ¡Qué injusticia! Esta mujer
    de seguro fue engañada.
NOVICIA 2.ª
    ¡Su cuello es maravilloso!
NOVICIA 1.ª (*Llevándose instintivamente las manos
al cuello.*)
    Sí, pero...
NOVICIA 2.ª
              Cuando lloraba
    me pareció que se le iba
    a deshojar en la falda.

              (*Se acercan las* MONJAS.)

Monja 1.ª
¿Vamos a ensayar la Salve?

Novicia 1.ª
¡Muy bien!

Novicia 2.ª
Yo no tengo gana.

Monja 1.ª
Es muy bonita.

Novicia 1.ª (*Hace una señal a las demás y se dirigen rápidamente al foro.*)
¡Y difícil!

(*Aparece* Mariana *por la puerta de la izquierda, y al verla se retiran todas con disimulo.*)

Mariana. (*Sonriendo.*)
¿Huyen de mí?

Novicia 1.ª (*Temblando.*)
¡Vamos a la...!

Novicia 2.ª (*Turbada.*)
Nos íbamos... Yo decía...
Es muy tarde.

Mariana. (*Con bondad irónica.*)
¿Soy tan mala?

Novicia 1.ª (*Exaltada.*)
¡No, señora! ¿Quién lo dice?

Mariana.
¿Qué sabes tú, niña?

Novicia 2.ª (*Señalando a la primera.*)
¡Nada!

Novicia 1.ª
¡Pero la queremos todas!
(*Nerviosa.*)
¿No lo está usted viendo?

MARIANA. (*Con amargura.*)

¡Gracias!

(MARIANA *se sienta en el banco, con*
las manos cruzadas y la cabeza caída,
en una divina actitud de tránsito.)

NOVICIA 1.ª
¡Vámonos!
NOVICIA 2.ª

¡Ay, Marianita,
rosa y jazmín de Granada,
que está esperando a su novio,
pero su novio se tarda...!

(*Se van.*)

MARIANA.
¡Quién me hubiera dicho a mí...!
Pero... ¡paciencia!
CARMEN. (*Que entra.*)

¡Mariana!
Un señor, que trae permiso
del juez, viene a visitarla.
MARIANA. (*Levantándose, radiante.*)
¡Qué pase! ¡Por fin, Dios mío!

(*Sale la* MONJA. MARIANA *se dirige a*
una cornucopia que hay en la pared y,
llena de su delicado delirio, se arregla
los bucles y el escote.)

Pronto..., ¡qué segura estaba!
Tendré que cambiarme el traje:
me hace demasiado pálida.

ESCENA VIII

Se sienta en el banco, en actitud amorosa, vuelta
al sitio donde tienen que entrar. Aparece la MA-
DRE CARMEN. Y MARIANA, no pudiendo resistir, se
vuelve. En el silencio de la escena entra FERNANDO,
pálido. MARIANA queda estupefacta.

MARIANA. (*Desesperada, como no queriéndolo
creer.*)
    ¡No!
FERNANDO. (*Triste.*)
        ¡Mariana! ¿No quieres
    que hable contigo? ¡Dime!
MARIANA.
    ¡Pedro! ¿Dónde está Pedro?
    ¡Dejadlo entrar, por Dios!
    ¡Está abajo, en la puerta!
    ¡Tiene que estar! ¡Que suba!
    Tú viniste con él,
    ¿verdad? Tú eres muy bueno.
    El vendrá muy cansado, pero entrará en se-
                                    [guida.
FERNANDO.
    Vengo solo, Mariana. ¿Qué sé yo de don Pedro?
MARIANA.
    ¡Todos deben saber, pero ninguno sabe!
    Entonces, ¿cuándo viene para salvar mi vida?
    ¿Cuándo viene a morir, si la muerte me acecha?
    ¿Vendrá? Dime, Fernando. ¡Aún es hora!
FERNANDO. (*Enérgico y desesperado, al ver la ac-
titud de* MARIANA.)

Don Pedro
no vendrá, porque nunca te quiso, Marianita.
Ya estará en Inglaterra, con otros liberales.
Te abandonaron todos tus antiguos amigos.
Solamente mi joven corazón te acompaña.
¡Mariana! ¡Aprende y mira cómo te estoy que-
[riendo!

MARIANA. (*Exaltada.*)

¿Por qué me lo dijiste? Yo bien que lo sabía;
pero nunca lo quise decir a mi esperanza.
Ahora ya no me importa. Mi esperanza lo ha
[oído
y se ha muerto mirando los ojos de mi Pedro.
Yo bordé la bandera por él. Yo he conspirado
para vivir y amar su pensamiento propio.
Más que a mis propios hijos y a mí misma le
[quise.
¿Amas la Libertad más que a tu Marianita?
¡Pues yo seré la misma Libertad que tú adoras!

FERNANDO.

¡Sé que vas a morir! Dentro de unos instantes
vendrán por ti, Mariana. ¡Sálvate y di los nom-
[bres!
¡Por tus hijos! ¡Por mí, que te ofrezco la vida!

MARIANA.

¡No quiero que mis hijos me desprecien! ¡Mis
[hijos
tendrán un nombre claro como la luna llena!
¡Mis hijos llevarán resplandor en el rostro,
que no podrán borrar los años ni los aires!
Si delato, por todas las calles de Granada
este nombre sería pronunciado con miedo.

FERNANDO. (*Dramático y desesperado.*)

¡No puede ser! ¡No quiero que esto pase! ¡No
[quiero!
¡Tú tienes que vivir! ¡Mariana, por mi amor!

MARIANA. (*Loca y delirante, en un estado agudo de pasión y angustia.*)

¿Y qué es amor, Fernando? ¡Yo no sé qué es
[amor!

FERNANDO. (*Cerca.*)

¡Pero nadie te quiso como yo, Marianita!

MARIANA. (*Reaccionando.*)

¡A ti debí quererte más que a nadie en el mundo,.
si el corazón no fuera nuestro gran enemigo!
Corazón, ¿por qué mandas en mí si yo no
[quiero?

FERNANDO. (*Se arrodilla y ella le coge la cabeza sobre el pecho.*)

¡Ay, te abandonan todos! ¡Habla, quiéreme y
[vive!

MARIANA. (*Retirándolo.*)

¡Ya estoy muerta, Fernando! Tus palabras me
[llegan
a través del gran río del mundo que abandono.
Ya soy como la estrella sobre el agua profunda,.
última débil brisa que se pierde en los álamos.

(*Por el fondo pasa una* MONJA, *con las manos cruzadas, que mira llena de zozobra al grupo.*)

FERNANDO.

¡No sé qué hacer! ¡Qué angustia! ¡Ya vendrán
[a buscarte!
¡Quién pudiera morir para que tú vivieras!

MARIANA.

¡Morir! Qué largo sueño sin ensueños ni som-
[bras!
Pedro, quiero morir por lo que tú no mueres,.
por el puro ideal que iluminó tus ojos:

¡¡Libertad!! Porque nunca se apague tu alta
[lumbre
me ofrezco toda entera. ¡¡Arriba corazón!!
¡Pedro, mira tu amor a lo que me ha llevado!
Me querrás, muerta, tanto, que no podrás vivir.

> (*Dos* MONJAS *entran, con las manos
> cruzadas, en la misma expresión de
> angustia, y no se atreven a acercarse.*)

Y ahora ya no te quiero, porque soy una sombra.
CARMEN. (*Entrando, casi ahogada.*)
      ¡Mariana!
            (*A* FERNANDO.)
            ¡Caballero! ¡Salga pronto!
FERNANDO. (*Angustiado.*)

                              ¡Dejadme!
MARIANA.
   ¡Vete! ¿Quién eres tú? ¡Ya no conozco a nadie!
   ¡Voy a dormir tranquila!

> (*Entra otra* MONJA *rápidamente, casi
> ahogada por el miedo y la emoción.
> Al fondo cruza otra con gran rapidez,
> con una mano sobre la frente.*)

FERNANDO. (*Emocionadísimo.*)
                  ¡Adiós, Mariana!
MARIANA.

                              ¡Vete!
   Ya vienen a buscarme.
            (*Sale* FERNANDO, *llevado por dos*
            MONJAS.)
                  Como un grano de arena
            (*Viene otra* MONJA.)
   siento al mundo en los dedos. ¡Muerte! Pero
                              [¿qué es muerte?
            (*A las* MONJAS.)

Y vosotras, ¿qué hacéis? ¡Qué lejanas os siento!

CARMEN. (*Que llega llorando.*)

¡Mariana!

MARIANA.

¿Por qué llora?

CARMEN.

¡Están abajo, niña!

MONJA 1.ª

¡Ya suben la escalera!

ESCENA ULTIMA

Entran por el foro todas las Monjas. Tienen la tristeza reflejada en los rostros. Las Novicias 1.ª y 2.ª están en primer término. Sor Carmen, digna y traspasada de pena, está cerca de Mariana. Toda la escena irá adquiriendo, hasta el final, una gran luz extrañísima de crepúsculo granadino. Luz rosa y verde entra por los arcos, y los cipreses se matizan exquisitamente, hasta parecer piedras preciosas. Del techo desciende una nueva luz naranja, que se va intensificando hasta el final.

MARIANA.
    ¡Corazón, no me dejes! ¡Silencio! Con un ala,
    ¿dónde vas? Es preciso que tú también descan-
    Nos espera una larga locura de luceros   [ses.
    que hay detrás de la muerte. ¡Corazón, no des-
    [mayes!
CARMEN.
    ¡Olvídate del mundo, preciosa Marianita!
MARIANA.
    ¡Qué lejano lo siento!
CARMEN.
                    ¡Ya vienen a buscarte!
MARIANA.
    Pero ¡qué bien entiendo lo que dice esta luz!
    ¡Amor, amor, amor, y eternas soledades!

        (*Entra el* JUEZ *por la puerta de la izquierda.*)

NOVICIA 1.ª
  ¡Es el juez!
NOVICIA 2.ª
              ¡Se la llevan!
JUEZ.

              Señora, a sus órdenes;
hay un coche en la puerta.
MARIANA.

              Mil gracias, Madre Carmen,
salvo a muchas criaturas que llorarán mi muer-
No olviden a mis hijos.   [te.
CARMEN.

              ¡Que la Virgen te ampare!
MARIANA.
  ¡Os doy mi corazón! ¡Dadme un ramo de flores!
En mis últimas horas yo quiero engalanarme.
Quiero sentir la dura caricia de mi anillo
y prenderme en el pelo mi mantilla de encaje.
Amas la Libertad por encima de todo,
pero yo soy la misma Libertad. Doy mi sangre,
que es tu sangre y la sangre de todas las criatu-
¡No se podrá comprar el corazón de nadie! [ras.

              (*Una* MONJA *le ayuda a ponerse la
              mantilla.* MARIANA *se dirige al fondo,
              gritando*:)

Ahora sé lo que dicen el ruiseñor y el árbol.
El hombre es un cautivo y no puede librarse.
¡Libertad de lo alto! Libertad verdadera,
enciende para mí tus estrellas distantes.
¡Adiós! ¡Secad el llanto!

              (*Al* JUEZ.)

              ¡Vamos pronto!
CARMEN.

              ¡Adiós, hija!

MARIANA.
    Contad mi triste historia a los niños que pasen.
CARMEN.
    Porque has amado mucho, Dios te abrirá su
                                            [puerta.
    ¡Ay triste Marianita! ¡Rosa de los rosales!
NOVICIA 1.ª (*Arrodillándose.*)
    Ya no verán tus ojos las naranjas de luz
    que pondrá en los tejados de Granada la tarde.

            (*Fuera empieza un lejano campaneo.*)

MONJA 1.ª (*Arrodillándose.*)
    Ni sentirás la dulce brisa de primavera
    pasar de madrugada tocando tus cristales.
NOVICIA 2.ª (*Arrodillándose y besando la orla del
vestido de* MARIANA.)
    ¡Clavellina de mayo! ¡Rosa de Andalucía!
    Que en las altas barandas tu novio está espe-
                                            [rándote.
CARMEN.
    ¡Marianita, Marianita, de bello y triste nombre,
    que los niños lamenten tu dolor por la calle!
MARIANA. (*Saliendo.*)
    ¡Yo soy la Libertad porque el amor lo quiso!
    ¡Pedro! La Libertad, por la cual me dejaste.
    ¡Yo soy la Libertad, herida por los hombres!
    ¡Amor, amor, amor, y eternas soledades!

            (*Un campaneo vivo y solemne invade
        la escena, y un coro de* NIÑOS *empieza,
        lejano el romance.* MARIANA *se va, sa-
        liendo lentamente, apoyada en* SOR CAR-
        MEN. *Todas las demás* MONJAS *están
        arrodilladas. Una luz maravillosa y
        delirante invade la escena. Al fondo,
        los* NIÑOS *cantan.*)

¡Oh, qué día tan triste en Granada,
que a las piedras hacía llorar,
al ver que Marianita se muere
en cadalso por no declarar!

(*No cesa el campaneo.*)

TELON LENTO

FIN DE
"MARIANA PINEDA"

Granada, 8 de enero de 1925.

LA ZAPATERA PRODIGIOSA
FARSA VIOLENTA EN DOS ACTOS Y UN PROLOGO
(1930)

PERSONAJES

ZAPATERA.
VECINA ROJA.
VECINA MORADA.
VECINA NEGRA.
VECINA VERDE.
VECINA AMARILLA.
BEATA 1.ª
BEATA 2.ª

SACRISTANA.
EL AUTOR.
ZAPATERO.
EL NIÑO.
DON MIRLO.
MOZO DE LA FAJA.
MOZO DEL SOMBRERO.

VECINAS, BEATAS, CURAS Y PUEBLO.

P R O L O G O

Cortina gris. Aparece el AUTOR. Sale rápidamente. Lleva una carta en la mano.

EL AUTOR.—Respetable público... (*Pausa.*) No; respetable público, no; público solamente, y no es que el autor no considere al público respetable, todo lo contrario, sino que detrás de esta palabra hay como un delicado temblor de miedo y una especie de súplica para que el auditorio sea generoso con la mímica de los actores y el artificio del ingenio. El poeta no pide benevolencia, sino atención, una vez que ha saltado hace mucho tiempo la barra espinosa de miedo que los autores tienen a la sala. Por este miedo absurdo, y por ser el teatro en muchas ocasiones una finanza, la poesía se retira de la escena en busca de otros ambientes donde la gente no se asuste de que un árbol, por ejemplo, se convierta en una bola de humo o de que tres peces, por amor de una mano y una palabra, se conviertan en tres millones de peces para calmar el hambre de una multitud. El autor ha preferido poner el ejemplo dramático en el vivo ritmo de una zapaterita popular. En todos los sitios late y anima la criatura poética que el autor ha vestido de zapatera con aire de refrán o simple romancillo, y no se extrañe el público si aparece violenta o toma actitudes agrias, porque ella lucha siempre, lucha con la realidad que la cerca y lucha con la fantasía cuando ésta se hace realidad visible. (*Se oyen voces de la* ZAPATERA: "¡Quiero salir! ¡Ya voy!") No tengas tanta impaciencia en salir; no es un traje de larga cola y plumas inverosímiles el que sacas, sino un traje roto, ¿lo oyes?, un traje de zapatera. (*Voz de la* ZAPATERA, *dentro*: "¡Quiero salir!") ¡Silencio! (*Se descorre la cortina y aparece el decorado con tenue luz.*) También amanece así todos los días sobre las ciudades, y el público olvida su medio mundo de sueño para entrar en los mercados como tú en tu casa, en la escena, zapaterilla prodigiosa. (*Va creciendo la luz.*) A empezar, tú llegas de la calle. (*Se oyen las voces que pelean. Al público.*) Buenas noches. (*Se quita el sombrero de copa, y éste se ilumina por dentro con una luz verde; el autor lo inclina y sale de él un chorro de agua. El* AUTOR *mira un poco cohibido al público y se retira de espaldas, lleno de ironía.*) Ustedes perdonen. (*Sale.*)

ACTO PRIMERO

Casa del ZAPATERO. Banquillo y herramientas. Habitación completamente blanca. Gran ventana y puerta. El foro es una calle también blanca, con algunas puertecitas y ventanas en gris. A la derecha e izquierda, puertas. Toda la escena tendrá un aire de optimismo y alegría, exaltada en los más pequeños detalles. Una suave luz naranja de media tarde invade la escena.

> (*Al levantarse el telón, la* ZAPATERA *viene de la calle toda furiosa y se detiene en la puerta. Viste un traje verde rabioso y lleva el pelo tirante, adornado con dos grandes rosas. Tiene un aire agreste y dulce al mismo tiempo.*)

ZAPATERA.—Cállate, larga de lengua, penacho de catalineta, que si yo lo he hecho..., si yo lo he hecho, ha sido por mi propio gusto... Si no te metes dentro de tu casa te hubiera arrastrado, viborilla empolvada; y esto lo digo para que me oigan todas las que están detrás de las ventanas. Que más vale estar casada con un viejo que con un tuerto, como tú estás. Y no quiero más conversación, ni contigo ni con nadie, ni con nadie, ni con nadie. (*Entra dando un fuerte portazo.*) Ya sabía yo que con esta clase de gente no se podía hablar ni un segundo...; pero la culpa la tengo yo, yo y yo..., que debía estar en mi casa con..., casi no quiero creerlo, con mi marido. Quién me hubiera dicho a mí, rubia con los ojos negros, que hay que ver el mérito que esto tiene, con este talle y estos colores tan hermosísimos, que me iba a ver casada con..., me tiraría del pelo. (*Llora. Llaman a la puerta.*) ¿Quién es? (*No responden y llaman otra vez.*) ¿Quién es? (*Enfurecida.*)

NIÑO. (*Temerosamente.*)—Gente de paz.

ZAPATERA. (*Abriendo.*)—¿Eres tú? (*Melosa y conmovida.*)

NIÑO.—Sí, señora Zapaterita. ¿Estaba usted llorando?

ZAPATERA.—No, es que un mosco de esos que hacen piiiiii, me ha picado en este ojo.

NIÑO.—¿Quiere usted que le sople?

ZAPATERA.—No, hijo mío, ya se me ha pasado... (*Le acaricia.*) ¿Y qué es lo que quieres?

NIÑO.—Vengo con estos zapatos de charol, costaron cinco duros, para que los arregle su marido. Son de mi hermana la grande, la que tiene el cutis fino y se pone dos lazos, que tiene dos, un día uno y otro día otro, en la cintura.

ZAPATERA.—Déjalos ahí, ya los arreglarán.

NIÑO.—Dice mi madre que tenga cuidado de no darles muchos martillazos, porque el charol es muy delicado, para que no se estropee el charol.

ZAPATERA.—Dile a tu madre que ya sabe mi marido lo que tiene que hacer, y que así supiera ella aliñar con laurel y pimienta un buen guiso como mi marido componer zapatos.

NIÑO. (*Haciendo pucheros.*)—No se disgute usted conmigo, que yo no tengo la culpa y todos los días estudio muy bien la gramática.

ZAPATERA. (*Dulce.*)—¡Hijo mío! ¡Prenda mía! ¡Si contigo no es nada! (*Lo besa.*) Toma este muñequito. ¿Te gusta? Pues llévatelo.

NIÑO.—Me lo llevaré, porque como yo sé que usted no tendrá nunca niños...

ZAPATERA.—¿Quién te dijo eso?

NIÑO.—Mi madre lo ha hablado el otro día, diciendo: "La zapatera no tendrá hijos", y se reían mis hermanas y la comadre Rafaela.

ZAPATERA. (*Nerviosamente.*)—¿Hijos? Puede que los tenga más hermosos que todas ellas y con más arranque y más honra, porque tu madre..., es menester que sepas...

NIÑO.—Tome usted el muñequito, ¡no lo quiero!

ZAPATERA. (*Reaccionando.*)—No, no, guárdalo, hijo mío... ¡Si contigo no es nada! (*Aparece por la izquierda el* ZAPATERO. *Viste traje de terciopelo con botones de plata, pantalón corto y corbata roja. Se dirige al banquillo.*) ¡Válgate Dios!

NIÑO. (*Asustado.*)—¡Ustedes se conserven bien! ¡Hasta la vista! ¡Que sea enhorabuena! ¡Deo gratias! (*Sale corriendo por la calle.*)

ZAPATERA.—Adiós, hijito. Si hubiera reventado antes de nacer, no estaría pasando estos trabajos y estas tribulaciones. ¡Ay dinero, dinero!, sin manos y sin ojos debería haberse quedado el que te inventó.

ZAPATERO. (*En el banquillo.*)—Mujer, ¿qué estás diciendo?

ZAPATERA.—¡Lo que a ti no te importa!

ZAPATERO.—A mí no me importa nada de nada. Ya sé que tengo que aguantarme.

ZAPATERA.—También me aguanto yo..., piensa que tengo dieciocho años.

ZAPATERO.—Y yo... cincuenta y tres. Por eso me callo y no me disgusto contigo... ¡Demasiado sé yo!... Trabajo para ti... y sea lo que Dios quiera...

ZAPATERA. (*Está de espaldas a su marido y se vuelve y avanza tierna y conmovida.*)—Eso no, hijo mío..., ¡no digas...!

ZAPATERO.—Pero, ¡ay!, si tuviera cuarenta años o cuarenta y cinco, siquiera... (*Golpea furiosamente un zapato con el martillo.*)

ZAPATERA. (*Enardecida.*)—Entonces yo sería tu criada, ¿no es eso? Si una no puede ser buena... ¿Y yo?, ¿es que no valgo nada?

ZAPATERO.—Mujer..., repórtate.

ZAPATERA.—¿Es que mi frescura y mi cara no valen todos los dineros de este mundo?

ZAPATERO.—Mujer... ¡que te van a oír los vecinos!

ZAPATERA.—Maldita hora, maldita hora en que le hice caso a mi compadre Manuel.

ZAPATERO.—¿Quieres que te eche un refresquito de limón?

ZAPATERA.—¡Ay, tonta, tonta, tonta! (*Se golpea la frente.*) Con tan buenos pretendientes como yo he tenido.

ZAPATERO. (*Queriendo suavizar.*)—Eso dice la gente.

ZAPATERA.—¿La gente? Por todas partes se sabe. Lo mejor de estas vegas. Pero el que más me gustaba a mí de todos era Emiliano..., tú lo conociste... Emiliano, que venía montado en una jaca negra, llena de borlas y espejitos, con una varilla de mimbre en su mano y las espuelas de cobre reluciente. ¡Y qué capa traía por el invierno! ¡Qué vueltas de pana azul y qué agremanes de seda!

ZAPATERO.—Así tuve yo una también..., son unas capas preciosísimas.

ZAPATERA.—¿Tú? ¡Tú qué ibas a tener!... Pero ¿por

qué te haces ilusiones? Un zapatero no se ha puesto en su vida una prenda de esa clase...

ZAPATERO.—Pero, mujer, ¿no estás viendo...?

ZAPATERA. (*Interrumpiéndole.*)—También tuve otros pretendientes... (*El* ZAPATERO *golpea fuertemente el zapato.*) Aquel era medio señorito..., tendría dieciocho años, ¡se dice muy pronto! ¡Dieciocho años!

(*El* ZAPATERO *se revuelve inquieto.*)

ZAPATERO.—También los tuve yo.

ZAPATERA.—Tú no has tenido en tu vida dieciocho años... Aquel sí que los tenía, y me decía unas cosas... Verás...

ZAPATERO. (*Golpeando fuertemente.*)—¿Te quieres callar? Eres mi mujer, quieras o no quieras, y yo soy tu esposo. Estabas pereciendo, sin camisa ni hogar. ¿Por qué me has querido? ¡Fantasiosa, fantasiosa, fantasiosa!

ZAPATERA. (*Levantándose.*)—¡Cállate! No me hagas hablar más de lo prudente y ponte a tu obligación. ¡Parece mentira! (*Dos* VECINAS *con mantilla cruzan la ventana sonriendo.*) ¿Quién me lo iba a decir, viejo pellejo, que me ibas a dar tal pago? ¡Pégame, si te parece; anda, tírame el martillo!

ZAPATERO.—Ay, mujer..., no me des escándalos, ¡mira que viene la gente! ¡Ay Dios mío!

(*Las dos* VECINAS *vuelven a cruzar.*)

ZAPATERA.—Yo me he rebajado. ¡Tonta, tonta, tonta! Maldito sea mi compadre Manuel, malditos sean los vecinos, tonta, tonta, tonta. (*Sale golpeándose la cabeza.*)

ZAPATERO. (*Mirándose en un espejo y contándose*

las arrugas.)—Una, dos, tres, cuatro... y mil. (*Guarda el espejo.*) Pero me está muy bien empleado, sí, señor. Porque vamos a ver: ¿por qué me habré casado? Ya debía haber comprendido, después de leer tantas novelas, que las mujeres les gustan a todos los hombres, pero todos los hombres no les gustan a todas las mujeres. ¡Con lo bien que yo estaba! ¡Mi hermana, mi hermana tiene la culpa, mi hermana que se empeñó: "Que si te vas a quedar solo", que si qué sé yo! Y esto es mi ruina. ¡Mal rayo parta a mi hermana, que en paz descanse! (*Fuera se oyen voces.*) ¿Qué será?

VECINA ROJA. (*En la ventana y con gran brío. La acompañan sus hijas, vestidas del mismo color.*) Buenas tardes.

ZAPATERO. (*Rascándose la cabeza.*)—Buenas tardes.

VECINA.—Dile a tu mujer que salga. Niñas, ¿queréis no llorar más? ¡Que salga, a ver si delante de mí casca tanto como por detrás!

ZAPATERO.—¡Ay vecina de mi alma, no me dé usted escándalos, por los clavitos de Nuestro Señor! ¿Qué quiere usted que yo le haga? Pero comprenda mi situación: toda la vida temiendo casarme..., porque casarse es una cosa muy seria, y, a última hora, ya lo está usted viendo.

VECINA.—¡Qué lástima de hombre! ¡Cuánto mejor le hubiera ido a usted casado con gente de su clase!..., estas niñas, pongo por caso, u otras del pueblo.

ZAPATERO.—Y mi casa no es casa. ¡Es un guirigay!

VECINA.—¡Se arranca el alma! Tan buenísima sombra como ha tenido usted toda su vida.

ZAPATERO. (*Mira por si viene su mujer.*)—Anteayer... despedazó el jamón que teníamos guardado para estas Pascuas y nos lo comimos entero. Ayer estuvimos todo el día con unas sopas de huevo y perejil; bueno, pues porque protesté de esto, me hizo beber tres vasos seguidos de leche sin hervir.

VECINA.—¡Qué fiera!

ZAPATERO.—Así es, vecinita de mi corazón, que le agradecería en el alma que se retirase.

VECINA.—¡Ay, si viviera su hermana! Aquella sí que era...

ZAPATERO.—Ya ves..., y de camino llévate tus zapatos, que están arreglados.

(*Por la puerta de la izquierda asoma la* ZAPATERA, *que detrás de la cortina espía la escena sin ser vista.*)

VECINA. (*Mimosa.*)—¿Cuánto me vas a llevar por ellos?... Los tiempos van cada vez peor...

ZAPATERO.—Lo que tú quieras... Ni que tire por allí ni que tire por aquí...

VECINA. (*Dando con el codo a sus hijas.*)—¿Están bien en dos pesetas?

ZAPATERO.—¡Tú dirás!

VECINA.—Vaya..., te daré una...

ZAPATERA. (*Saliendo furiosa.*)—¡Ladrona! (*Las mujeres chillan y se asustan.*) ¿Tienes valor de robar a este hombre de esa manera? (*A su marido.*) Y tú, ¿dejarte robar? Vengan los zapatos. Mientras no des por ellos diez pesetas, aquí se quedan.

VECINA.—¡Lagarta, lagarta!

ZAPATERA.—¡Mucho cuidado con lo que estás diciendo!

NIÑAS.—¡Ay, vámonos, vámonos, por Dios!

Vecina.—Bien despachado vas de mujer, ¡que te aproveche!

> (*Se van rápidamente. El* Zapatero *cierra la ventana y la puerta.*)

Zapatero.—Escúchame un momento...

Zapatera. (*Recordando.*)—Lagarta..., lagarta..., qué, qué, qué..., ¿qué me vas a decir?

Zapatero.—Mira, hija mía. Toda mi vida ha sido en mí una verdadera preocupación evitar el escándalo. (*El* Zapatero *t r a g a constantemente saliva.*)

Zapatera.—¿Pero tienes el valor de llamarme escandalosa, cuando he s a l i d o a defender tu dinero?

Zapatero.—Yo no te digo más que he huído de los escándalos, como las salamanquesas del agua fría.

Zapatera. (*Rápido.*)—¡Salamanquesas! ¡Ay, q u é asco!

Zapatero. (*Armado de paciencia.*)—Me han provocado, me han, a veces, hasta insultado, y no teniendo ni tanto así de cobarde he quedado sin alma en mi almario, por el miedo de verme rodeado de gentes y llevado y traído por comadres y desocupados. De modo que ya lo sabes. ¿He hablado bien? Esta es mi última palabra.

Zapatera.—Pero vamos a ver: ¿a mí qué me importa todo esto? Me casé contigo, ¿no tienes la casa limpia? ¿No comes? ¿No te pones cuellos y puños que en tu vida te los habías puesto? ¿No llevas tu reloj, tan hermoso, con cadena de plata y venturinas, al que le doy cuerda todas las noches? ¿Qué más quieres? Porque, yo, todo menos esclava. Quiero hacer siempre mi santa voluntad.

ZAPATERO.—No me digas... Tres meses llevamos de casados, yo, queriéndote..., y tú, poniéndome verde. ¿No ves que ya no estoy para bromas?

ZAPATERA. (*Seria y como soñando.*)—Queriéndome, queriéndome... Pero (*Brusca.*) ¿qué es eso de queriéndome? ¿Qué es queriéndome?

ZAPATERO.—Tú te creerás que yo no tengo vista, y tengo. Sé lo que haces y lo que no haces, y ya estoy colmado, ¡hasta aquí!

ZAPATERA. (*Fiera.*)—Pues lo mismo se me da a mí que estés colmado como que no estés, porque tú me importas tres pitos, ¡ya lo sabes! (*Llora.*)

ZAPATERO.—¿No puedes hablarme un poquito más bajo?

ZAPATERA.—Merecías, por tonto, que colmara la calle a gritos.

ZAPATERO.—Afortunadamente creo que esto se acabará pronto; porque yo no sé cómo tengo paciencia.

ZAPATERA.—Hoy no comemos..., de manera que ya te puedes buscar la comida por otro sitio. (*La* ZAPATERA *sale rápidamente hecha una furia.*)

ZAPATERO.—Mañana (*Sonriendo.*) quizá la tengas que buscar tú también. (*Se va al banquillo.*)

> (*Por la puerta central aparece el* AL-CALDE. *Viste de azul oscuro, gran capa y larga vara de mando rematada con cabos de plata. Habla despacio y con gran sorna.*)

ALCALDE.—¿En el trabajo?

ZAPATERO.—En el trabajo, señor alcalde.

ALCALDE.—¿Mucho dinero?

ZAPATERO.—El suficiente.

> (*El* ZAPATERO *sigue trabajando. El* AL-CALDE *mira curiosamente a todos lados.*)

ALCALDE.—Tú no estás bueno.

ZAPATERO. (*Sin levantar la cabeza.*)—No.

ALCALDE.—¿La mujer?

ZAPATERO. (*Asintiendo.*)—¡La mujer!

ALCALDE. (*Sentándose.*)—Eso tiene casarse a tu edad... A tu edad se debe estar viudo... de una, como mínimum... Yo estoy de cuatro: Rosa, Manuela, Visitación y Enriqueta Gómez, que ha sido la última; buenas mozas todas, aficionadas a las flores y al agua limpia. Todas, sin excepción, han probado esta vara repetidas veces. En mi casa..., en mi casa, coser y cantar.

ZAPATERO.—Pues ya está usted viendo qué vida la mía. Mi mujer... no me quiere. Habla por la ventana con todos. Hasta con don Mirlo, y a mí se me está encendiendo la sangre.

ALCALDE. (*Riendo.*)—Es que es una chiquilla alegre, eso es natural.

ZAPATERO.—¡Ca! Estoy convencido..., yo creo que esto lo hace por atormentarme; porque estoy seguro..., ella me odia. Al principio creí que la dominaría con mi carácter dulzón y mis regalillos: collares de coral, cintillos, peinetas de concha..., ¡hasta unas ligas! Pero ella... ¡siempre es ella!

ALCALDE.—Y tú, siempre tú; ¡qué demonio! Vamos, lo estoy viendo y me parece mentira cómo un hombre, lo que se dice un hombre, no puede meter en cintura, no una, sino ochenta hembras. Si tu mujer habla por la ventana con todos, si tu mujer se pone agria contigo, es porque tú quieres, porque tú no tienes arranque. A las mujeres, buenos apretones en la cintura, pisadas fuertes y la voz siempre en alto, y si con esto se atreven a hacer kikirikí, la vara, no hay otro remedio. Rosa, Manuela, Visitación y Enriqueta

Gómez, que ha sido la última, te lo pueden decir desde la otra vida, si es que por casualidad están allí.

ZAPATERO.—Pero si el caso es que no me atrevo a decirle una cosa. (*Mira con recelo.*)

ALCALDE. (*Autoritario.*)—Dímela.

ZAPATERO.—Comprendo que es una barbaridad...; pero yo no estoy enamorado de mi mujer.

ALCALDE.—¡Demonio!

ZAPATERO.—Sí, señor, ¡demonio!

ALCALDE.—Entonces, grandísimo tunante, ¿por qué te has casado?

ZAPATERO.—Ahí lo tiene usted. Yo no me lo explico tampoco. Mi hermana, mi hermana tiene la culpa. Que si te vas a quedar solo, que si qué sé yo, que si qué sé yo cuántos. Yo tenía dinerillos, salud, y dije: ¡allá voy! Pero, benditísima soledad antigua. ¡Mal rayo parta a mi hermana, que en paz descanse!

ALCALDE.—¡Pues te has lucido!

ZAPATERO.—Sí, señor, me he lucido... Ahora, que yo no aguanto más. Yo no sabía lo que era una mujer. Digo, ¡usted, cuatro! Yo no tengo edad para resistir este jaleo.

ZAPATERA. (*Cantando dentro, fuerte.*)

¡Ay, jaleo, jaleo,
ya se acabó el alboroto
y vamos al tiroteo!

ZAPATERO.—Ya lo está usted oyendo.

ALCALDE.—¿Y qué piensas hacer?

ZAPATERO.—Cuca silvana. (*Hace un ademán.*)

ALCALDE.—¿Se te ha vuelto el juicio?

ZAPATERO. (*Excitado.*)—El zapatero a tus zapatos se acabó para mí. Yo soy un hombre pacífico. Yo no estoy acostumbrado a estos vocerías y a estar en lenguas de todos.

ALCALDE. (*Riéndose.*)—Recapacita lo que has dicho que vas a hacer; que tú eres capaz de hacerlo, y no seas tonto. Es una lástima que un hombre como tú no tenga el carácter que debías tener.

(*Por la puerta de la izquierda aparece la* ZAPATERA *echándose polvos con una polvera rosa y limpiándose las cejas.*)

ZAPATERA.—Buenas tardes.

ALCALDE.—Muy buenas. (*Al* ZAPATERO.) ¡Como guapa, es guapísima!

ZAPATERO.—¿Usted cree?

ALCALDE.—¡Qué rosas tan bien puestas lleva usted en el pelo y qué bien huelen!

ZAPATERA.—Muchas que tiene usted en los balcones de su casa.

ALCALDE.—Efectivamente. ¿Le gustan a usted las flores?

ZAPATERA.—¿A mí?... ¡Ay, me encantan! Hasta en el tejado tendría yo macetas, en la puerta, por las paredes. Pero a este..., a ese... no le gustan. Claro, toda la vida haciendo botas, ¡qué quiere usted! (*Se sienta en la ventana.*) Y buenas tardes. (*Mira a la calle y coquetea.*)

ZAPATERO.—¿Lo ve usted?

ALCALDE.—Un poco brusca..., pero es una mujer guapísima. ¡Qué cintura tan ideal!

ZAPATERO.—No la conoce usted.

ALCALDE.—¡Pchs! (*Saliendo majestuosamente.*) ¡Hasta mañana! Y a ver si se despeja esa cabeza. ¡A descansar, niña! ¡Qué lástima de talle! (*Vase mirando a la* ZAPATERA.) ¡Porque, vamos! ¡Y hay que ver qué ondas en el pelo! (*Sale.*)

Zapatero. (*Cantando.*)

> Si tu madre quiere un rey,
> la baraja tiene cuatro:
> rey de oros, rey de copas,
> rey de espadas, rey de bastos.

> (*La* Zapatera *coge una silla, y, sentada
> en la ventana, empieza a darle vueltas.*)

Zapatero. (*Cogiendo otra silla y dándole vueltas en
sentido contrario.*)—Si sabes que tengo esa su-
perstición, y para mí esto es como si me dieras
un tiro, ¿por qué lo haces?

Zapatera. (*Soltando la silla.*)—¿Qué he hecho yo?
¿No te digo que no me dejas ni moverme?

Zapatero.—Ya estoy harto de explicarte...; pero es
inútil. (*Va a hacer mutis, pero la* Zapatera *empieza otra vez y el* Zapatero *viene corriendo desde la puerta y da vueltas a su silla.*) ¿Por qué no
me dejas marchar, mujer?

Zapatera.—¡Jesús!, pero si lo que yo estoy deseando es que te vayas.

Zapatero.—¡Pues déjame!

Zapatera. (*Enfurecida.*)—¡Pues vete! (*Fuera se oye
una flauta acompañada de guitarra que toca una
polquita antigua con el ritmo cómicamente acu-
sado. La* Zapatera *empieza a llevar el compás
con la cabeza, y el* Zapatero *huye por la izquierda. La* Zapatera *cantando*:) Larán, larán... A mí,
es que la flauta me ha gustado siempre mucho...
Yo siempre he tenido delirio por ella... Casi se
me saltan las lágrimas... ¡Qué primor! Larán,
larán... Oye... Me gustaría que él la oyera... (*Se
levanta y se pone a bailar como si lo hiciera con
novios imaginarios.*) ¡Ay Emiliano! Qué cintillos
tan preciosos llevas... No, no... Me da vergüen-

cilla... Pero, José María, ¿no ves que nos están viendo? Coge un pañuelo, que no quiero que me manches el vestido. A ti te quiero, a ti... ¡Ah, sí!..., mañana que traigas la jaca blanca, la que a mí me gusta. (*Ríe. Cesa la música.*) ¡Qué mala sombra! Esto es dejar a una con la miel en los labios... Qué...

> (*Aparece en la ventana* DON MIRLO. *Viste de negro, frac y pantalón corto. Le tiembla la voz y mueve la cabeza como un muñeco de alambre.*)

MIRLO.—¡Chissssss!

ZAPATERA. (*Sin mirar y vuelta de espaldas a la ventana.*)—Pin, pin, pío, pío, pío.

MIRLO. (*Acercándose más.*)—¡Chisss! Zapaterilla blanca, como el corazón de las almendras, pero amargosilla también. Zapaterita..., junco de oro encendido... Zapaterita, bella Otero de mi corazón.

ZAPATERA.—Cuánta cosa, don Mirlo; a mí me parecía imposible que los pájaros hablaran. Pero si anda por ahí revoloteando un mirlo negro, negro y viejo..., sepa que yo no puedo oírle cantar hasta más tarde..., pin, pío, pío, pío.

MIRLO.—Cuando las sombras crepusculares invadan con sus tenues velos el mundo y la vía pública se halle libre de transeúntes, volveré. (*Toma rapé y estornuda sobre el cuello de la* ZAPATERA.)

ZAPATERA. (*Volviéndose airada y pegando a* DON MIRLO, *que tiembla.*) ¡Aaa! (*Con cara de asco.*) ¡Y aunque no vuelvas, indecente! Mirlo de alambre, garabato de candil... Corre, corre... ¿Se habrá visto? ¡Mira que estornudar! ¡Vaya mucho con Dios! ¡Qué asco!

(*En la ventana se para el* Mozo de la
Faja. *Tiene el sombrero plano echado a
la cara y da pruebas de gran pesa-
dumbre.*)

Mozo.—¿Se toma el fresco, zapaterita?

Zapatera.—Exactamente igual que usted.

Mozo.—Y siempre sola... ¡Qué lástima!

Zapatera. (*Agria.*)—¿Y por qué lástima?

Mozo.—Una mujer como usted, con ese pelo y esa
pechera tan hermosísima...

Zapatera. (*Más agria.*)— Pero ¿por qué lástima?

Mozo.—Porque usted es digna de estar pintada en
las tarjetas postales y no aquí..., en este por-
talillo.

Zapatera.—¿Sí?... A mí las tarjetas postales me
gustan mucho, sobre todo las de novios que se
van de viaje...

Mozo.—¡Ay zapaterita, qué calentura tengo! (*Siguen hablando.*)

Zapatero. (*Entrando y retrocediendo.*)—¡Con todo
el mundo y a estas horas! ¡Qué dirán los que
vengan al rosario de la iglesia! ¡Qué dirán en el
casino! ¡Me estarán poniendo!... En cada casa
un traje con ropa interior y todo. (*La* Zapatera
se ríe.) ¡Ay Dios mío! ¡Tengo razón para marcharme! Quisiera oír a la mujer del sacristán;
pues ¿y los curas? ¿Qué dirán los curas? Eso será lo que habrá que oír. (*Entra desesperado.*)

Mozo.—¿Cómo quiere que se lo exprese?... Yo la
quiero, te quiero como...

Zapatera.—Verdaderamente eso de "la quiero", "te
quiero", suena de un modo que parece que me
están haciendo cosquillas con una pluma detrás
de las orejas. Te quiero, la quiero...

Mozo.—¿Cuántas semillas tiene el girasol?

ZAPATERA.—¡Yo qué sé!

MOZO.—Tantos suspiros doy a cada minuto por usted, por ti... (*Muy cerca.*)

ZAPATERA. (*Brusca.*)—Estate quieto. Yo puedo oírte hablar porque me gusta y es bonito, pero nada más, ¿lo oyes? ¡Estaría bueno!

MOZO.—Pero eso no puede ser. ¿Es que tienes otro compromiso?

ZAPATERA.—Mira, vete.

MOZO.—No me muevo de este sitio sin el sí. ¡Ay mi zapaterita, dame tu palabra! (*Va a abrazarla.*)

ZAPATERA. (*Cerrando violentamente la ventana.*)— ¡Pero qué impertinente, qué loco!... ¡Si te he hecho daño te aguantas!... Como si yo no estuviese aquí más que paraaa, paraaa... ¿Es que en este pueblo no puede una hablar con nadie? Por lo que veo, en este pueblo no hay más que dos extremos: o monja o trapo de fregar... ¡Era lo que me quedaba de ver! (*Haciendo como que huele y echando a correr.*) ¡Ay, mi comida que está en la lumbre! ¡Mujer ruin!

> (*La luz se va marchando. El* ZAPATERO *sale con una gran capa y un bulto de ropa en la mano.*)

ZAPATERO.—¡O soy otro hombre o no me conozco! ¡Ay casita mía! ¡Ay banquillo mío! Cerote, clavos, pieles de becerro... Bueno. (*Se dirige hacia la puerta y retrocede, pues se topa con dos* BEATAS *en el mismo quicio.*)

BEATA 1.ª—Descansando, ¿verdad?

BEATA 2.ª—¡Hace usted bien en descansar!

ZAPATERO. (*De mal humor.*)—¡Buenas noches!

BEATA 1.ª—A descansar, maestro.

BEATA 2.ª—¡A descansar, a descansar! (*Se van.*)

ZAPATERO.—Sí, descansando... ¡Pues no estaban mirando por el ojo de la llave! ¡Brujas, sayonas! ¡Cuidado con el retintín con que me lo ha dicho! Claro..., si en todo el pueblo no se hablará de otra cosa: ¡que si yo, que si ella, que si los mozos! ¡Ay! ¡Mal rayo parta a mi hermana, que en paz descanse! ¡Pero primero solo que señalado con el dedo de los demás! (*Sale rápidamente y deja la puerta abierta.*)

(*Por la izquierda aparace la* ZAPATERA.)

ZAPATERA.—Ya está la comida..., ¿me estás oyendo? (*Avanza hacia la puerta de la derecha.*) ¿Me estás oyendo? Pero ¿habrá tenido el valor de marcharse al cafetín, dejando la puerta abierta... y sin haber terminado los borceguíes? Pues cuando vuelva ¡me oirá! ¡Me tiene que oír! ¡Qué hombres son los hombres, qué abusivos y qué..., qué..., vaya! (*En un repeluzno.*) ¡Ay, qué fresquito hace! (*Se pone a encender el candil y de la calle llega el ruido de las esquilas de los rebaños que vuelven. La* ZAPATERITA *se asoma a la ventana.*) ¡Qué primor de rebaños! Lo que es a mí, me chalan las ovejitas. Mira, mira... aquella blanca tan chiquita que casi no puede andar. ¡Ay...! Pero aquella grandota y antipática se empeña en pisarla y nada... (*A voces.*) Pastor, ¡asombrado! ¿No estás viendo que te pisotean la oveja recién nacida? (*Pausa.*) Pues claro que me importa... ¿No ha de importarme? ¡Brutísimo...! Y mucho... (*Se quita de la ventana.*) Pero, señor, ¿adónde habrá ido este hombre desnortado? Pues si tarda siquiera dos minutos más, como yo sola, que me basto y me sobro... ¡Con la comida tan buena que he preparado...! Mi cocido, con sus patatas de la sierra, dos pimientos verdes, pan

blanco, un poquito magro de tocino, y arrope
con calabaza y cáscara de limón para encima,
¡porque lo que es cuidarlo, lo que es cuidarlo,
lo estoy cuidando a mano!

> (*Durante todo este monólogo da mues-
> tras de gran actividad, moviéndose de
> un lado para otro, arreglando las sillas,
> despabilando el velón y quitándose mo-
> tas del vestido.*)

NIÑO. (*En la puerta.*)—¿Estás disgustada todavía?

ZAPATERA.—Primorcito de su vecino, ¿dónde vas?

NIÑO. (*En la puerta.*)—Tú no me regañarás, ¿verdad?, porque a mi madre, que algunas veces
me pega, la quiero veinte arrobas, pero a ti
te quiero treinta y dos y media...

ZAPATERA.—¿Por qué eres tan precioso? (*Sienta al*
NIÑO *en sus rodillas.*)

NIÑO.—Yo venía a decirte una cosa que nadie
quiere decirte. Ve tú, ve tú, ve tú, y nadie quería, y entonces: "Que vaya el niño", dijeron...,
porque era un notición que nadie quiere dar.

ZAPATERA.—Pero dímelo pronto, ¿qué ha pasado?

NIÑO.—No te asustes, que de muertos no es.

ZAPATERA.—¡Anda!

NIÑO.—Mira, zapaterita... (*Por la ventana entra
una mariposa, y el* NIÑO, *bajándose de las rodillas de la* ZAPATERA, *echa a correr.*) Una mariposa, una mariposa... ¿No tienes un sombrero...? Es amarilla, con pintas azules y rojas...
y, ¡qué sé yo...!

ZAPATERA.—Pero, hijo mío..., ¿quieres...?

NIÑO. (*Enérgico.*)—Cállate y habla en voz baja,
¿no ves que se espanta si no? ¡Ay! ¡Dame tu
pañuelo!

ZAPATERA. (*Intrigada ya en la caza.*)—Tómalo.

Niño.—¡Chist...! No pises fuerte.

Zapatera.—Lograrás que se escape.

Niño. (*En voz baja y como encantando a la mariposa, canta.*)

> Mariposa del aire,
> qué hermosa eres,
> mariposa del aire
> dorada y verde.
> Luz de candil,
> mariposa del aire,
> ¡quédate ahí, ahí, ahí...!
> No te quieres parar,
> pararte no quieres.
> Mariposa del aire,
> dorada y verde.
> Luz de candil,
> mariposa del aire,
> ¡quédate ahí, ahí, ahí...!
> ¡Quédate ahí!
> Mariposa, ¿estás ahí?

Zapatera. (*En broma.*)—Síííí.

Niño.—No, eso no vale.

(*La mariposa vuela.*)

Zapatera.—¡Ahora! ¡Ahora!

Niño. (*Corriendo alegremente con el pañuelo.*)—¿No te quieres parar? ¿No quieres dejar de volar?

Zapatera. (*Corriendo también por otro lado.*)—¡Que se escapa, que se escapa! (*El* Niño *sale corriendo por la puerta persiguiendo a la mariposa.*) (*Enérgica.*) ¿Dónde vas?

Niño. (*Suspenso.*)—¡Es verdad! (*Rápido.*) ¡Pero yo no tengo la culpa!

ZAPATERA.—¡Vamos! ¿Quieres decirme lo que pasa? ¡Pronto!

NIÑO.—¡Ay! Pues mira..., tu marido, el zapatero, se ha ido para no volver más.

ZAPATERA. (*Aterrada.*)—¿Cómo?

NIÑO.—Sí, sí, eso ha dicho en mi casa antes de montarse en la diligencia, que lo he visto yo..., y nos encargó que te lo dijéramos y ya lo sabe todo el pueblo...

ZAPATERA. (*Sentándose desplomada.*)—¡No es posible, esto no es posible! ¡Yo no lo creo!

NIÑO.—¡Sí que es verdad, no me regañes!

ZAPATERA. (*Levantándose hecha una furia y dando fuertes pisotadas en el suelo.*)—¿Y me da este pago? ¿Y me da este pago?

(*El* NIÑO *se refugia detrás de la mesa.*)

NIÑO.—¡Que se te caen las horquillas!

ZAPATERA.—¿Qué va a ser de mí sola en esta vida? ¡Ay, ay, ay! (*El* NIÑO *sale corriendo. La ventana y las puertas están llenas de vecinos.*) Sí, sí, venid a verme, cascantes, comadricas, por vuestra culpa ha sido...

ALCALDE.—Mira, ya te estás callando. Si tu marido te ha dejado ha sido porque no lo querías, porque no podía ser.

ZAPATERA.—¿Pero lo van a saber ustedes mejor que yo? Sí, lo quería, vaya si lo quería, que pretendientes buenos y muy riquísimos he tenido y no les he dado el sí jamás. ¡Ay pobrecito mío, qué cosas te habrán contado!

SACRISTANA. (*Entrando.*)—Mujer, repórtate.

ZAPATERA.—No me resigno. No me resigno. ¡Ay, ay!

(*Por la puerta empiezan a entrar* VE-CINAS *vestidas con colores violentos y*

que llevan grandes vasos de refrescos.
Giran, corren, entran y salen alrededor
de la ZAPATERA, *que está sentada gritan-*
do, con la prontitud y ritmo de baile.
Las grandes faldas se abren a las vueltas
que dan. Todos adoptan una actitud có-
mica de pena.)

VECINA AMARILLA.—Un refresco.

VECINA ROJA.—Un refresquito.

VECINA VERDE.—Para la sangre.

VECINA NEGRA.—De limón.

VECINA MORADA.—De zarzaparrilla.

VECINA ROJA.—La menta es mejor.

VECINA MORADA.—Vecina.

VECINA VERDE.—Vecinita.

VECINA NEGRA.—Zapatera.

VECINA VERDE.—Zapaterita.

(*Las* VECINAS *arman gran algazara. La*
ZAPATERA *llora a gritos.*)

A C T O   S E G U N D O

La misma decoración. A la izquierda, el banquillo
arrumbado. A la derecha, un mostrador con bo-
tellas y un lebrillo con agua, donde la ZAPATERA
friega las copas. La ZAPATERA está detrás del mostrador. Viste un traje rojo encendido, con amplias
faldas, y los brazos al aire. En la escena, dos me-
sas. En una de ellas está sentado DON MIRLO, que
toma un refresco, y en la otra el MOZO DEL SOM-
BRERO en la cara.

> (*La* ZAPATERA *friega con gran ardor
> vasos y copas, que va colocando en el
> mostrador. Aparece en la puerta el* MOZO
> DE LA FAJA *y el sombrero plano del pri-
> mer acto. Está triste. Lleva los brazos
> caídos y mira de manera tierna a la*
> ZAPATERA. *Al actor que exagere lo más
> mínimo en este tipo, debe el director de
> escena darle un bastonazo en la cabeza.
> Nadie debe exagerar. La farsa exige
> siempre naturalidad. El autor ya se ha
> encargado de dibujar el tipo, y el sas-
> tre, de vestirlo. Sencillez. El* MOZO *se
> detiene en la puerta.* DON MIRLO *y el otro*
> MOZO *vuelven la cabeza y lo miran. Esta
> es casi una escena de cine. Las miradas
> y expresión del conjunto dan su expre-
> sión. La* ZAPATERA *deja de fregar y mira
> al* MOZO *fijamente. Silencio.*

ZAPATERA.—Pase usted.

MOZO DE LA FAJA.—Si usted lo quiere...

ZAPATERA. (*Asombrada.*)—¿Yo? Me trae absolutamente sin cuidado, pero como lo veo en la
puerta...

MOZO DE LA FAJA.—Lo que usted quiera. (*Se apoya
en el mostrador. Entre dientes.*) Este es otro
al que voy a tener que...

ZAPATERA.—¿Qué va a tomar?

MOZO DE LA FAJA.—Seguiré sus indicaciones.

ZAPATERA.—Pues la puerta.

MOZO DE LA FAJA.—¡Ay Dios mío, cómo cambian los
tiempos!

ZAPATERA.—No crea que me voy a echar a llorar.
Vamos. Va usted a tomar copa, café, refresco,
¿diga?

MOZO DE LA FAJA.—Refresco.

ZAPATERA.—No me mire tanto, que se me va a
derramar el jarabe.

MOZO DE LA FAJA.—Es que yo me estoy muriendo, ¡ay!

> (*Por la ventana pasan dos* MAJAS *con
> inmensos abanicos. Miran, se santiguan
> escandalizadas, se tapan los ojos con
> los pericones y, a pasos menuditos,
> cruzan.*)

ZAPATERA.—El refresco.

MOZO DE LA FAJA. (*Mirándola.*)—¡Ay!

MOZO DEL SOMBRERO. (*Mirando al suelo.*)—¡Ay!

MIRLO. (*Mirando al techo.*)—¡Ay!

> (*La* ZAPATERA *dirige la cabeza hacia
> los tres ayes.*)

ZAPATERA.—¡Requeteay! Pero esto ¿es una taberna

o un hospital? ¡Abusivos! Sí no fuera porque tengo que ganarme la vida con estos vinillos y este trapicheo, porque estoy sola desde que se fue por culpa de todos vosotros mi pobrecito marido de mi alma, ¿cómo es posible que yo aguantara esto? ¿Qué me dicen ustedes? Los voy a tener que plantar en lo ancho de la calle.

MIRLO.—Muy bien, muy bien dicho.

MOZO DEL SOMBRERO.—Has puesto taberna y podemos estar aquí dentro todo el tiempo que queramos.

ZAPATERA. (*Fiera.*)—¿Cómo? ¿Cómo?

(*El* MOZO DE LA FAJA *inicia el mutis y* DON MIRLO *se levanta sonriente y haciendo como que está en el secreto y que volverá.*)

MOZO DEL SOMBRERO.—Lo que he dicho.

ZAPATERA.—Pues si dices tú, más digo yo, y puedes enterarte, y todos los del pueblo, que hace cuatro meses que se fue mi marido y no cederé a nadie jamás, porque una mujer casada debe estarse en su sitio como Dios manda. Y que no me asusto de nadie, ¿lo oyes?, que yo tengo la sangre de mi abuelo, que esté en gloria, que fue desbravador de caballos y lo que se dice un hombre. Decente fui y decente lo seré. Me comprometí con mi marido. Pues hasta la muerte.

(DON MIRLO *sale por la puerta rápidamente y haciendo señas que indican una relación entre él y la* ZAPATERA.)

MOZO DEL SOMBRERO. (*Levantándose.*)—Tengo tanto coraje que agarraría a un toro de los cuernos,

le haría hincar la cerviz en las arenas y después
me comería sus sesos crudos con estos dientes
míos, en la seguridad de no hartarme de morder. (*Sale rápidamente y* DON MIRLO *huye hacia
la izquierda.*)

ZAPATERA. (*Con las manos en la cabeza.*)—Jesús,
Jesús, Jesús y Jesús. (*Se sienta.*)

(*Por la puerta entra el* NIÑO, *se dirige
a la* ZAPATERA *y le tapa los ojos.*)

NIÑO.—¿Quién soy yo?

ZAPATERA.—Ni niño, pastorcillo de Belén.

NIÑO.—Ya estoy aquí. (*Se besan.*)

ZAPATERA.—¿Vienes por la meriendita?

NIÑO.—Si tú me la quieres dar...

ZAPATERA.—Hoy tengo una onza de chocolate.

NIÑO.—¿Sí? A mí me gusta mucho estar en tu
casa.

ZAPATERA. (*Dándole la onza.*)—¿Por qué eres interesadillo?

NIÑO.—¿Interesadillo? ¿Ves este cardenal que tengo en la rodilla?

ZAPATERA.—¿A ver? (*Se sienta en una silla baja y
toma al* NIÑO *en brazos.*)

NIÑO.—Pues me lo ha hecho el Cunillo porque
estaba cantando... las coplas que te han sacado
y yo le pegué en la cara, y entonces él me tiró
una piedra que, ¡plaff!, mira.

ZAPATERA.—¿Te duele mucho?

NIÑO.—Ahora no, pero he llorado.

ZAPATERA.—No hagas caso ninguno de lo que dicen.

NIÑO.—Es que eran cosas muy indecentes. Cosas
indecentes que yo sé decir, ¿sabes?, pero que
no quiero decir.

ZAPATERA. (*Riéndose.*)—Porque si lo dices cojo un

pimiento picante y te pongo la lengua como un ascua. (*Ríen.*)

Niño.—Pero ¿por qué te echarán a ti la culpa de que tu marido se haya marchado?

Zapatera.—Ellos, ellos son los que la tienen y los que me hacen desgraciada.

Niño. (*Triste.*)—No digas, Zapaterita.

Zapatera.—Yo me miraba en sus ojos. Cuando le veía venir montado en su jaca blanca...

Niño. (*Interrumpiéndole.*)—¡Ja, ja, ja! Me estás engañando. El señor Zapatero no tenía jaca.

Zapatera.—Niño, sé más respetuoso. Tenía jaca, claro que la tuvo, pero es..., es que tú no habías nacido.

Niño. (*Pasándole la mano por la cara.*)—¡Ah! ¡Eso sería!

Zapatera.—Ya ves tú..., cuando lo conocí estaba yo lavando en el arroyo del pueblo. Medio metro de agua y las chinas del fondo se veían reír, reír con el temblorcillo. El venía con un traje negro entallado, corbata roja de seda buenísima y cuatro anillos de oro que relumbraban como cuatro soles.

Niño.—¡Qué bonito!

Zapatera.—Me miró y lo miré. Yo me recosté en la hierba. Todavía me parece sentir en la cara aquel aire tan fresquito que venía por los árboles. El paró su caballo y la cola del caballo era blanca y tan larga que llegaba al agua del arroyo. (*La* Zapatera *está casi llorando. Empieza a oírse un canto lejano.*) Me puse tan azorada, que se me fueron dos pañuelos preciosos, así de pequeñitos, en la corriente.

Niño.—¡Qué risa!

Zapatera.—El, entonces, me dijo... (*El canto se oye más cerca. Pausa.*) ¡Chiss...!

NIÑO. (*Se levanta.*)—¡Las coplas!

ZAPATERA.—¡Las cóplas! (*Pausa. Los dos escuchan.*)
¿Tú sabes lo que dicen?

NIÑO. (*Con la mano.*)—Medio, medio.

ZAPATERA.—Pues cántalas, que quiero enterarme.

NIÑO.—¿Para qué?

ZAPATERA.—Para que yo sepa de una vez lo que
dicen.

NIÑO. (*Cantando y siguiendo el compás.*) Verás:

> La señora Zapatera,
> al marcharse su marido,
> ha montado una taberna
> donde acude el señorío.

ZAPATERA.—¡Me las pagarán!

NIÑO. (*El* NIÑO *lleva el compás con la mano en la
mesa.*)

> ¿Quién te compra, Zapatera,
> el paño de tus vestidos
> y esas chambras de batista
> con encaje de bolillos?
> Ya la corteja el Alcalde,
> ya la corteja Don Mirlo.
> ¡Zapatera, Zapatera,
> Zapatera, te has lucido!

> (*Las voces se van distinguiendo cerca
> y claras con su acompañamiento de pan-
> deros. La* ZAPATERA *coge un mantoncillo
> de Manila y se lo echa sobre los hom-
> bros.*)

¿Dónde vas? (*Asustado.*)

ZAPATERA.—¡Van a dar lugar a que compre un revólver!

> (*El canto se aleja. La* ZAPATERA *corre a la puerta. Pero tropieza con el* ALCALDE, *que viene majestuoso, dando golpes con la vara en el suelo.*)

ALCALDE.—¿Quién despacha?

ZAPATERA.—¡El demonio!

ALCALDE.—Pero ¿qué ocurre?

ZAPATERA.—Lo que usted debía saber hace muchos días, lo que usted como alcalde no debía permitir. La gente me canta coplas, los vecinos se ríen en sus puertas, y como no tengo marido que vele por mí, salgo yo a defenderme, ya que en este pueblo las autoridades son calabacines, ceros a la izquierda, estafermos.

NIÑO.—Muy bien dicho.

ALCALDE. (*Enérgico.*)—Niño, niño, basta de voces... ¿Sabes tú lo que he hecho ahora? Pues meter en la cárcel a dos o tres de los que venían cantando.

ZAPATERA.—¡Quisiera yo ver eso!

VOZ. (*Fuera.*)—¡Niñoooo!

NIÑO.—¡Mi madre me llama! (*Corre a la ventana.*) ¿Quéee? Adiós. Si quieres te puedo traer el espadón grande de mi abuelo, el que se fue a la guerra. Yo no puedo con él, ¿sabes?; pero tú, sí.

ZAPATERA. (*Sonriendo.*)—¡Lo que quieras!

VOZ. (*Fuera.*)—¡Niñoooo!

NIÑO. (*En la calle.*)—¿Quéeee?

ALCALDE.—Por lo que veo, este niño sabio y retorcido es la única persona a quien tratas bien en el pueblo.

ZAPATERA.—No pueden ustedes hablar una sola palabra sin ofender... ¿De qué se ríe su ilustrísima?

ALCALDE.—¡De verte tan hermosa y desperdiciada!

ZAPATERA.—¡Antes un perro! (*Le sirve un vaso de vino.*)

ALCALDE.—¡Qué desengaño de mundo! Muchas mujeres he conocido como amapolas, como rosas de olor..., mujeres morenas con los ojos como tinta de fuego, mujeres que les huele el pelo a nardos y siempre tienen las manos con calentura, mujeres cuyo talle se puede abarcar con estos dos dedos, pero como tú, como tú no hay nadie. Anteayer estuve enfermo toda la mañana porque vi tendidas en el prado dos camisas tuyas con lazos celestes, que era como verte a ti, zapatera de mi alma.

ZAPATERA. (*Estallando furiosa.*)—Calle usted, viejísimo, calle usted; con hijas mozuelas y lleno de familia no se debe cortejar de esta manera tan indecente y tan descarada.

ALCALDE.—Soy viudo.

ZAPATERA.—Y yo casada.

ALCALDE.—Pero tu marido te ha dejado y no volverá, estoy seguro.

ZAPATERA.—Yo viviré como si lo tuviera.

ALCALDE.—Pues a mí me consta, porque me lo dijo, que no te quería ni tanto así.

ZAPATERA.—Pues a mí me consta que sus cuatro señoras, mal rayo las parta, le aborrecían a muerte.

ALCALDE. (*Dando en el suelo con la vara.*)—¡Ya estamos!

ZAPATERA. (*Tirando un vaso.*)—¡Ya estamos!

(*Pausa.*)

ALCALDE. (*Entre dientes.*)—Si yo te cogiera por mi cuenta, ¡vaya si te dominaba!

ZAPATERA. (*Guasona.*)—¿Qué está usted diciendo?

ALCALDE.—Nada, pensaba... de que si tú fueras como debías ser, te hubieras enterado que tengo voluntad y valentía para hacer escritura, delante del notario, de una casa muy hermosa.

ZAPATERA.—¿Y qué?

ALCALDE.—Con un estrado que costó cinco mil reales, con centros de mesa, con cortinas de brocatel, con espejos de cuerpo entero...

ZAPATERA.—¿Y qué más?

ALCALDE. (*Tenoriesco.*)—Que la casa tiene una cama con coronación de pájaros y azucenas de cobre, un jardín con seis palmeras y una fuente saltadora, pero aguarda, para estar alegre, que una persona que sé yo se quiera aposentar en sus salas, donde estaría... (*Dirigiéndose a la* ZAPATERA.) mira, ¡estarías como una reina!

ZAPATERA. (*Guasona.*)—Yo no estoy acostumbrada a esos lujos. Siéntese usted en el estrado, métase usted en la cama, mírese usted en los espejos y póngase con la boca abierta debajo de las palmeras esperando que le caigan los dátiles, que yo de zapatera no me muevo.

ALCALDE.—Ni yo de alcalde. Pero que te vayas enterando que no por mucho despreciar amanece más temprano. (*Con retintín.*)

ZAPATERA.—Y que no me gusta usted ni me gusta nadie del pueblo. ¡Que está usted muy viejo!

ALCALDE. (*Indignado.*)—Acabaré metiéndote en la cárcel.

ZAPATERA.—¡Atrévase usted!

(*Fuera se oye un toque de trompeta floreado y comiquísimo.*)

ALCALDE.—¿Qué será eso?

ZAPATERA. (*Alegre y ojiabierta.*)—¡Títeres! (*Se golpea las rodillas.*)

(*Por la ventana cruzan dos* MUJERES.)

VECINA ROJA.—¡Títeres!

VECINA MORADA.—¡Títeres!

NIÑO. (*En la ventana.*)—¿Traerán monos? ¡Vamos!

ZAPATERA. (*Al* ALCALDE.)—¡Yo voy a cerrar la puerta!

NIÑO.—¡Vienen a tu casa!

ZAPATERA.—¿Sí? (*Se acerca a la puerta.*)

NIÑO.—¡Míralos!

> (*Por la puerta aparece el* ZAPATERO *disfrazado. Trae una trompeta y un cartelón enrollado a la espalda; lo rodea la gente. La* ZAPATERA *queda en actitud expectante y el* NIÑO *salta por la ventana y se coge a sus faldones.*)

ZAPATERO.—Buenas tardes.

ZAPATERA.—Buenas tardes tenga usted, señor tititritero.

ZAPATERO.—¿Aquí se puede descansar?

ZAPATERA.—Y beber, si usted gusta.

ALCALDE.—Pase buen hombre, y tome lo que quiera, que yo pago. (*A los* VECINOS.) Y vosotros, ¿qué hacéis ahí?

VECINA ROJA.—Como estamos en lo ancho de la calle, no creo que le estorbemos.

> (*El* ZAPATERO, *mirándolo todo con disimulo, deja el rollo sobre la mesa.*)

ZAPATERO.—Déjelos, señor Alcalde..., supongo que es usted, que con ellos me gano la vida.

NIÑO.—¿Dónde he oído yo hablar a este hombre? (*En toda la escena el* NIÑO *mirará con gran extrañeza al* ZAPATERO.) ¡Haz ya los títeres! (*Los* VECINOS *ríen.*)

ZAPATERO.—En cuanto tome un vaso de vino.

ZAPATERA. (*Alegre.*)—¿Pero los va usted a hacer en mi casa?

ZAPATERO.—Si tú me lo permites.

VECINA ROJA.—Entonces, ¿podemos pasar?

ZAPATERA. (*Seria.*)—Podéis pasar. (*Da un vaso al* ZAPATERO.)

VECINA ROJA. (*Sentándose.*)—Disfrutaremos un poquito.

(*El* ALCALDE *se sienta.*)

ALCALDE.—¿Viene usted de muy lejos?

ZAPATERO.—De muy lejísimos.

ALCALDE.—¿De Sevilla?

ZAPATERO.—Echele usted leguas.

ALCALDE.—¿De Francia?

ZAPATERO.—Echele usted leguas.

ALCALDE.—¿De Inglaterra?

ZAPATERO.—De las Islas Filipinas.

(*Las* VECINAS *hacen rumores de admiración. La* ZAPATERA *está extasiada.*)

ALCALDE.—¿Habrá usted visto a los insurrectos?

ZAPATERO.—Lo mismo que les estoy viendo a ustedes ahora.

NIÑO.—¿Y cómo son?

ZAPATERO.—Intratables. Figúrense ustedes que casi todos ellos son zapateros.

(*Los* VECINOS *miran a la* ZAPATERA.)

ZAPATERA. (*Quemada.*)—¿Y no los hay de otros oficios?

ZAPATERO.—Absolutamente. En las Islas Filipinas, zapateros.

ZAPATERA.—Pues puede que en las Filipinas esos zapateros sean tontos, que aquí en estas tierras los hay listos y muy listos.

VECINA ROJA. (*Adulona.*)—Muy bien hablado.

ZAPATERA. (*Brusca.*)—Nadie le ha preguntado su parecer.

VECINA ROJA.—¡Hija mía!

ZAPATERO. (*Enérgico, interrumpiendo.*)—¡Qué rico vino! (*Más fuerte.*) ¡Qué requeterrico vino! (*Silencio.*) Vino de uvas negras como el alma de algunas mujeres que yo conozco.

ZAPATERA.—¡De las que la tengan!

ALCALDE.—¡Chist! ¿Y en qué consiste el trabajo de usted?

ZAPATERO. (*Apura el vaso, chasca la lengua y mira a la* ZAPATERA.)—¡Ah! Es un trabajo de poca apariencia y de mucha ciencia. Enseño la vida por dentro. Aleluyas con los hechos del zapatero mansurrón y la Fierabrás de Alejandría, vida de don Diego Corrientes, aventuras del guapo Francisco Esteban y, sobre todo, arte de colocar el bocado a las mujeres parlanchinas y respondonas.

ZAPATERA.—¡Todas esas cosas las sabía mi pobrecito marido!

ZAPATERO.—¡Dios lo haya perdonado!

ZAPATERA.—Oiga usted... (*Las vecinas ríen.*)

NIÑO.—¡Cállate!

ALCALDE. (*Autoritario.*)—¡A callar! Enseñanzas son esas que convienen a todas las criaturas. Cuando usted guste.

> (*El* ZAPATERO *desenrolla el cartelón, en el que hay pintada una historia de ciego, dividida en pequeños cuadros, pintados con almazarrón y colores violentos. Los* VECINOS *inician un movimiento de aproximación y la* ZAPATERA *sienta al* NIÑO *sobre sus rodillas.*)

ZAPATERO.—Atención.

Niño.—¡Ay, qué precioso! (*Abraza a la* Zapatera.)

Zapatera.—Que te fijes bien por si acaso no me entero del todo.

Niño.—Más difícil que la historia sagrada no será.

Zapatero.—Respetable público: Oigan ustedes el romance verdadero y sustancioso de la mujer rubicunda y el hombrecito de la paciencia, para que sirva de escarmiento y ejemplaridad a to- las gentes de este mundo. (*En tono lúgubre.*) Agudizad vuestros oídos y entendimiento.

> (*Los* Vecinos *alargan la cabeza y algunas* Mujeres *se agarran de las manos.*)

Niño.—¿No se parece el titiritero, hablando, a tu marido?

Zapatera.—El tenía la voz más dulce.

Zapatero.—¿Estamos?

Zapatera.—Me sube así un repeluzno...

Niño.—¡Y a mí también!

Zapatero. (*Señalando con la varilla.*)

> En un cortijo de Córdoba,
> entre jarales y adelfas,
> vivía un talabartero
> con una talabartera.

> (*Expectación.*)

> Ella era mujer arisca,
> él hombre de gran paciencia,
> ella giraba en los veinte
> y él pasaba de cincuenta.
> ¡Santo Dios, cómo reñían!
> Miren ustedes la fiera,
> burlando al débil marido
> con los ojos y la lengua.

> (*Está pintada en el cartel una mujer que mira de manera infantil y cansina.*)

ZAPATERA.—¡Qué mala mujer! (*Murmullos.*)
ZAPATERO.

> Cabellos de emperadora
> tiene la talabartera,
> y una carne como el agua
> cristalina de Lucena.
> Cuando movía las faldas
> en tiempos de Primavera
> olía toda su ropa
> a limón y a yerbabuena .
> ¡Ay, qué limón, limón
> de la limonera!
> ¡Qué apetitosa
> talabartera!

(*Los* VECINOS *ríen.*)

> Ved cómo la cortejaban
> mocitos de gran presencia
> en caballos relucientes
> llenos de borlas de seda.
> Gente cabal y garbosa
> que pasaba por la puerta
> haciendo brillar, adrede,
> las onzas de sus cadenas.
> La conversación a todos
> daba la talabartera,
> y ellos caracoleaban
> sus jacas sobre las piedras.
> Miradla hablando con uno
> bien peinada y bien compuesta,
> mientras el pobre marido
> clava en el cuero la lezna.

(*Muy dramático y cruzando las manos.*)

Esposo viejo y decente,
casado con joven tierna,
¡qué tunante caballista
roba tu amor en la puerta!

(*La* ZAPATERA, *que ha estado dando suspiros, rompe a llorar.*)

ZAPATERO. (*Volviéndose.*)—¿Qué pasa?

ALCALDE.—¡Pero niña! (*Da con la vara.*)

VECINA ROJA.—¡Siempre llora quien tiene por qué callar!

VECINA MORADA.—¡Siga usted! (*Los* VECINOS *mur-
muran y sisean.*)

ZAPATERA.—Es que me da mucha lástima y no puedo contenerme, ¿lo ve usted?, no puedo contenerme. (*Llora queriéndose contener, hipando de
manera comiquísima.*)

ALCALDE.—¡Chitón!

NIÑO.—¿Lo ves?

ZAPATERO.—¡Hagan el favor de no interrumpirme!
¡Cómo se conoce que no tienen que decirlo de
memoria!

NIÑO. (*Suspirando.*)—¡Es verdad!

ZAPATERO. (*Malhumorado.*)

Un lunes por la mañana
a eso de las once y media,
cuando el sol deja sin sombra
los juncos y madreselvas,
cuando alegremente bailan
brisa y tomillo en la sierra
y van cayendo las verdes
hojas de las madroñeras,
regaba sus alhelíes
la arisca talabartera.

Llegó su amigo trotando
una jaca cordobesa
y le dijo entre suspiros:
Niña, si tú lo quisieras,
cenaríamos mañana
los dos solos, en tu mesa.
¿Y qué harás con mi marido?
Tu marido no se entera.
¿Qué piensas hacer? Matailo.
Es ágil. Quizá no puedas.
¿Tienes revólver? ¡Mejor!
¡Tengo navaja barbera!
¿Corta mucho? Más que el frío.

(*La* ZAPATERA *se tapa los ojos y aprie-*
ta al NIÑO. *Todos los* VECINOS *tienen una*
expectación máxima que se notará en sus
expresiones.)

Y no tiene ni una mella.
¿No has mentido? Le daré
diez puñaladas certeras
en esta disposición,
que me parece estupenda:
cuatro en la región lumbar,
una en la tetilla izquierda,
otra en semejante sitio
y dos en cada cadera.
¿Lo matarás en seguida?
Esta noche cuando vuelva
con el cuero y con las crines
por la curva de la acequia.

(*En este último verso, y con toda ra*
pidez, se oye fuera del escenario un gri
to angustiado y fortísimo; los VECINO:
se levantan. Otro grito más cerca. A

ZAPATERO *se le cae de las manos el telón*
y la varilla. Tiemblan todos cómica-
mente.)

VECINA NEGRA. (*En la ventana.*)—¡Ya han sacado
las navajas!

ZAPATERA.—¡Ay, Dios mío!

VECINA ROJA.—¡Virgen Santísima!

ZAPATERO.—¡Qué escándalo!

VECINA NEGRA.—¡Se están matando! ¡Se están cosiendo a puñaladas por culpa de esa mujer!
(*Señala a la* ZAPATERA.)

ALCALDE. (*Nervioso.*)—¡Vamos a ver!

NIÑO.—¡Que me da mucho miedo!

VECINA VERDE.—¡Acudir, acudir! (*Van saliendo.*)

VOZ. (*Fuera.*)—¡Por esa mala mujer!

ZAPATERO.—Yo no puedo tolerar esto; ¡no lo puedo
tolerar! (*Con las manos en la cabeza corre la*
escena.)

(*Van saliendo rapidísimamente todos*
entre ayes y miradas de odio a la ZAPA-
TERA. *Esta cierra rápidamente la venta-*
na y la puerta.)

ZAPATERA.—¿Ha visto usted qué infamia? Yo le
juro, por la preciosísima sangre de nuestro padre Jesús, que soy inocente. ¡Ay! ¿Qué habrá
pasado...? Mire, mire usted cómo tiemblo. (*Le*
enseña las manos.) Parece que las manos se
quieren escapar ellas solas.

ZAPATERO.—Calma, muchacha. ¿Es que su marido
está en la calle?

ZAPATERA. (*Rompiendo a llorar.*)—¿Mi marido? ¡Ay
señor mío!

ZAPATERO.—¿Qué le pasa?

ZAPATERA.—Mi marido me dejó por culpa de las

gentes y ahora me encuentro sola, sin calor de nadie.

ZAPATERO.—¡Pobrecilla!

ZAPATERA.—¡Con lo que yo lo quería! ¡Lo adoraba!

ZAPATERO. (*Con un arranque.*)—¡Eso no es verdad!

ZAPATERA. (*Dejando rápidamente de llorar.*)—¿Qué está usted diciendo?

ZAPATERO.—Digo que es una cosa tan... incomprensible que... parece que no es verdad. (*Turbado.*)

ZAPATERA.—Tiene usted razón, pero yo desde entonces no como, ni duermo, ni vivo; porque él era mi alegría, mi defensa.

ZAPATERO.—Y queriéndolo tanto como lo quería, ¿la abandonó? Por lo que veo, su marido de usted era un hombre de pocas luces.

ZAPATERA.—Haga el favor de guardar la lengua en el bolsillo. Nadie le ha dado permiso para que dé su opinión.

ZAPATERO.—Usted perdone, no he querido...

ZAPATERA.—Digo..., ¡cuando era más listo...!

ZAPATERO. (*Con guasa.*)—¿Síííí?

ZAPATERA. (*Enérgica.*)—Sí. ¿Ve usted todos esos romances y chupaletrinas que canta y cuenta por los pueblos? Pues todo eso es un ochavo comparado con lo que él sabía..., él sabía... ¡el triple!

ZAPATERO. (*Serio.*)—No puede ser.

ZAPATERA. (*Enérgica.*)—Y el cuádruple... Me los decía todos a mí cuando nos acostábamos. Historias antiguas que usted no habría oído mentar siquiera... (*Gachona.*) y a mí me daba un susto... pero él me decía: "¡Preciosa de mi alma, si esto ocurre de mentirijillas!"

ZAPATERO. (*Indignado.*)—¡Mentira!

ZAPATERA. (*Extrañadísima.*)—¿Eh? ¿Se le ha vuelto el juicio?

ZAPATERO.—¡Mentira!

ZAPATERA. (*Indignada.*)—Pero ¿qué es lo que está usted diciendo, titiritero del demonio?

ZAPATERO. (*Fuerte y de pie.*)—Que tenía mucha razón su marido de usted. Esas historietas son pura mentira, fantasía nada más. (*Agrio.*)

ZAPATERA. (*Agria.*)—Naturalmente, señor mío. Parece que me toma por tonta de capirote..., pero no me negará usted que dichas historietas impresionan.

ZAPATERO.—¡Ah, eso ya es harina de otro costal! Impresionan a las almas impresionables.

ZAPATERA.—Todo el mundo tiene sentimientos.

ZAPATERO.—Según se mire. He conocido mucha gente sin sentimiento. Y en mi pueblo vivía una mujer... en cierta época, que tenía el suficiente mal corazón para hablar con sus amigos por la ventana mientras el marido hacía botas y zapatos de la mañana a la noche.

ZAPATERA. (*Levantándose y cogiendo una silla.*)— ¿Eso lo dice por mí?

ZAPATERO.—¿Cómo?

ZAPATERA.—¡Que si va con segunda, dígalo! ¡Sea valiente!

ZAPATERO. (*Humilde.*)—Señorita, ¿qué está usted diciendo? ¿Qué sé yo quién es usted? Yo no la he ofendido en nada; ¿por qué me falta de esa manera? ¡Pero es mi sino! (*Casi lloroso.*)

ZAPATERA. (*Enérgica, pero conmovida.*)—Mire usted, buen hombre. Yo he hablado así porque estoy sobre ascuas; todo el mundo me asedia, todo el mundo me critica; ¿cómo quiere que no esté acechando la ocasión más pequeña para defenderme? Si estoy sola, si soy joven y vivo ya sólo de mis recuerdos... (*Llora.*)

ZAPATERO. (*Lloroso.*)—Ya comprendo, preciosa joven. Yo comprendo mucho más de lo que pueda imaginarse, porque... ha de saber usted, con toda clase de reservas, que su situación es..., sí, no cabe duda, idéntica a la mía.

ZAPATERA. (*Intrigada.*)—¿Es posible?

ZAPATERO. (*Se deja caer sobre la mesa.*)—A mí... me abandonó mi esposa!

ZAPATERA.—¡No pagaba con la muerte!

ZAPATERO.—Ella soñaba con un mundo que no era el mío, era fantasiosa y dominanta, gustaba demasiado de la conversación y las golosinas que yo no podía costearle, y un día tormentoso de viento huracanado, me abandonó para siempre.

ZAPATERA.—¿Y qué hace usted ahora, corriendo mundo?

ZAPATERO.—Voy en su busca para perdonarla y vivir con ella lo poco que me queda de vida. A mi edad ya se está malamente por esas posadas de Dios.

ZAPATERA. (*Rápida.*)—Tome un poquito de café caliente, que después de toda esta tracamundana le servirá de salud. (*Va al mostrador a echar café y vuelve la espalda al* ZAPATERO.)

ZAPATERO. (*Persignándose exageradamente y abriendo los ojos.*)—Dios te lo premie, clavellinita encarnada.

ZAPATERA. (*Le ofrece la taza. Se queda con el plato en la mano y él bebe a sorbos.*)—¿Está bueno?

ZAPATERO. (*Meloso.*)—¡Como hecho por sus manos!

ZAPATERA. (*Sonriendo.*)—¡Muchas gracias!

ZAPATERO. (*En el último trago.*)—¡Ay, qué envidia me da su marido!

ZAPATERA.—¿Por qué?

ZAPATERO. (*Galante.*)—¡Porque se pudo casar con la mujer más preciosa de la tierra!

ZAPATERA. (*Derretida.*)—¡Qué cosas tiene!

ZAPATERO.—Y ahora casi me alegro de tenerme

que marchar, porque usted sola, yo solo, usted
tan guapa y yo con mi lengua en su sitio, me
parece que se me escaparía cierta insinuación...

ZAPATERA. (*Reaccionando.*)—Por Dios, ¡quite de ahí!
¿Qué se figura? ¡Yo guardo mi corazón entero
para el que está por esos mundos, para quien
debo, para mi marido!

ZAPATERO. (*Contentísimo y tirando el sombrero al
suelo.*)—¡Eso está pero que muy bien! Así son
las mujeres verdaderas, ¡así!

ZAPATERA. (*Un poco guasona y sorprendida.*)—Me
parece a mí que está usted un poco... (*Se lleva
el dedo a la sien.*)

ZAPATERO.—Lo que usted quiera. ¡Pero sepa y en-
tienda que yo no estoy enamorado de nadie más
que de mi mujer, mi esposa de legítimo matri-
monio!

ZAPATERA.—Y yo, de mi marido y de nadie más
que de mi marido. Cuántas veces lo he dicho
para que lo oyeran hasta los sordos. (*Con las manos cruzadas.*) ¡Ay, qué zapaterillo de mi alma!

ZAPATERO. (*Aparte.*)—¡Ay, qué zapaterilla de mi corazón!

(*Golpes en la puerta.*)

ZAPATERA.—¡Jesús! Está una en un continuo sobresalto. ¿Quién es?

NIÑO.—¡Abre!

ZAPATERA.—Pero ¿es posible? ¿Cómo has venido?

NIÑO.—¡Ay, vengo corriendo para decírtelo!

ZAPATERA.—¿Qué ha pasado?

NIÑO.—Se han hecho heridas con las navajas dos
o tres mozos y te echan a ti la culpa. Heridas
que echan mucha sangre. Todas las mujeres han
ido a ver al juez para que te vayas del pueblo,
¡ay! Y los hombres querían que el sacristán

tocara las campanas para cantar tus coplas...
(*El* NIÑO *está jadeante y sudoroso.*)

ZAPATERA. (*Al* ZAPATERO.)—¿Lo está usted viendo?

NIÑO.—Toda la plaza está llena de corrillos...,
parece la feria..., ¡y todos contra ti!

ZAPATERO.—¡Canallas! Intenciones me dan de salir
a defenderla.

ZAPATERA.—¿Para qué? Lo meterán en la cárcel. Yo
soy la que va a tener que hacer algo gordo.

NIÑO.—Desde la ventana de tu cuarto puedes ver
el jaleo de la plaza.

ZAPATERA. (*Rápida.*)—Vamos, quiero cerciorarme de
la maldad de las gentes. (*Mutis rápido.*)

ZAPATERO.—Sí, sí, canallas...; pero pronto ajustaré
cuentas con todos y me las pagarán... ¡Ah, casi-
lla mía, qué calor más agradable sale por tus
puertas y ventanas!: ¡ay, qué terribles parado-
res, qué malas comidas, qué sábanas de lienzo
moreno por esos caminos del mundo! ¡Y qué
disparate no sospechar que mi mujer era de
oro puro, del mejor de la tierra! ¡Casi me dan
ganas de llorar!

VECINA ROJA. (*Entrando rápida.*)—Buen hombre.

VECINA AMARILLA. (*Rápida.*)—Buen hombre.

VECINA ROJA.—Salga en seguida de esta casa. Usted es persona decente y no debe estar aquí.

VECINA AMARILLA.—Esta es la casa de una leona, de
una hiena.

VECINA ROJA.—De una mal nacida, desengaño de
los hombres.

VECINA AMARILLA.—Pero o se va del pueblo o la
echamos. Nos trae locas.

VECINA ROJA.—Muerta la quisiera ver.

VECINA AMARILLA.—Amortajada con su ramo en el
pecho.

ZAPATERO. (*Angustiado.*)—¡Basta!

VECINA ROJA.—Ha corrido la sangre...

VECINA AMARILLA.—No quedan pañuelos blancos.

VECINA ROJA.—Dos hombres como dos soles.

VECINA AMARILLA.—Con las navajas clavadas.

ZAPATERO. (*Fuerte.*)—¡Basta ya!

VECINA ROJA.—Por culpa de ella.

VECINA AMARILLA.—Ella, ella y ella.

VECINA ROJA.—Miramos por usted.

VECINA AMARILLA.—¡Le avisamos con tiempo!

ZAPATERO.—Grandísimas embusteras, mentirosas, mal nacidas. Os voy a arrastrar del pelo.

VECINA ROJA. (*A la otra.*)—¡También lo ha conquistado!

VECINA AMARILLA.—¡A fuerza de besos habrá sido!

ZAPATERO.—¡Así os lleve el demonio! ¡Basiliscos, perjuras!

VECINA NEGRA. (*En la ventana.*)—¡Comadre, corra usted! (*Sale corriendo. Las dos* VECINAS *hacen lo mismo.*)

VECINA ROJA.—Otro en el garlito.

VECINA AMARILLA.—¡Otro!

ZAPATERO.—¡Sayonas judías! ¡Os pondré navajillas barberas en los zapatos! ¡Me vais a soñar!

NIÑO. (*Entra rápido.*)—Ahora entraba un grupo de hombres en casa del Alcalde. Voy a ver lo que dicen. (*Sale corriendo.*)

ZAPATERA. (*Valiente.*)—Pues aquí estoy, si se atreven a venir. Y con serenidad de familia de caballistas que han cruzado muchas veces la sierra, sin hamugas, a pelo sobre los caballos.

ZAPATERO.—¿Y no flaqueará algún día su fortaleza?

ZAPATERA.—Nunca se rinde la que, como yo, está sostenida por el amor y la honradez. Soy capaz de seguir así hasta que se vuelva cana toda mi mata de pelo.

ZAPATERO. (*Conmovido, avanzando hacia ella.*)—Ay...

ZAPATERA.—¿Qué le pasa?

ZAPATERO.—Me emociono.

ZAPATERA.—Mire usted, tergo a todo el pueblo encima, quieren venir a matarme, y sin embargo no tengo ningún miedo. La navaja se contesta con la navaja y el palo con el palo, pero cuando de noche cierro esa puerta y me voy sola a mi cama..., me da una pena..., ¡qué pena! ¡Y paso unas sofocaciones...! Que cruje la cómoda: ¡un susto! Que suenan con el aguacero los cristales del ventanillo, ¡otro susto! Que yo sola meneo sin querer las perinolas de la cama, ¡susto doble! Y todo esto no es más que el miedo a la soledad donde están los fantasmas, que yo no he visto porque no los he querido ver, pero que vieron mi madre y mi abuela y todas las mujeres de mi familia que han tenido ojos en la cara.

ZAPATERO.—¿Y por qué no cambia de vida?

ZAPATERA.—¿Pero usted está en su juicio? ¿Qué voy a hacer? ¿Dónde voy así? Aquí estoy y Dios dirá.

> (*Fuera y muy lejanos se oyen murmullos y aplausos.*)

ZAPATERO.—Yo lo siento mucho, pero tengo que emprender mi camino antes que la noche se me eche encima. ¿Cuánto debo? (*Coge el cartelón.*)

ZAPATERA.—Nada.

ZAPATERO.—No transijo.

ZAPATERA.—Lo comido por lo servido.

ZAPATERO.—Muchas gracias. (*Triste, se carga el cartelón.*) Entonces, adiós... para toda la vida, porque a mi edad... (*Está conmovido.*)

ZAPATERA. (*Reaccionando.*)—Yo no quisiera despedirme así. Yo soy mucho más alegre. (*En voz clara.*) Buen hombre, Dios quiera que encuentre usted a su mujer, para que vuelva a vivir con el cuido y la decencia a que estaba acostumbrado. (*Está conmovida.*)

ZAPATERO.—Igualmente le digo de su esposo. Pero usted ya sabe que el mundo es reducido; ¿qué quiere que le diga si por casualidad me lo encuentro en mis caminatas?

ZAPATERA.—Dígale usted que lo adoro.

ZAPATERO. (*Acercándose.*)—¿Y qué más?

ZAPATERA.—Que a pesar de sus cincuenta y tantos años, benditísimos cincuenta años, me resulta más juncal y torerillo que todos los hombres del mundo.

ZAPATERO.—¡Niña, qué primor! ¡Le quiere usted tanto como yo a mi mujer!

ZAPATERA.—¡Muchísimo más!

ZAPATERO.—No es posible. Yo soy como un perrito y mi mujer manda en el castillo, ¡pero que mande! Tiene más sentimiento que yo. (*Está cerca de ella y como adorándola.*)

ZAPATERA.—Y no se olvide de decirle que lo espero, que el invierno tiene las noches largas.

ZAPATERO.—Entonces, ¿lo recibiría usted bien?

ZAPATERA.—Como si fuera el rey y la reina juntos.

ZAPATERO. (*Temblando.*)—¿Y si por casualidad llegara ahora mismo?

ZAPATERA.—¡Me volvería loca de alegría!

ZAPATERO.—¿Le perdonaría su locura?

ZAPATERA.—¡Cuánto tiempo hace que se la perdoné!

ZAPATERO.—¿Quiere usted que llegue ahora mismo?

ZAPATERA.—¡Ay, si viniera!

ZAPATERO. (*Gritando.*)—¡Pues aquí está!

ZAPATERA.—¿Qué está usted diciendo?

ZAPATERO. (*Quitándose las gafas y el disfraz.*)—¡Que ya no puedo más, zapatera de mi corazón!

(*La* ZAPATERA *está como loca, con los
brazos separados del cuerpo. El* ZAPATERO
abraza a la ZAPATERA *y ésta lo mira fijamente en medio de su crisis. Fuera se
oye claramente un runrún de coplas.*)

VOZ. (*Dentro.*)

La señora zapatera
al marcharse su marido
ha montado una taberna
donde acude el señorío.

ZAPATERA. (*Reaccionando.*)—¡Pillo, granuja, tunante, canalla! ¿Lo oyes? ¡Por tu culpa! (*Tira las
sillas.*)
ZAPATERO. (*Emocionado, dirigiéndose al banquillo.*)
¡Mujer de mi corazón!
ZAPATERA.—¡Corremundos! ¡Ay, cómo me alegro de
que hayas venido! ¡Qué vida te voy a dar! ¡Ni
la Inquisición! ¡Ni los templarios de Roma!
ZAPATERO. (*En el banquillo.*)—¡Casa de mi felicidad!

(*Las coplas se oyen cerquísima. Los*
VECINOS *aparecen en la ventana.*)

VOCES. (*Dentro.*)

¿Quién te compra, zapatera,
el paño de tus vestidos
y esas chambras de batista
con encaje de bolillos?
Ya la corteja el Alcalde,
ya la corteja Don Mirlo.
Zapatera, zapatera,
¡zapatera, te has lucido!

ZAPATERA.—¡Qué desgraciada soy! ¡Con este hombre que Dios me ha dado! (*Yendo a la puerta.*) ¡Callarse, largos de lengua, judíos colorados! Y venid, venid ahora, si queréis. Ya somos dos a defender mi casa, ¡dos!, ¡dos!, yo y mi marido. (*Dirigiéndose al marido.*) ¡Con este pillo, con este granuja!

> (*El ruido de las coplas llena la escena. Una campana rompe a tocar lejana y furiosamente.*)

T E L O N

FIN DE
"LA ZAPATERA PRODIGIOSA"

BODAS DE SANGRE

TRAGEDIA EN TRES ACTOS Y SIETE CUADROS
(1933)

PERSONAJES

LA MADRE.
LA NOVIA.
LA SUEGRA.
LA MUJER DE LEONARDO.
LA CRIADA.
LA VECINA.
MUCHACHAS.
LEONARDO.

EL NOVIO.
EL PADRE DE LA NOVIA.
LA LUNA.
LA MUERTE (como mendiga).
LEÑADORES.
MOZOS.

A C T O   P R I M E R O

CUADRO PRIMERO

Habitación pintada de amarillo.

NOVIO. (*Entrando.*)—Madre.

MADRE.—¿Qué?

NOVIO.—Me voy.

MADRE.—¿Adónde?

NOVIO.—A la viña. (*Va a salir.*)

MADRE.—Espera.

NOVIO.—¿Quieres algo?

MADRE.—Hijo, el almuerzo.

NOVIO.—Déjalo. Comeré uvas. Dame la navaja.

MADRE.—¿Para qué?

NOVIO. (*Riendo.*)—Para cortarlas.

MADRE. (*Entre dientes y buscándola.*)—La navaja, la navaja... Malditas sean todas y el bribón que las inventó.

NOVIO.—Vamos a otro asunto.

MADRE.—Y las escopetas, y las pistolas, y el cuchillo más pequeño, y hasta las azadas y los bieldos de la era.

NOVIO.—Bueno.

MADRE.—Todo lo que puede cortar el cuerpo de un hombre. Un hombre hermoso, con su flor en la boca, que sale a las viñas o va a sus olivos propios, porque son de él, heredados...

Novio. (*Bajando la cabeza.*)—Calle usted.

Madre.—... y ese hombre no vuelve. O si vuelve es
para ponerle una palma encima o un plato de
sal gorda para que no se hinche. No sé cómo te
atreves a llevar una navaja en tu cuerpo, ni cómo yo dejo a la serpiente dentro del arcón.

Novio.—¿Está bueno ya?

Madre.—Cien años que yo viviera no hablaría de
otra cosa. Primero, tu padre, que me olía a clavel y lo disfruté tres años escasos. Luego, tu hermano. ¿Y es justo, y puede ser que una cosa
pequeña como una pistola o una navaja pueda
acabar con un hombre, que es un toro? No ca-
llaría nunca. Pasan los meses y la desesperación
me pica en los ojos y hasta en las puntas del
pelo.

Novio. (*Fuerte.*)—¿Vamos a acabar?

Madre.—No, no vamos a acabar. ¿Me puede alguien
traer a tu padre? ¿Y a tu hermano? Y luego, el
presidio. ¿Qué es el presidio? ¡Allí comen, allí
fuman, allí tocan los instrumentos! Mis muertos llenos de hierba, sin hablar, hechos polvo;
dos hombres que eran dos geranios... Los matadores, en presidio, frescos, viendo los montes...

Novio.—¿Es que quiere usted que los mate?

Madre.—No... Si hablo, es porque... ¿Cómo no voy
a hablar viéndote salir por esa puerta? Es que
no me gusta que lleves navaja. Es que..., que
no quisiera que salieras al campo.

Novio. (*Riendo.*)—¡Vamos!

Madre.—Que me gustaría que fueras una mujer. No
te irías al arroyo ahora y bordaríamos, las dos,
cenefas y perritos de lana.

Novio. (*Coge de un brazo a la* Madre *y ríe.*)—Madre, ¿y si yo la llevara conmigo a las viñas?

Madre.—¿Qué hace en las viñas una vieja? ¿Me ibas a meter debajo de los pámpanos?

Novio. (*Levantándola en sus brazos.*)—Vieja, revieja, requetevieja.

Madre.—Tu padre sí que me llevaba. Eso es de buena casta. Sangre. Tu abuelo dejó a un hijo en cada esquina. Eso me gusta. Los hombres, hombres; el trigo, trigo.

Novio.—¿Y yo, madre?

Madre.—¿Tú, qué?

Novio.—¿Necesito decírselo otra vez?

Madre. (*Seria.*)—¡Ah!

Novio.—¿Es que le parece mal?

Madre.—No.

Novio.—¿Entonces?...

Madre.—No lo sé yo misma. Así, de pronto, siempre me sorprende. Yo sé que la muchacha es buena. ¿Verdad que sí? Modosa. Trabajadora. Amasa su pan y cose sus faldas, y siento, sin embargo, cuando la nombro, como si me dieran una pedrada en la frente.

Novio.—Tonterías.

Madre.—Más que tonterías. Es que me quedo sola. Ya no me quedas más que tú, y siento que te vayas.

Novio.—Pero usted vendrá con nosotros.

Madre.—No. Yo no puedo dejar aquí solos a tu padre y a tu hermano. Tengo que ir todas las mañanas, y si me voy es fácil que muera uno de los Félix, uno de la familia de los matadores, y lo entierren al lado. ¡Y eso sí que no! ¡Ca! ¡Eso sí que no! Porque con las uñas los desentierro y yo sola los machaco contra la tapia.

Novio. (*Fuerte.*)—Vuelta otra vez.

Madre.—Perdóname. (*Pausa.*) ¿Cuánto tiempo llevas en relaciones?

Novio.—Tres años. Ya pude comprar la viña.

Madre.—Tres años. Ella tuvo un novio, ¿no?

Novio.—No sé. Creo que no. Las muchachas tienen
que mirar con quién se casan.

Madre.—Sí. Yo no miré a nadie. Miré a tu padre, y
cuando lo mataron miré a la pared de enfrente.
Una mujer con un hombre, y ya está.

Novio.—Usted sabe que mi novia es buena.

Madre.—No lo dudo. De todos modos, siento no saber cómo fue su madre.

Novio.—¿Qué más da?

Madre. (Mirándole.)—Hijo.

Novio.—¿Qué quiere usted?

Madre.—¡Que es verdad! ¡Que tienes razón! ¿Cuándo quieres que la pida?

Novio. (Alegre.)—¿Le parece bien el domingo?

Madre. (Seria.)—Le llevaré los pendientes de azó-
far, que son antiguos, y tú le compras...

Novio.—Usted entiende más...

Madre.—Le compras unas medias caladas, y para
ti dos trajes... ¡Tres! ¡No te tengo más que a ti!

Novio.—Me voy. Mañana iré a verla.

Madre.—Sí, sí; y a ver si me alegras con seis nietos, o los que te dé la gana, ya que tu padre no
tuvo lugar de hacérmelos a mí.

Novio.—El primero para usted.

Madre.—Sí, pero que haya niñas. Que yo quiero
bordar y hacer encaje y estar tranquila.

Novio.—Estoy seguro que u s t e d querrá a mi
novia.

Madre.—La querré. (Se dirige a besarlo y reacciona.) Anda, ya estás muy grande para besos. Se
los das a tu mujer. (Pausa. Aparte.) Cuando
lo sea.

Novio.—Me voy.

MADRE.—Que caves bien la parte del molinillo, que
la tienes descuidada.

NOVIO.—¡Lo dicho!

MADRE.—Anda con Dios. (*Vase el* NOVIO. *La* MADRE
*queda sentada de espaldas a la puerta. Aparece
en la puerta una* VECINA *vestida de color oscuro,
con pañuelo a la cabeza.*) Pasa.

VECINA.—¿Cómo estás?

MADRE.—Ya ves.

VECINA.—Yo bajé a la tienda y vine a verte. ¡Vivimos tan lejos!...

MADRE.—Hace veinte años que no he subido a lo
alto de la calle.

VECINA.—Tú estás bien.

MADRE.—¿Lo crees?

VECINA.—Las cosas pasan. Hace dos días trajeron
al hijo de mi vecina con los dos brazos cortados
por la máquina. (*Se sienta.*)

MADRE.—¿A Rafael?

VECINA.—Sí. Y allí lo tienes. Muchas veces pienso
que tu hijo y el mío están mejor donde están,
dormidos, descansando, que no expuestos a quedarse inútiles.

MADRE.—Calla. Todo eso son invenciones, pero no
consuelos.

VECINA.—¡Ay!

MADRE.—¡Ay!

(*Pausa.*)

VECINA. (*Triste.*)—¿Y tu hijo?

MADRE.—Salió.

VECINA.—¡Al fin compró la viña!

MADRE.—Tuvo suerte.

VECINA.—Ahora se casará.

MADRE. (*Como despertando y acercando su silla a
la silla de la* VECINA.)—Oye.

VECINA. (*En plan confidencial.*)—Dime.

MADRE.—¿Tú conoces a la novia de mi hijo?

VECINA.—¡Buena muchacha!

MADRE.—Sí, pero...

VECINA.—Pero quien la conozca a fondo no hay nadie. Vive sola con su padre allí, tan lejos, a diez leguas de la casa más cerca. Pero es buena. Acostumbrada a la soledad.

MADRE.—¿Y su madre?

VECINA.—A su madre la conocí. Hermosa. Le relucía la cara como a un santo; pero a mí no me gustó nunca. No quería a su marido.

MADRE. (*Fuerte.*)—Pero ¡cuántas cosas sabéis las gentes!

VECINA.—Perdona. No quisiera ofender; pero es verdad. Ahora, si fue decente o no, nadie lo dijo. De esto no se ha hablado. Ella era orgullosa.

MADRE.—¡Siempre igual!

VECINA.—Tú me preguntaste.

MADRE.—Es que quisiera que ni a la viva ni a la muerta las conociera nadie. Que fueran como dos cardos, que ninguna persona los nombra y pinchan si llega el momento.

VECINA.—Tienes razón. Tu hijo vale mucho.

MADRE.—Vale. Por eso lo cuido. A mí me habían dicho que la muchacha tuvo novio hace tiempo.

VECINA.—Tendría ella quince años. El se casó ya hace dos años con una prima de ella, por cierto. Nadie se acuerda del noviazgo.

MADRE.—¿Cómo te acuerdas tú?

VECINA.—¡Me haces unas preguntas!...

MADRE.—A cada uno le gusta enterarse de lo que le duele. ¿Quién fue el novio?

VECINA.—Leonardo.

MADRE.—¿Qué Leonardo?

VECINA.—Leonardo el de los Félix.

MADRE. (*Levantándose.*)—¡De los Félix!

VECINA.—Mujer, ¿qué culpa tiene Leonardo de nada? El tenía ocho años cuando las cuestiones.

MADRE.—Es verdad... Pero oigo eso de Félix y es lo mismo (*Entre dientes.*) Félix que llenárseme de cieno la boca (*Escupe*), y tengo que escupir, tengo que escupir por no matar.

VECINA.—Repórtate. ¿Qué sacas con eso?

MADRE.—Nada. Pero tú lo comprendes.

VECINA.—No te opongas a la felicidad de tu hijo. No le digas nada. Tú estás vieja. Yo, también. A ti y a mí nos toca callar.

MADRE.—No le diré nada.

VECINA. (*Besándola.*)—Nada.

MADRE. (*Serena.*)—¡Las cosas!...

VECINA.—Me voy, que pronto llegará mi gente del campo.

MADRE.—¿Has visto qué día de calor?

VECINA.—Iban negros los chiquillos que llevan el agua a los segadores. Adiós, mujer.

MADRE.—Adiós. (*Se dirige a la puerta de la izquierda. En medio del camino se detiene y lentamente se santigua.*)

T E L Ó N

CUADRO SEGUNDO

Habitación pintada de rosa con cobres y ramos
de flores populares. En el centro, una mesa con
mantel. Es la mañana. Suegra de Leonardo con un
niño en brazos. Lo mece. La Mujer, en la otra esquina, hace punto de media.

Suegra.

      Nana, niño, nana
      del caballo grande
      que no quiso el agua.
      El agua era negra
      dentro de las ramas.
      Cuando llega al puente
      se detiene y canta.
      ¿Quién dirá, mi niño,
      lo que tiene el agua
      con su larga cola
      por su verde sala?

Mujer. (*Bajo.*)

      Duérmete, clavel,
      que el caballo no quiere beber.

Suegra.

      Duérmete, rosal,
      que el caballo se pone a llorar.
      Las patas heridas,
      las crines heladas,
      dentro de los ojos
      un puñal de plata.
      Bajaban al río.

¡Ay, cómo bajaban!
La sangre corría
más fuerte que el agua

MUJER.

Duérmete, clavel,
que el caballo no quiere beber.

SUEGRA.

Duérmete, rosal,
que el caballo se pone a llorar.

MUJER.

No quiso tocar
la orilla mojada,
su belfo caliente
con moscas de plata.
A los montes duros
solo relinchaba
con el río muerto
sobre la garganta.
¡Ay caballo grande
que no quiso el agua!
¡Ay dolor de nieve,
caballo del alba!

SUEGRA.

¡No vengas! Detente,
cierra la ventana
con rama de sueños
y sueño de ramas.

MUJER.

Mi niño se duerme.

SUEGRA.

Mi niño se calla.

MUJER.

Caballo, mi niño
tiene una almohada.

SUEGRA.

Su cuna de acero.

MUJER.
>   Su colcha de holanda.
SUEGRA.
>   Nana, niño, nana.
MUJER.
>   ¡Ay caballo grande
>   que no quiso el agua!
SUEGRA.
>   ¡No vengas, no entres!
>   Vete a la montaña.
>   Por los valles grises
>   donde está la jaca.
MUJER. (*Mirando.*)
>   Mi niño se duerme.
SUEGRA.
>   Mi niño descansa.
MUJER. (*Bajito.*)
>   Duérmete, clavel,
>   que el caballo no quiere beber.
SUEGRA. (*Levantándose, y muy bajito.*)
>   Duérmete, rosal,
>   que el caballo se pone a llorar.

>   (*Entran al niño. Entra* LEONARDO.)

LEONARDO.—¿Y el niño?

MUJER.—Se durmió.

LEONARDO.—Ayer no estuvo bien. Lloró por la noche.

MUJER. (*Alegre.*)—Hoy está como una dalia. ¿Y tú? ¿Fuiste a casa del herrador?

LEONARDO.—De allí vengo. ¿Querrás creer? Llevo más de dos meses poniendo herraduras nuevas al caballo y siempre se le caen. Por lo visto se las arranca con las piedras.

MUJER.—¿Y no será que lo usas mucho?

LEONARDO.—No. Casi no lo utilizo.

MUJER.—Ayer me dijeron las vecinas que te habían visto al límite de los llanos.

LEONARDO.—¿Quién lo dijo?

MUJER.—Las mujeres que cogen las alcaparras. Por cierto que me sorprendió. ¿Eras tú?

LEONARDO.—No. ¿Qué iba a hacer yo allí, en aquel secano?

MUJER.—Eso dije. Pero el caballo estaba reventado de sudor.

LEONARDO.—¿Lo viste tú?

MUJER.—No. Mi madre.

LEONARDO.—¿Está con el niño?

MUJER.—Sí. ¿Quieres un refresco de limón?

LEONARDO.—Con el agua bien fría.

MUJER.—¡Como no viniste a comer!...

LEONARDO.—Estuve con los medidores del trigo. Siempre entretienen.

MUJER. (*Haciendo el refresco y muy tierna.*)—¿Y lo pagan a buen precio?

LEONARDO.—El justo.

MUJER.—Me hace falta un vestido y al niño una gorra con lazos.

LEONARDO. (*Levantándose.*)—Voy a verlo.

MUJER.—Ten cuidado, que está dormido.

SUEGRA. (*Saliendo.*)—Pero ¿quién da esas carreras al caballo? Está abajo, tendido, con los ojos desorbitados, como si llegara del fin del mundo.

LEONARDO. (*Agrio.*)—Yo.

SUEGRA.—Perdona; tuyo es.

MUJER. (*Tímida.*)—Estuvo con los medidores del trigo.

SUEGRA.—Por mí, que reviente. (*Se sienta.*)

(*Pausa.*)

MUJER.—El refresco. ¿Está frío?

LEONARDO.—Sí.

MUJER.—¿Sabes que piden a mi prima?

LEONARDO.—¿Cuándo?

MUJER.—Mañana. La boda será dentro de un mes. Espero que vendrán a invitarnos.

LEONARDO. (*Serio.*)—No sé.

SUEGRA.—La madre de él creo que no estaba muy satisfecha con el casamiento.

LEONARDO.—Y quizá tenga razón. Ella es de cuidado.

MUJER.—No me gusta que penséis mal de una buena muchacha.

SUEGRA.—Pero cuando dice eso es porque la conoce. ¿No ves que fue tres años novia suya? (*Con intención.*)

LEONARDO.—Pero la dejé. (*A su mujer.*) ¿Vas a llorar ahora? ¡Quita! (*La aparta bruscamente las manos de la cara.*) Vamos a ver al niño. (*Entran abrazados.*)

> (*Aparece la* MUCHACHA, *alegre. Entra corriendo.*)

MUCHACHA.—Señora.

SUEGRA.—¿Qué pasa?

MUCHACHA.—Llegó el novio a la tienda y ha comprado todo lo mejor que había.

SUEGRA.—¿Vino solo?

MUCHACHA.—No, con su madre. Seria, alta. (*La imita.*) Pero ¡qué lujo!

SUEGRA.—Ellos tienen dinero.

MUCHACHA.—¡Y compraron unas medias caladas!... ¡Ay, qué medias! ¡El sueño de las mujeres en medias! Mire usted: una golondrina aquí (*Señala el tobillo.*), un barco aquí (*Señala la pantorrilla.*) y aquí una rosa. (*Señala el muslo.*)

SUEGRA.—¡Niña!

MUCHACHA.—¡Una rosa con las semillas y el tallo! ¡Ay! ¡Todo en seda!

SUEGRA.—Se van a juntar dos buenos capitales.

(*Aparecen* LEONARDO *y su* MUJER.)

MUCHACHA.—Vengo a deciros lo que están comprando.

LEONARDO. (*Fuerte.*)—No nos importa.

MUJER.—Déjala.

SUEGRA.—Leonardo, no es para tanto.

MUCHACHA.—Usted dispense. (*Se va llorando.*)

SUEGRA.—¿Qué necesidad tienes de ponerte a mal con las gentes?

LEONARDO.—No le he preguntado su opinión. (*Se sienta.*)

SUEGRA.—Está bien.

(*Pausa.*)

MUJER. (*A* LEONARDO.)—¿Qué te pasa? ¿Qué idea te bulle por dentro de la cabeza? No me dejes así, sin saber nada.

LEONARDO.—Quita.

MUJER.—No. Quiero que me mires y me lo digas.

LEONARDO.—Déjame. (*Se levanta.*)

MUJER.—¿Adónde vas, hijo?

LEONARDO. (*Agrio.*)—¿Te puedes callar?

SUEGRA. (*Enérgica, a su hija.*)—¡Cállate! (*Sale* LEONARDO.) ¡El niño! (*Entra y vuelve a salir con él en brazos.*)

(*La* MUJER *ha permanecido de pie, inmóvil.*)

Las patas heridas,
las crines heladas,
dentro de los ojos
un puñal de plata.
Bajan al río.

La sangre corría.
más fuerte que el agua.

Mujer. (*Volviéndose lentamente y como soñando.*)
Duérmete, clavel,
que el caballo se pone a beber.

Suegra.
Duérmete, rosal,
que el caballo se pone a llorar.

Mujer.—Nana, niño, nana.

Suegra.
¡Ay, caballo grande,
que no quiso el agua!

Mujer. (*Dramática.*)
¡No vengas, no entres!
¡Vete a la montaña!
¡Ay dolor de nieve,
caballo del alba!

Suegra. (*Llorando.*)
Mi niño se duerme...

Mujer. (*Llorando y acercándose lentamente.*)
Mi niño descansa...

Suegra.
Duérmete, clavel,
que el caballo no quiere beber.

Mujer. (*Llorando y apoyándose sobre la mesa.*)
Duérmete, rosal,
que el caballo se pone a llorar.

TELÓN

CUADRO TERCERO

Interior de la cueva donde vive la NOVIA. Al fondo,
una cruz de grandes flores rosa. Las puertas, re-
dondas, con cortinajes de encaje y lazos rosa. Por
las paredes, de material blanco y duro, abanicos
redondos, jarros azules y pequeños espejos.

CRIADA.—Pasen... (*Muy afable, llena de hipocresía
humilde. Entran el* NOVIO *y su* MADRE. *La* MADRE
viste de raso negro y lleva mantilla de encaje. El
NOVIO, *de pana negra con gran cadena de oro.*)
¿Se quieren sentar? Ahora vienen. (*Sale.*)

> (*Quedan* MADRE *e* HIJO *sentados, inmó-*
> *viles, como estatuas. Pausa larga.*)

MADRE.—¿Traes el reloj?
NOVIO.—Sí. (*Lo saca y lo mira.*)
MADRE.—Tenemos que volver a tiempo. ¡Qué lejos
vive esta gente!
NOVIO.—Pero estas tierras son buenas.
MADRE.—Buenas; pero demasiado solas. Cuatro ho-
ras de camino y ni una casa ni un árbol.
NOVIO.—Estos son los secanos.
MADRE.—Tu padre los hubiera cubierto de árboles.
NOVIO.—¿Sin agua?
MADRE.—Ya la hubiera buscado. Los tres años que
estuvo casado conmigo, plantó diez cerezos. (*Ha-
ciendo memoria.*) Los tres nogales del molino,
toda una viña y una planta que se llama Júpiter,
que da flores encarnadas, y se secó.

(*Pausa.*)

16

Novio. (*Por la* Novia.)—Debe estar vistiéndose.

> (*Entra el* Padre de la Novia. *Es ancia-
> no, con el cabello blanco, reluciente. Lle-
> va la cabeza inclinada. La* Madre *y el*
> Novio *se levantan y se dan las manos en
> silencio.*)

Padre.—¿Mucho tiempo de viaje?

Madre.—Cuatro horas. (*Se sientan.*)

Padre.—Habéis venido por el camino más largo.

Madre.—Yo estoy ya vieja para andar por las te-
rreras del río.

Novio.—Se marea.

> (*Pausa.*)

Padre.—Buena cosecha de esparto.

Novio.—Buena de verdad.

Padre.—En mi tiempo, ni esparto daba esta tierra.
Ha sido necesario castigarla y hasta llorarla, para que nos dé algo provechoso.

Madre.—Pero ahora da. No te quejes. Yo no vengo a pedirte nada.

Padre. (*Sonriendo.*)—Tú eres más rica que yo. Las
viñas valen un capital. Cada pámpano una mo-
neda de plata. Lo que siento es que las tierras...,
¿entiendes?..., estén separadas. A mí me gusta
todo junto. Una espina tengo en el corazón, y
es la huertecilla esa metida entre mis tierras,
que no me quieren vender por todo el oro del
mundo.

Novio.—Eso pasa siempre.

Padre.—Si pudiéramos con veinte pares de bueyes
traer tus viñas aquí y ponerlas en la ladera.
¡Qué alegría!...

Madre.—¿Para qué?

PADRE.—Lo mío es de ella y lo tuyo de él. Por eso. Para verlo todo junto, ¡que junto es una hermosura!

NOVIO.—Y serín menos trabajo.

MADRE.—Cuando yo me muera, vendéis aquello y compráis aquí al lado.

PADRE.—Vender, ¡vender! ¡Bah!; comprar, hija, comprarlo todo. Si yo hubiera tenido hijos hubiera comprado todo este monte hasta la parte del arroyo. Porque no es buena tierra; pero con brazos se la hace buena, y como no pasa gente no te roban los frutos y puedes dormir tranquilo.

(*Pausa.*)

MADRE.—Tú sabes a lo que vengo.

PADRE.—Sí.

MADRE.—¿Y qué?

PADRE.—Me parece bien. Ellos lo han hablado.

MADRE.—Mi hijo tiene y puede.

PADRE.—Mi hija también.

MADRE.—Mi hijo es hermoso. No ha conocido mujer. La honra más limpia que una sábana puesta al sol.

PADRE.—Qué te digo de la mía. Hace las migas a las tres, cuando el lucero. No habla nunca; suave como la lana, borda toda clase de bordados y puede cortar una maroma con los dientes.

MADRE.—Dios bendiga su casa.

PADRE.—Que Dios la bendiga.

(*Aparece la* CRIADA *con dos bandejas. Una con copas y la otra con dulces.*)

MADRE. (*Al* HIJO.)—¿Cuándo queréis la boda?

NOVIO.—El jueves próximo.

PADRE.—Día en que ella cumple veintidós años **justos.**

MADRE.—¡Veintidós años! Esa edad tendría mi hijo mayor si viviera. Que viviría caliente y macho como era, si los hombres no hubieran inventado las navajas.

PADRE.—En eso no hay que pensar.

MADRE.—Cada minuto. Métete la mano en el pecho.

PADRE.—Entonces el jueves. ¿No es así?

NOVIO.—Así es.

PADRE.—Los novios y nosotros iremos en coche hasta la iglesia, que está muy lejos, y el acompañamiento en los carros y en las caballerías que traigan.

MADRE.—Conformes.

(*Pasa la* CRIADA.)

PADRE.—Dile que ya puede entrar. (*A la* MADRE.) Celebraré mucho que te guste.

(*Aparece la* NOVIA. *Trae las manos caídas en actitud modesta y la cabeza baja.*)

MADRE.—Acércate. ¿Estás contenta?

NOVIA.—Sí, señora.

PADRE.—No debes estar seria. Al fin y al cabo ella va a ser tu madre.

NOVIA.—Estoy contenta. Cuando he dado el sí es porque quiero darlo.

MADRE.—Naturalmente. (*Le coge la barbilla.*) Mírame.

PADRE.—Se parece en todo a mi mujer.

MADRE.—¿Sí? ¡Qué hermoso mirar! ¿Tú sabes lo que es casarse, criatura?

NOVIA. (*Seria.*)—Lo sé.

MADRE.—Un hombre, unos hijos y una pared de dos varas de ancho para todo lo demás.

NOVIO.—¿Es que hace falta otra cosa?

MADRE.—No. Que vivan todos, ¡eso! ¡Que vivan!

Novia.—Yo sabré cumplir.

Madre.—Aquí tienes unos regalos.

Novia.—Gracias.

Padre.—¿No tomamos algo?

Madre.—Yo no quiero. (*Al* Novio.) ¿Y tú?

Novio.—Tomaré. (*Toma un dulce. La* Novia *toma otro.*)

Padre. (*Al* Novio.)—¿Vino?

Madre.—No lo prueba.

Padre.—¡Mejor!

    (*Pausa. Todos están de pie.*)

Novio. (*A la* Novia.)—Mañana vendré.

Novia.—¿A qué hora?

Novio.—A las cinco.

Novia.—Yo te espero.

Novio.—Cuando me voy de tu lado siento un despego grande y así como un nudo en la garganta.

Novia.—Cuando seas mi marido ya no lo tendrás.

Novio.—Eso digo yo.

Madre.—Vamos. El sol no espera. (*Al* Padre.) ¿Conformes en todo?

Padre.—Conformes.

Madre. (*A la* Criada.)—Adiós, mujer.

Criada.—Vayan ustedes con Dios.

    (*La* Madre *besa a la* Novia *y van saliendo en silencio.*)

Madre. (*En la puerta.*)—Adiós, hija.

    (*La* Novia *contesta con la mano.*)

Padre.—Yo salgo con vosotros.

    (*Salen.*)

CRIADA.—Que reviento por ver los regalos.

NOVIA. (*Agria.*)—Quita.

CRIADA.—¡Ay, niña, enséñamelos!

NOVIA.—No quiero.

CRIADA.—Siquiera las medias. Dicen que son todas
caladas. ¡Mujer!

NOVIA.—¡Ea, que no!

CRIADA.—Por Dios. Está bien. Parece como si no
tuvieras ganas de casarte.

NOVIA. (*Mordiéndose la mano con rabia.*)—¡Ay!

CRIADA.—Niña, hija, ¿qué te pasa? ¿Sientes dejar
tu vida de reina? No pienses en cosas agrias.
¿Tienes motivo? Ninguno. Vamos a ver los regalos. (*Coge la caja.*)

NOVIA. (*Cogiéndola de las muñecas.*)—Suelta.

CRIADA.—¡Ay, mujer!

NOVIA.—Suelta he dicho.

CRIADA.—Tienes más fuerza que un hombre.

NOVIA.—¿No he hecho yo trabajos de hombre?
¡Ojalá fuera!

CRIADA.—¡No hables así!

NOVIA.—Calla he dicho. Hablemos de otro asunto.

> (*La luz va desapareciendo de la esce-
> na. Pausa larga.*)

CRIADA.—¿Sentiste anoche un caballo?

NOVIA.—¿A qué hora?

CRIADA.—A las tres.

NOVIA.—Sería un caballo suelto de la manada.

CRIADA.—No. Llevaba jinete.

NOVIA.—¿Por qué lo sabes?

CRIADA.—Porque lo vi. Estuvo parado en tu ventana. Me chocó mucho.

NOVIA.—¿No sería mi novio? Algunas veces ha pasado a esas horas.

CRIADA.—No.

Novia.—¿Tú le viste?

Criada.—Sí.

Novia.—¿Quién era?

Criada.—Era Leonardo.

Novia. (*Fuerte.*)—¡Mentira! ¡Mentira! ¿A qué viene aquí?

Criada.—Vino.

Novia.—¡Cállate! ¡Maldita sea tu lengua!

(*Se siente el ruido de un caballo.*)

Criada. (*En la ventana.*)—Mira, asómate. ¿Era?

Novia.—¡Era!

TELÓN RÁPIDO

ACTO SEGUNDO

CUADRO PRIMERO

Zaguán de casa de la Novia. Portón al fondo. Es de noche. La Novia sale con enaguas blancas encañonadas, llenas de encajes y puntas bordadas, y un corpiño blanco, con los brazos al aire. La Criada, lo mismo.

CRIADA.—Aquí te acabaré de peinar.

NOVIA.—No se puede estar ahí dentro, del calor.

CRIADA.—En estas tierras no refresca ni al amanecer.

(*Se sienta la* Novia *en una silla baja y se mira en un espejito de mano. La* CRIADA *la peina.*)

NOVIA.—Mi madre era de un sitio donde había muchos árboles. De tierra rica.

CRIADA.—¡Así era ella de alegre!

NOVIA.—Pero se consumió aquí.

CRIADA.—El sino.

NOVIA.—Como nos consumimos todas. Echan fuego las paredes. ¡Ay!, no tires demasiado.

CRIADA.—Es para arreglarte mejor esta onda. Quiero que te caiga sobre la frente. (*La* Novia *se mira en el espejo.*) ¡Qué hermosa estás! ¡Ay! (*La besa apasionadamente.*)

Novia. (*Seria.*)—Sigue peinándome.

Criada. (*Peinándola.*)—¡Dichosa tú que vas a abrazar a un hombre, que lo vas a besar, que vas a sentir su peso!

Novia.—Calla.

Criada.—Y lo mejor es cuando te despiertes y lo sientas al lado y que él te roza los hombros con su aliento, como con una plumilla de ruiseñor.

Novia. (*Fuerte.*)—¿Te quieres callar?

Criada.—¡Pero, niña! Una boda, ¿qué es? Una boda es esto y nada más. ¿Son los dulces? ¿Son los ramos de flores? No. Es una cama relumbrante y un hombre y una mujer.

Novia.—No se debe decir.

Criada.—Eso es otra cosa. ¡Pero es bien alegre!

Novia.—O bien amargo.

Criada.—El azahar te lo voy a poner desde aquí hasta aquí, de modo que la corona luzca sobre el peinado. (*Le prueba un ramo de azahar.*)

Novia. (*Se mira en el espejo.*)—Trae. (*Coge el azahar y lo mira y deja caer la cabeza abatida.*)

Criada.—¿Qué es esto?

Novia.—Déjame.

Criada.—No son horas de ponerse triste. (*Animosa.*) Trae el azahar. (*La* Novia *tira el azahar.*) ¡Niña! ¿Qué castigo pides tirando al suelo la corona? ¡Levanta esa frente! ¿Es que no te quieres casar? Dilo. Todavía te puedes arrepentir. (*Se levanta.*)

Novia.—Son nublos. Un mal aire en el centro, ¿quién no lo tiene?

Criada.—Tú quieres a tu novio.

Novia.—Lo quiero.

Criada.—Sí, sí, estoy segura.

Novia.—Pero este es un paso muy grande.

Criada.—Hay que darlo.

NOVIA.—Ya me he comprometido.

CRIADA.—Te voy a poner la corona.

NOVIA. (*Se sienta.*)—Date prisa, que ya deben ir llegando.

CRIADA.—Ya llevarán lo menos dos horas de camino.

NOVIA.—¿Cuánto hay de aquí a la iglesia?

CRIADA.—Cinco leguas por el arroyo, que por el camino hay el doble. (*La* NOVIA *se levanta y la* CRIADA *se entusiasma al verla.*)

> Despierte la novia
> la mañana de la boda.
> ¡Que los ríos del mundo
> lleven tu corona!

NOVIA. (*Sonriente.*)—Vamos.

CRIADA. (*La besa entusiasmada y baila alrededor.*)

> Que despierte
> con el ramo verde
> del laurel florido.
> ¡Que despierte
> por el tronco y la rama
> de los laureles!

(*Se oyen unos aldabonazos.*)

NOVIA.—¡Abre! Deben ser los primeros convidados. (*Entra.*)

(*La* CRIADA *abre sorprendida.*)

CRIADA.—¿Tú?

LEONARDO.—Yo. Buenos días.

CRIADA.—¡El primero!

LEONARDO.—¿No me han convidado?

CRIADA.—Sí.

LEONARDO.—Por eso vengo.

CRIADA.—¿Y tu mujer?

LEONARDO.—Yo vine a caballo. Ella se acerca por el camino.

CRIADA.—¿No te has encontrado a nadie?

LEONARDO.—Los pasé con el caballo.

CRIADA.—Vas a matar al animal con tanta carrera.

LEONARDO.—¡Cuando se muera, muerto está!

(*Pausa.*)

CRIADA.—Siéntate. Todavía no se ha levantado nadie.

LEONARDO.—¿Y la novia?

CRIADA.—Ahora mismo la voy a vestir.

LEONARDO.—¡La novia! ¡Estará contenta!

CRIADA. (*Variando de conversación.*)—¿Y el niño?

LEONARDO.—¿Cuál?

CRIADA.—Tu hijo.

LEONARDO. (*Recordando como soñoliento.*)—¡Ah!

CRIADA.—¿Lo traen?

LEONARDO.—No.

(*Pausa. Voces cantando muy lejos.*)

VOCES.

> ¡Despierte la novia
> la mañana de la boda!

LEONARDO.

> Despierte la novia
> la mañana de la boda.

CRIADA.—Es la gente. Vienen lejos todavía.

LEONARDO. (*Levantándose.*)—La novia llevará una corona grande, ¿no? No debía ser tan grande. Un poco más pequeña le sentaría mejor. ¿Y tra-

jo ya el novio el azahar que se tiene que poner
en el pecho?

NOVIA. (*Apareciendo todavía en enaguas y con la
corona de azahar puesta.*)—Lo trajo.

CRIADA. (*Fuerte.*)—No salgas así.

NOVIA.—¿Qué más da? (*Seria.*) ¿Por qué preguntas si trajeron el azahar? ¿Llevas intención?

LEONARDO—Ninguna. ¿Qué intención iba a tener?
(*Acercándose.*) Tú, que me conoces, sabes que no
la llevo. Dímelo. ¿Quién he sido yo para ti?
Abre y refresca tu recuerdo. Pero dos bueyes y
una mala choza son casi nada. Esa es la espina.

NOVIA.—¿A qué vienes?

LEONARDO.—A ver tu casamiento.

NOVIA.—¡También yo vi el tuyo!

LEONARDO.—Amarrado por ti, hecho con tus dos
manos. A mí me pueden matar, pero no me
pueden escupir. Y la plata, que brilla tanto, escupe algunas veces.

NOVIA.—¡Mentira!

LEONARDO.—No quiero hablar, porque soy hombre
de sangre, y no quiero que todos estos cerros
oigan mis voces.

NOVIA.—Las mías serían más fuertes.

CRIADA.—Estas palabras no pueden seguir. Tú no
tienes que hablar de lo pasado. (*La* CRIADA *mira
las puertas presa de inquietud.*)

NOVIA.—Tienes razón. Yo no debo hablarte siquiera. Pero se me calienta el alma de que vengas a verme y atisbar mi boda y preguntes con
intención por el azahar. Vete y espera a tu mujer en la puerta.

LEONARDO.—¿Es que tú y yo no podemos hablar?

CRIADA. (*Con rabia.*)—No; no podéis hablar.

LEONARDO.—Después de mi casamiento he pensado
noche y día de quién era la culpa, y cada vez

que pienso sale una culpa nueva que se come
a la otra; pero ¡siempre hay culpa!

NOVIA.—Un hombre con su caballo sabe mucho y
puede mucho para poder estrujar a una muchacha metida en un desierto. Pero yo tengo
orgullo. Por eso me caso. Y me encerraré con
mi marido, a quien tengo que querer por encima de todo.

LEONARDO.—El orgullo no te servirá de nada. (*Se
acerca.*)

NOVIA.—¡No te acerques!

LEONARDO.—Callar y quemarse es el castigo más
grande que nos podemos echar encima. ¿De
qué me sirvió a mí el orgullo y el no mirarte
y el dejarte despierta noches y noches? ¡De
nada! ¡Sirvió para echarme fuego encima! Porque tú crees que el tiempo cura y que las paredes tapan, y no es verdad, no es verdad.
¡Cuando las cosas llegan a los centros, no hay
quien las arranque!

NOVIA. (*Temblando.*)—No puedo oírte. No puedo
oír tu voz. Es como si me bebiera una botella
de anís y me durmiera en una colcha de rosas.
Y me arrastra y sé que me ahogo, pero voy
detrás.

CRIADA. (*Cogiendo a* LEONARDO *por las solapas.*)—
¡Debes irte ahora mismo!

LEONARDO.—Es la última vez que voy a hablar con
ella. No temas nada.

NOVIA.—Y sé que estoy loca y sé que tengo el
pecho podrido de aguantar, y aquí estoy quieta
por oírlo, por verlo menear los brazos.

LEONARDO.—No me quedo tranquilo si no te digo
estas cosas. Yo me casé. Cásate tú ahora.

CRIADA. (*A* LEONARDO.)—¡Y se casa!

VOCES. (*Cantando más cerca.*)

Despierte la novia
la mañana de la boda.

NOVIA.—¡Despierte la novia!

(*Sale corriendo a su cuarto.*)

CRIADA.—Ya está aquí la gente. (*A* LEONARDO.) No
te vuelvas a acercar a ella.
LEONARDO.—*Descuida.* (*Sale por la izquierda.*)

(*Empieza a clarear el día.*)

MUCHACHA 1.ª (*Entrando.*)
Despierte la novia
la mañana de la boda;
ruede la ronda
y en cada balcón una corona.

VOCES.—¡Despierte la novia!
CRIADA. (*Moviendo algazara.*)
Que despierte
con el ramo verde
del amor florido.
¡Que despierte
por el tronco y la rama
de los laureles!

MUCHACHA 2.ª (*Entrando.*)
Que despierte
con el largo pelo,
camisa de nieve,
botas de charol y plata
y jazmines en la frente.

CRIADA.
¡Ay pastora,
que la luna asoma!

MUCHACHA 1.ª

> ¡Ay galán,
> deja tu sombrero por el olivar!

MOZO 1.º (*Entrando con el sombrero en alto.*)

> Despierte la novia,
> que por los campos viene
> rondando la boda,
> con bandejas de dalias
> y panes de gloria.

VOCES.—¡Despierte la novia!

MUCHACHA 2.ª

> La novia
> se ha puesto su blanca corona,
> y el novio
> se la prende con lazos de oro.

CRIADA.

> Por el toronjil
> la novia no puede dormir.

MUCHACHA 3.ª (*Entrando.*)

> Por el naranjel
> el novio le ofrece cuchara y mantel.

> (*Entran tres* CONVIDADOS.)

MOZO 1.º

> ¡Despierta, paloma!
> El alba despeja
> campanas de sombra.

CONVIDADO.

> La novia, la blanca novia,
> hoy doncella,
> mañana señora.

MUCHACHA 1.ª

> Baja, morena,
> arrastrando tu cola de seda.

CONVIDADO.

> Baja, morenita,
> que llueve rocío la mañana fría.

MOZO 1.º

> Despertad, señora, despertad,
> porque viene el aire lloviendo azahar.

CRIADA.

> Un árbol quiero bordarle
> lleno de cintas granates
> y en cada cinta un amor
> con vivas alrededor.

VOCES.—¡Despierte la novia!

MOZO 1.º

> ¡La mañana de la boda!

CONVIDADO.

> La mañana de la boda
> qué galana vas a estar;
> pareces, flor de los montes,
> la mujer de un capitán.

PADRE. (*Entrando.*)

> La mujer de un capitán
> se lleva el novio.
> ¡Ya viene con sus bueyes por el tesoro!

MUCHACHA 3.ª

> El novio
> parece la flor del oro.
> Cuando camina,
> a sus plantas se agrupan las clavelinas.

17

CRIADA.

>   ¡Ay mi niña dichosa!

Mozo 2.º

>   Que despierte la novia.

CRIADA.

>   ¡Ay mi galana!

MUCHACHA 1.ª

>   La boda está llamando
>   por las ventanas.

MUCHACHA 2.ª

>   Que salga la novia.

MUCHACHA 1.ª

>   ¡Que salga, que salga!

CRIADA.

>   ¡Que toquen y repiquen
>   las campanas!

Mozo 1.º

>   ¡Que viene aquí! ¡Que sale ya!

CRIDA.—¡Como un toro, la boda levantándose está!

> (*Aparece la* NOVIA. *Lleva un traje negro mil novecientos, con caderas y larga cola rodeada de gasas plisadas y encajes duros. Sobre el peinado de visera lleva la corona de azahar. Suenan las guitarras. Las* MUCHACHAS *besan a la* NOVIA.)

MUCHACHA 3.ª—¿Qué esencia te echaste en el pelo?

NOVIA. (*Riendo.*)—Ninguna.

MUCHACHA 2.ª (*Mirando el traje.*)—La tela es de lo que no hay.

Mozo 1.º—¡Aquí está el novio!

NOVIO.—¡Salud!

MUCHACHA 1.ª (*Poniéndole una flor en la oreja.*)—

>   El novio
>   parece la flor del oro.

Muchacha 2.ª
>
> ¡Aires de sosiego
> le manan los ojos!

(*El* Novio *se dirige al lado de la* Novia.)

Novia.—¿Por qué te pusiste esos zapatos?

Novio.—Son más alegres que los negros.

Mujer de Leonardo. (*Entrando y besando a la* Novia.)—¡Salud!

(*Hablan todas con algazara.*)

Leonardo. (*Entrando como quien cumple un deber.*)
>
> La mañana de casada
> la corona te ponemos.

Mujer.
>
> ¡Para que el campo se alegre
> con el agua de tu pelo!

Madre. (*Al* Padre.)—¿También están esos aquí?

Padre.—Son familia. ¡Hoy es día de perdones!

Madre.—Me aguanto, pero no perdono.

Novio.—¡Con la corona da alegría mirarte!

Novia.—¡Vámonos pronto a la iglesia!

Novia.—¿Tienes prisa?

Novia.—Sí. Estoy deseando ser tu mujer y quedarme sola contigo, y no oír más voz que la tuya.

Novio.—¡Eso quiero yo!

Novia.—Y no ver más que tus ojos. Y que me abrazaras tan fuerte, que aunque me llamara mi madre, que está muerta, no me pudiera despegar de ti.

Novio.—Yo tengo fuerza en los brazos. Te voy a abrazar cuarenta años seguidos.

Novia. (*Dramática, cogiéndole del brazo.*)—¡Siempre!

Padre.—¡Vamos pronto! ¡A coger las caballerías y los carros! Que ya ha salido el sol.

MADRE.—¡Que llevéis cuidado! No sea que tengamos mala hora.

> (*Se abre el gran portón del fondo. Empiezan a salir.*)

CRIADA. (*Llorando.*)
> Al salir de tu casa,
> blanca doncella,
> acuérdate que sales
> como una estrella...

MUCHACHA 1.ª
> Limpia de cuerpo y ropa
> al salir de tu casa para la boda.

> (*Van saliendo.*)

MUCHACHA 2.ª
> ¡Ya sales de tu casa
> para la iglesia!

CRIADA.
> ¡El aire pone flores
> por las arenas!

MUCHACHA 3.ª
> ¡Ay la blanca niña!

CRIADA.
> Aire oscuro el encaje
> de su mantilla.

> (*Salen. Se oyen guitarras, palillos y panderetas. Quedan solos* LEONARDO *y su* MUJER.)

MUJER.—Vamos.

LEONARDO.—¿Adónde?

MUJER.—A la iglesia. Pero no vas en el caballo. Vienes conmigo.

LEONARDO.—¿En el carro?

MUJER.—¿Hay otra cosa?

LEONARDO.—Yo no soy hombre para ir en carro.

MUJER.—Y yo no soy mujer para ir sin su marido a un casamiento. ¡Que no puedo más!

LEONARDO.—¡Ni yo tampoco!

MUJER.—¿Por qué me miras así? Tienes una espina en cada ojo.

LEONARDO.—¡Vamos!

MUJER.—No sé lo que pasa. Pero pienso y no quiero pensar. Una cosa sé. Yo ya estoy despachada. Pero tengo un hijo. Y otro que viene. Vamos andando. El mismo sino tuvo mi madre. Pero de aquí no me muevo.

(*Voces fuera.*)

VOCES.

> ¡Al salir de tu casa
> para la iglesia,
> acuérdate que sales
> como una estrella.

MUJER. (*Llorando.*)

> ¡Acuérdate que sales
> como una estrella!

Así salí yo de mi casa también. Que me cabía todo el campo en la boca.

LEONARDO. (*Levantándose.*)—Vamos.

MUJER.—¡Pero contigo!

LEONARDO.—Sí. (*Pausa.*) Echa a andar! (*Salen.*)

VOCES.

> ¡Al salir de tu casa
> para la iglesia,
> acuérdate que sales
> como una estrella.

TELÓN LENTO

CUADRO SEGUNDO

Exterior de la cueva de la Novia. Entonación en
blancos grises y azules fríos. Grandes chumberas.
Tonos sombríos y plateados. Panorama de mese-
tas color barquillo, todo endurecido como paisaje
de cerámica popular.

Criada. (*Arreglando en una mesa copas y bandejas.*)

> Giraba,
> giraba la rueda
> y el agua pasaba,
> porque llega la boda,
> que se aparten las ramas
> y la luna se adorne
> por su blanca baranda.

(*En voz alta.*)

¡Pon los manteles!

(*En voz patética.*)

> Cantaban,
> cantaban los novios
> y el agua pasaba,
> porque llega la boda,
> que relumbre la escarcha
> y se llenen de miel
> las almendras amargas.

(*En voz alta.*)

¡Prepara el vino!

(*En voz poética.*)

Galana,
galana de la tierra,
mira cómo el agua pasa.
Porque llega tu boda
recógete las faldas
y bajo el ala del novio
nunca salgas de tu casa.
Porque el novio es un palomo
con todo el pecho de brasa
y espera el campo el rumor
de la sangre derramada.
Giraba,
giraba la rueda
y el agua pasaba.
¡Porque llega tu boda,
deja que relumbre el agua!

MADRE. (*Entrando.*)—¡Por fin!

PADRE.—¿Somos los primeros?

CRIADA.—No. Hace rato llegó Leonardo con su mujer. Corrieron como demonios. La mujer llegó muerta de miedo. Hicieron el camino como si hubieran venido a caballo.

PADRE.—Ese busca la desgracia. No tiene buena sangre.

MADRE.—¿Qué sangre va a tener? La de toda su familia. Mana de su bisabuelo, que empezó matando, y sigue en toda la mala ralea, manejadores de cuchillos y gente de falsa sonrisa.

PADRE.—¡Vamos a dejarlo!

CRIADA.—¿Cómo lo va a dejar?

MADRE.—Me duele hasta la punta de las venas. En la frente de todos ellos yo no veo más que la mano con que mataron a lo que era mío. ¿Tú me ves a mí? ¿No te parezco loca? Pues es loca de no haber gritado todo lo que mi pecho necesita. Tengo en mi pecho un grito siempre puesto de pie a quien tengo que castigar y meter entre los mantos. Pero me llevan a los muertos y hay que callar. Luego la gente critica. (*Se quita el manto.*)

PADRE.—Hoy no es día de que te acuerdes de esas cosas.

MADRE.—Cuando sale la conversación, tengo que hablar. Y hoy más. Porque hoy me quedo sola en mi casa.

PADRE.—En espera de estar acompañada.

MADRE.—Esa es mi ilusión: los nietos. (*Se sientan.*)

PADRE.—Yo quiero que tengan muchos. Esta tierra necesita brazos que no sean pagados. Hay que sostener una batalla con las malas hierbas, con los cardos, con los pedruscos que salen no se sabe dónde. Y estos brazos tienen que ser de los dueños, que castiguen y que dominen, que hagan brotar las simientes. Se necesitan muchos hijos.

MADRE.—¡Y alguna hija! ¡Los varones son del viento! Tienen por fuerza que manejar armas. Las niñas no salen jamás a la calle.

PADRE. (*Alegre.*)—Yo creo que tendrán de todo.

MADRE.—Mi hijo la cubrirá bien. Es de buena simiente. Su padre pudo haber tenido conmigo muchos hijos.

PADRE.—Lo que yo quisiera es que esto fuera cosa de un día. Que en seguida tuvieran dos o tres hombres.

MADRE.—Pero no es así. Se tarda mucho. Por eso es tan terrible ver la sangre de una derramada por el suelo. Una fuente que corre un minuto y a nosotros nos ha costado años. Cuando yo llegué a ver a mi hijo, estaba tumbado en mitad de la calle. Me mojé las manos de sangre y me las lamí con la lengua. Porque era mía. Tú no sabes lo que es eso. En una custodia de cristal y topacios pondría yo la tierra empapada por ella.

PADRE.—Ahora tienes que esperar. Mi hija es ancha y tu hijo es fuerte.

MADRE.—Así espero. (*Se levantan.*)

PADRE.—Prepara las bandejas de trigo.

CRIADA.—Están preparadas.

MUJER DE LEONARDO. (*Entrando.*)—¡Que sea para bien!

MADRE.—Gracias.

LEONARDO.—¿Va a haber fiesta?

PADRE.—Poca. La gente no puede entretenerse.

CRIADA.—¡Ya están aquí!

> (*Van entrando* INVITADOS *en alegres grupos. Entran los* NOVIOS *cogidos del brazo. Sale* LEONARDO.)

NOVIO.—En ninguna boda se vio tanta gente.

NOVIA. (*Sombría.*)—En ninguna.

PADRE.—Fue lucida.

MADRE.—Ramas enteras de familias han venido.

NOVIO.—Gente que no salía de su casa.

MADRE.—Tu padre sembró mucho y ahora lo recoges tú.

NOVIO.—Hubo primos míos que yo ya no conocía.

MADRE.—Toda la gente de la costa.

NOVIO. (*Alegre.*)—Se espantaban de los caballos.

> (*Hablan.*)

MADRE. (*A la* NOVIA.)—¿Qué piensas?

NOVIA.—No pienso en nada.

MADRE.—Las bendiciones pesan mucho.

(*Se oyen las guitarras.*)

NOVIA.—Como el plomo.

MADRE. (*Fuerte.*)—Pero no han de pesar. Ligera como paloma debes ser.

NOVIA.—¿Se queda usted aquí esta noche?

MADRE.—No. Mi casa está sola.

NOVIA.—¡Debía usted quedarse!

PADRE. (*A la* MADRE.)—Mira el baile que tienen formado. Bailes de allá de la orilla del mar.

(*Sale* LEONARDO *y se sienta. Su* MUJER, *detrás de él, en actitud rígida.*)

MADRE.—Son los primos de mi marido. Duros como piedras para la danza.

PADRE.—Me alegra el verlos. ¡Qué cambio para esta casa! (*Se va.*)

NOVIO. (*A la* NOVIA.)—¿Te gustó el azahar?

NOVIA. (*Mirándole fija.*)—Sí.

NOVIO.—Es todo de cera. Dura siempre. Me hubiera gustado que llevaras en todo el vestido.

NOVIA.—No hace falta.

(*Mutis* LEONARDO *por la derecha.*)

MUCHACHA 1.ª—Vamos a quitarle los alfileres.

NOVIA. (*Al* NOVIO.)—Ahora vuelvo.

MUJER.—¡Que seas feliz con mi prima!

NOVIO.—Tengo seguridad.

MUJER.—Aquí los dos; sin salir nunca y a levantar la casa. ¡Ojalá yo viviera también así de lejos!

NOVIO.—¿Por qué no compráis tierras? El monte es barato y los hijos se crían mejor.

MUJER.—No tenemos dinero. ¡Y con el camino que llevamos!

Novio.—Tu marido es un buen trabajador.

Mujer.—Sí, pero le gusta volar demasiado. Ir de una cosa a otra. No es hombre tranquilo.

Criada.—¿No tomáis nada? Te voy a envolver unos roscos de vino para tu madre, que a ella le gustan mucho.

Novio.—Ponle tres docenas.

Mujer.—No, no. Con media tiene bastante.

Novio.—Un día es un día.

Mujer. (*A la* Criada.)—¿Y Leonardo?

Criada.—No lo vi.

Novio.—Debe estar con la gente.

Mujer.—¡Voy a ver! (*Se va.*)

Criada.—Aquello está hermoso.

Novio.—¿Y tú no bailas?

Criada.—No hay quien me saque.

> (*Pasan al fondo dos* Muchachas; *durante todo este acto, el fondo será un animado cruce de figuras.*)

Novio. (*Alegre.*)—Eso se llama no entender. Las viejas frescas como tú bailan mejor que las jóvenes.

Criada.—Pero ¿vas a echarme requiebros, niño? ¡Qué familia la tuya! ¡Machos entre los machos! Siendo niña vi la boda de tu abuelo. ¡Qué figura! Parecía como si se casara un monte.

Novio.—Yo tengo menos estatura.

Criada.—Pero el mismo brillo en los ojos. ¿Y la niña?

Novio.—Quitándose la toca.

Criada.—¡Ah! Mira. Para la medianoche, como no dormiréis, os he preparado jamón y unas copas grandes de vino antiguo. En la parte baja de la alacena. Por si lo necesitáis.

Novio. (*Sonriente.*)—No como a medianoche.

CRIADA. (*Con malicia.*)—Si tú no, la novia. (*Se va.*)

Mozo 1.º (*Entrando.*)—¡Tienes que beber con nosotros!

Novio.—Estoy esperando a la novia.

Mozo 2.º—¡Ya la tendrás en la madrugada!

Mozo 1.º—¡Que es cuando más gusta!

Mozo 2.º—Un momento.

Novio.—Vamos.

> (*Salen. Se oye gran algazara. Sale la* Novia. *Por el lado opuesto salen dos* Muchachas *corriendo a encontrarla.*)

Muchacha 1.ª—¿A quién diste el primer alfiler, a mí o a ésta?

Novia.—No me acuerdo.

Muchacha 1.ª—A mí me lo diste aquí.

Muchacha 2.ª—A mí delante del altar.

Novia. (*Inquieta y con una gran lucha interior.*)— No sé nada.

Muchacha 1.ª—Es que yo quisiera que tú...

Novia. (*Interrumpiendo.*)—Ni me importa. Tengo mucho que pensar.

Muchacha 2.ª—Perdona.

> (Leonardo *cruza el fondo.*)

Novia. (*Ve a* Leonardo.)—Y estos momentos son agitados.

Muchacha 1.ª—¡Nosotras no sabemos nada!

Novia.—Ya lo sabréis cuando os llegue la hora. Estos pasos son pasos que cuestan mucho.

Muchacha 1.ª—¿Te ha disgustado?

Novia.—No. Perdonad vosotras.

Muchacha 2.ª—¿De qué? Pero los dos alfileres sirven para casarse, ¿verdad?

Novia.—Los dos.

MUCHACHA 1.ª—Ahora, que una se casa antes que otra.

NOVIA.—¿Tantas ganas tenéis?

MUCHACHA 2.ª (*Vergonzosa.*)—Sí.

NOVIA.—¿Para qué?

MUCHACHA 1.ª—Pues... (*Abrazando a la segunda.*)

> (*Echan a correr las dos. Llega el* NOVIO *y, muy despacio, abraza a la* NOVIA *por detrás.*)

NOVIA. (*Con gran sobresalto.*)—¡Quita!

NOVIO.—¿Te asustas de mí?

NOVIA.—¡Ay! ¿Eras tú?

NOVIO.—¿Quién iba a ser? (*Pausa.*) Tu padre o yo.

NOVIA.—¡Es verdad!

NOVIO.—Ahora que tu padre te hubiera abrazado más blando.

NOVIA. (*Sombría.*)—¡Claro!

NOVIO.—Porque es viejo. (*La abraza fuertemente de un modo un poco brusco.*)

NOVIA. (*Seca.*)—¡Déjame!

NOVIO.—¿Por qué? (*La deja.*)

NOVIA.—Pues... la gente. Pueden vernos.

> (*Vuelve a cruzar el fondo la* CRIADA, *que no mira a los* NOVIOS.)

NOVIO.—¿Y qué? Ya es sagrado.

NOVIA.—Sí, pero déjame... Luego.

NOVIO.—¿Qué tienes? ¡Estás como asustada!

NOVIA.—No tengo nada. No te vayas.

> (*Sale la* MUJER *de* LEONARDO.)

MUJER.—No quiero interrumpir...

NOVIO.—Dime.

MUJER.—¿Pasó por aquí mi marido?
NOVIO.—No.
MUJER.—Es que no lo encuentro y el caballo no
está tampoco en el establo.
NOVIO. (*Alegre.*)—Debe estar dándole una carrera.

> (*Se va la Mujer, inquieta. Sale la*
> CRIADA.)

CRIADA.—¿No andáis satisfechos de tanto saludo?
NOVIO.—Ya estoy deseando que esto acabe. La no-
via está un poco cansada.
CRIADA.—¿Qué es eso, niña?
NOVIA.—¡Tengo como un golpe en las sienes!
CRIADA.—Una novia de estos montes debe ser fuer-
te. (*Al* NOVIO.) Tú eres el único que la puedes
curar, porque tuya es. (*Sale corriendo.*)
NOVIO. (*Abrazándola.*)—Vamos un rato al baile.
(*La besa.*)
NOVIA. (*Angustiada.*)—No. Quisiera echarme en la
cama un poco.
NOVIO.—Yo te haré compañía.
NOVIA.—¡Nunca! ¿Con toda la gente aquí? ¿Qué
dirían? Déjame sosegar un momento.
NOVIO.—¡Lo que quieras! ¡Pero no estés así por
la noche!
NOVIA. (*En la puerta.*)—A la noche estaré mejor.
NOVIO.—¡Que es lo que yo quiero!

> (*Aparece la* MADRE.)

MADRE.—Hijo.
NOVIO.—¿Dónde anda usted?
MADRE.—En todo ese ruido. ¿Estás contento?
NOVIO.—Sí.
MADRE.—¿Y tu mujer?
NOVIO.—Descansa un poco. ¡Mal día para las no-
vias!

MADRE.—¿Mal día? El único bueno. Para mí fue como una herencia. (*Entra la* CRIADA *y se dirige al cuarto de la* NOVIA.) Es la roturación de las tierras, la plantación de árboles nuevos.

NOVIO.—¿Usted se va a ir?

MADRE.—Sí. Yo tengo que estar en mi casa.

NOVIO.—Sola.

MADRE.—Sola, no. Que tengo la cabeza llena de cosas y de hombres y de luchas.

NOVIO.—Pero luchas que ya no son luchas.

(*Sale la* CRIADA *rápidamente; desaparece corriendo por el fondo.*)

MADRE.—Mientras una vive, lucha.

NOVIO.—¡Siempre la obedezco!

MADRE.—Con tu mujer procura estar cariñoso, y si la notas infatuada o arisca, hazle una caricia que le produzca un poco de daño, un abrazo fuerte, un mordisco y luego un beso suave. Que ella no pueda disgustarse, pero que sienta que tú eres el macho, el amo, el que mandas. Así aprendí de tu padre. Y como no lo tienes, tengo que ser yo la que te enseñe estas fortalezas.

NOVIO.—Yo siempre haré lo que usted mande.

PADRE. (*Entrando.*)—¿Y mi hija?

NOVIO.—Está dentro.

MUCHACHA 1.ª—¡Vengan los novios, que vamos a bailar la rueda!

MOZO 1.º (*Al* NOVIO.)—Tú la vas a dirigir.

PADRE. (*Saliendo.*)—¡Aquí no está!

NOVIO.—¿No?

PADRE.—Debe haber subido a la baranda.

NOVIO.—¡Voy a ver! (*Entra.*)

(*Se oye algazara y guitarras.*)

MUCHACHA 1.ª—¡Ya ha empezado. (*Sale.*)

Novio. (*Saliendo.*)—No está.
Madre. (*Inquieta.*)—¿No?
Padre.—¿Y adónde puede haber ido?
Criada. (*Entrando.*)—Y la niña, ¿dónde está?
Madre. (*Seria.*)—No lo sabemos.

(*Sale el* Novio. *Entran tres* Invitados.)

Padre. (*Dramático.*)—Pero ¿no está en el baile?
Criada.—En el baile no está.
Padre. (*Con arranque.*)—Hay mucha gente. ¡Mirad!
Criada.—¡Ya he mirado!
Padre. (*Trágico.*)—¿Pues dónde está?
Novio. (*Entrando.*)—Nada. En ningún sitio.
Madre. (*Al* Padre.)—¿Qué es esto? ¿Dónde está tu
hija?

(*Entra la* Mujer *de* Leonardo.)

Mujer.—¡Han huido! ¡Han huido! Ella y Leonardo.
En el caballo. Van abrazados, como una exha-
lación.
Padre.—¡No es verdad! ¡Mi hija, no!
Madre.—¡Tu hija, sí! Planta de mala madre, y él,
él también, él. Pero ¡ya es la mujer de mi hijo!
Novio. (*Entrando.*)—¡Vamos detrás! ¿Quién tiene
un caballo?
Madre.—¿Quién tiene un caballo ahora mismo,
quién tiene un caballo? Que le daré todo lo que
tengo, mis ojos y hasta mi lengua...
Voz.—Aquí hay uno.
Madre. (*Al* Hijo.)—¡Anda! ¡Detrás! (*Salen con dos
mozos.*) No. No vayas. Esa gente mata pronto y
bien...; pero ¡sí, corre, y yo detrás!
Padre.—No será ella. Quizá se haya tirado al aljibe.
Madre.—Al agua se tiran las honradas, las lim-
pias; ¡esa, no! Pero ya es mujer de mi hijo.

Dos bandos. Aquí hay ya dos bandos. (*Entran todos.*) Mi familia y la tuya. Salid todos de aquí. Limpiarse el polvo de los zapatos. Vamos a ayudar a mi hijo. (*La gente se separa en dos grupos.*) Porque tiene gente; que son sus primos del mar y todos los que llegan de tierra adentro. ¡Fuera de aquí! Por todos los caminos. Ha llegado otra vez la hora de la sangre. Dos bandos. Tú con el tuyo y yo con el mío. ¡Atrás! ¡Atrás!

T E L Ó N

A C T O   T E R C E R O

CUADRO PRIMERO

Bosque. Es de noche. Grandes troncos húmedos.
Ambiente oscuro. Se oyen dos violines. Salen tres
LEÑADORES.

LEÑADOR 1.º—¿Y los han encontrado?
LEÑADOR 2.º—No. Pero los buscan por todas partes.
LEÑADOR 3.º—Ya darán con ellos.
LEÑADOR 2.º—¡Chissss!
LEÑADOR 3.º—¿Qué?
LEÑADOR 2.º—Parece que se acercan por todos los caminos a la vez.
LEÑADOR 1.º—Cuando salga la luna los verán.
LEÑADOR 2.º—Debían dejarlos.
LEÑADOR 1.º—El mundo es grande. Todos pueden vivir en él.
LEÑADOR 3.º—Pero los matarán.
LEÑADOR 2.º—Hay que seguir la inclinación: han hecho bien en huir.
LEÑADOR 1.º—Se estaban engañando uno a otro y al fin la sangre pudo más.
LEÑADOR 3.º—¡La sangre!
LEÑADOR 1.º—Hay que seguir el camino de la sangre.
LEÑADOR 2.º—Pero la sangre que ve la luz se la bebe la tierra.
LEÑADOR 1.º—¿Y qué? Vale más ser muerto desangrado que vivo con ella podrida.

LEÑADOR 3.º—Callar.

LEÑADOR 1.º—¿Qué? ¿Oyes algo?

LEÑADOR 3.º—Oigo los grillos, las ranas, el acecho de la noche.

LEÑADOR 1.º—Pero el caballo no se siente.

LEÑADOR 3.º—No.

LEÑADOR 1.º—Ahora la estará queriendo.

LEÑADOR 2.º—El cuerpo de ella era para él, y el cuerpo de él, para ella.

LEÑADOR 3.º—Los buscan y los matarán.

LEÑADOR 1.º—Pero ya habrán mezclado sus sangres y serán como dos cántaros vacíos, como dos arroyos secos.

LEÑADOR 2.º—Hay muchas nubes y será fácil que la luna no salga.

LEÑADOR 3.º—El novio los encontrará con luna o sin luna. Yo lo vi salir. Como una estrella furiosa. La cara color ceniza. Expresaba el sino de su casta.

LEÑADOR 1.º—Su casta de muertos en mitad de la calle.

LEÑADOR 2.º—¡Eso es!

LEÑADOR 3.º—¿Crees que ellos lograrán romper el cerco?

LEÑADOR 2.º—Es difícil. Hay cuchillos y escopetas a diez leguas a la redonda.

LEÑADOR 3.º—El lleva buen caballo.

LEÑADOR 2.º—Pero lleva una mujer.

LEÑADOR 1.º—Ya estamos cerca.

LEÑADOR 2.º—Un árbol de cuarenta ramas. Lo cortaremos pronto.

LEÑADOR 3.º—Ahora sale la luna. Vamos a darnos prisa.

(*Por la izquierda surge una claridad.*)

LEÑADOR 1.°

> ¡Ay luna que sales!
> Luna de las hojas grandes.

LEÑADOR 2.°

> ¡Llena de jazmines la sangre!

LEÑADOR 1.°

> ¡Ay luna sola!
> ¡Luna de las verdes hojas!

LEÑADOR 2.°

> Plata en la cara de la novia.

LEÑADOR 3.°

> ¡Ay luna mala!
> Deja para el amor la oscura rama.

LEÑADOR 1.°

> ¡Ay triste luna!
> ¡Deja para el amor la rama oscura!

> *(Salen. Por la claridad de la izquierda*
> *aparece la* LUNA. *La* LUNA *es un leñador*
> *joven, con la cara blanca. La escena ad-*
> *quiere un vivo resplandor azul.)*

LUNA.

> Cisne redondo en el río,
> ojo de las catedrales,
> alba fingida en las hojas
> soy; ¡no podrán escaparse!
> ¿Quién se oculta? ¿Quién solloza
> por la maleza del valle?
> La luna deja un cuchillo
> abandonado en el aire,
> que siendo acecho de plomo
> quiere ser dolor de sangre.
> ¡Dejadme entrar! ¡Vengo helada
> por paredes y cristales!
> ¡Abrid tejados y pechos
> donde pueda calentarme!

¡Tengo frío! Mis cenizas
de soñolientos metales
buscan la cresta del fuego
por los montes y las calles.
Pero me lleva la nieve
sobre su espalda de jaspe,
y me anega, dura y fría,
el agua de los estanques.
Pues esta noche tendrán
mis mejillas roja sangre,
y los juncos agrupados
en los anchos pies del aire.
¡No haya sombra ni emboscada,
que no puedan escaparse!
¡Que quiero entrar en un pecho
para poder calentarme!
¡Un corazón para mí!
¡Caliente!, que se derrame
por los montes de mi pecho;
dejadme entrar, ¡ay, dejadme!

(*A las ramas.*)

No quiero sombras. Mis rayos
han de entrar en todas partes,
y haya en los troncos oscuros
un rumor de claridades,
para que esta noche tengan
mis mejillas dulce sangre,
y los juncos agrupados
en los anchos pies del aire.
¿Quién se oculta? ¡Afuera digo!
¡No! ¡No podrán escaparse!
Yo haré lucir al caballo
una fiebre de diamante.

(*Desaparece entre los troncos y vuelve
la escena a su luz oscura. Sale una* MEN-

DIGA *totalmente cubierta por tenues pa-*
ños verdeoscuros. Lleva los pies des-
calzos. Apenas si se le verá el rostro
entre los pliegues. Este personaje no
figura en el reparto.)

MENDIGA.

Esa luna se va, y ellos se acercan.
De aquí no pasan. El rumor del río
apagará con el rumor de troncos
el desgarrado vuelo de los gritos.
Aquí ha de ser, y pronto. Estoy cansada.
Abren los cofres, y los blancos hilos
aguardan por el suelo de la alcoba
cuerpos pesados con el cuello herido.
No se despierte un pájaro y la brisa,
recogiendo en su falda los gemidos,
huya con ellos por las negras copas
o los entierre por el blanco limo.
¡Esa luna, esa luna!

(*Impaciente.*)

¡Esa luna, esa luna!

(*Aparece la* LUNA. *Vuelve la luz in-*
tensa.)

LUNA.

Ya se acercan.
Unos por la cañada y otros por el río.
Voy a alumbrar las piedras. ¿Qué necesitas?

MENDIGA.

Nada.

LUNA.

El aire va llegando duro, con doble filo.

MENDIGA.

Ilumina el chaleco y aparta los botones,
que después las navajas ya saben el camino.

LUNA.

Pero que tarden mucho en morir. Que la sangre
me ponga entre los dedos su delicado silbo.
¡Mira que ya mis valles de ceniza despiertan
en ansia de esta fuente de chorro estremecido!

MENDIGA.

No dejemos que pasen el arroyo. ¡Silencio!

LUNA.

¡Allí vienen!

(*Se va. Queda la escena a oscuras.*)

MENDIGA.

¡De prisa! Mucha luz. ¿Me has oído?
¡No pueden escaparse!

(*Entran el* NOVIO *y* MOZO 1.º *La* MENDIGA
se sienta y se tapa con el manto.)

NOVIO.—Por aquí.

MOZO 1.º—No los encontrarás.

NOVIO. (*Enérgico.*)—¡Sí los encontraré!

MOZO 1.º—Creo que se han ido por otra vereda.

NOVIO.—No. Yo sentí hace un momento el galope.

MOZO 1.º—Sería otro caballo.

NOVIO. (*Dramático.*)—Oye. No hay más que un caballo en el mundo, y es este. ¿Te has enterado?
Si me sigues, sígueme sin hablar.

MOZO 1.º—Es que yo quisiera...

NOVIO.—Calla. Estoy seguro de encontrármelos
aquí. ¿Ves este brazo? Pues no es mi brazo. Es
el brazo de mi hermano y el de mi padre y el
de toda mi familia que está muerta. Y tiene
tanto poderío, que puede arrancar este árbol
de raíz si quiere. Y vamos pronto, que siento
los dientes de todos los míos clavados aquí de
una manera que se hace imposible respirar tranquilo.

MENDIGA. (*Quejándose.*)—¡Ay!

MOZO 1.º—¿Has oído?

NOVIO.—Vete por ahí y da la vuelta.

MOZO 1.º—Esto es una caza.

NOVIO.—Una caza. La más grande que se puede hacer.

> (*Se va el* MOZO. *El* NOVIO *se dirige rápidamente hacia la izquierda y tropieza con la* MENDIGA, *la Muerte.*)

MENDIGA.—¡Ay!

NOVIO.—¿Qué quieres?

MENDIGA.—Tengo frío.

NOVIO.—¿Adónde te diriges?

MENDIGA. (*Siempre quejándose como una mendiga.*)—Allá lejos...

NOVIO.—¿De dónde vienes?

MENDIGA.—De allí..., de muy lejos.

NOVIO.—¿Viste un hombre y una mujer que corrían montados en un caballo?

MENDIGA. (*Despertándose.*)—Espera... (*Lo mira.*) Hermoso galán. (*Se levanta.*) Pero mucho más hermoso si estuviera dormido.

NOVIO.—Dime, contesta, ¿los viste?

MENDIGA.—Espera... ¡Qué espaldas más anchas! ¿Cómo no te gusta estar tendido sobre ellas y no andar sobre las plantas de los pies, que son tan chicas?

NOVIO. (*Zamarréandola.*)—¡Te digo si los viste! ¿Han pasado por aquí?

MENDIGA. (*Enérgica.*)—No han pasado; pero están saliendo de la colina. ¿No los oyes?

NOVIO.—No.

MENDIGA.—¿Tú no conoces el camino?

NOVIO.—¡Iré, sea como sea!

MENDIGA.—Te acompañaré. Conozco esta tierra.

Novio. (*Impaciente.*)—¡Pero vamos! ¿Por dónde?
Mendiga. (*Dramática.*)—¡Por allí!

> (*Salen rápidos. Se oyen lejanos dos
> violines que expresan el bosque. Vuel-
> ven los* Leñadores. *Llevan las hachas al
> hombro. Pasan lentos entre los troncos.*)

Leñador 1.º
  ¡Ay muerte que sales!
  Muerte de las hojas grandes.
Leñador 2.º
  ¡No abras el chorro de la sangre!
Leñador 1.º
  ¡Ay muerte sola!
  Muerte de las secas hojas.
Leñador 3.º
  ¡No cubras de flores la boda!
Leñador 2.º
  ¡Ay triste muerte!
  Deja para el amor la rama verde.
Leñador 1.º
  ¡Ay muerte mala!
  ¡Deja para el amor la verde rama!

> (*Van saliendo mientras hablan. Apare-
> cen* Leonardo *y la* Novia.)

Leonardo.
  ¡Calla!
Novia.
  Desde aquí yo me iré sola.
  ¡Vete! ¡Quiero que te vuelvas!
Leonardo.
  ¡Calla, digo!
Novia.
        Con los dientes,
  con las manos, como puedas,

quita de mi cuello honrado
el metal de esta cadena,
dejándome arrinconada
allá en mi casa de tierra.
Y si no quieres matarme
como a víbora pequeña,
pon en mis manos de novia
el cañón de la escopeta.
¡Ay, qué lamento, qué fuego
me sube por la cabeza!
¡Qué vidrios se me clavan en la lengua!

LEONARDO.

Ya dimos el paso; ¡calla!,
porque nos persiguen cerca
y te he de llevar conmigo.

NOVIA.

¡Pero ha de ser a la fuerza!

LEONARDO.

¿A la fuerza? ¿Quién bajó
primero las escaleras?

NOVIA.

Yo las bajé.

LEONARDO.

       ¿Quién le puso
al caballo bridas nuevas?

NOVIA.

Yo misma. Verdad.

LEONARDO.

       ¿Y qué manos?
me calzaron las espuelas?

NOVIA.

Estas manos que son tuyas,
pero que al verte quisieran
quebrar las ramas azules
y el murmullo de tus venas.
¡Te quiero! ¡Te quiero! ¡Aparta!

Que si matarte pudiera,
te pondría una mortaja
con los filos de violetas.
¡Ay, qué lamento, qué fuego
me sube por la cabeza!

LEONARDO.

¡Qué vidrios se me clavan en la lengua!
Porque yo quise olvidar
y puse un muro de piedra
entre tu casa y la mía.
Es verdad. ¿No lo recuerdas?
Y cuando te vi de lejos
me eché en los ojos arena.
Pero montaba a caballo
y el caballo iba a tu puerta.
Con alfileres de plata
mi sangre se puso negra,
y el sueño me fue llenando
las carnes de mala hierba.
Que yo no tengo la culpa,
que la culpa es de la tierra
y de ese olor que te sale
de los pechos y las trenzas.

NOVIA.

¡Ay qué sinrazón! No quiero
contigo cama ni cena,
y no hay minuto del día
que estar contigo no quiera,
porque me arrastras y voy,
y me dices que me vuelva
y te sigo por el aire
como una brizna de hierba.
He dejado a un hombre duro
y a toda su descendencia
en la mitad de la boda
y con la corona puesta.

Para ti será el castigo
y no quiero que lo sea.
¡Déjame sola! ¡Huye tú!
No hay nadie que te defienda.

LEONARDO.

Pájaros de la mañana,
por los árboles se quiebran.
La noche se está muriendo
en el filo de la piedra.
Vamos al rincón oscuro,
donde yo siempre te quiera,
que no me importa la gente,
ni el veneno que nos echa.

NOVIA.

Y yo dormiré a tus pies
para guardar lo que sueñas.
Desnuda, mirando al campo,

> (*Dramática.*)

como si fuera una perra,
¡porque eso soy! Que te miro
y tu hermosura me quema.

LEONARDO.

Se abrasa lumbre con lumbre.
La misma llama pequeña
mata dos espigas juntas.
¡Vamos!

> (*La arrastra.*)

NOVIA.

¿Adónde me llevas?

LEONARDO.

A donde no puedan ir
estos hombres que nos cercan.
¡Donde yo pueda mirarte!

NOVIA. (*Sarcástica.*)
    Llévame de feria en feria,
    dolor de mujer honrada,
    a que las gentes me vean
    con las sábanas de boda
    al aire como banderas.

LEONARDO.
    También yo quiero dejarte
    si pienso como se piensa.
    Pero voy donde tú vas.
    Tú también. Da un paso. Prueba.
    Clavos de luna nos funden
    mi cintura y tus caderas.

                (*Toda esta escena es violenta, llena de
                gran sensualidad.*)

NOVIA.
    ¿Oyes?
LEONARDO.
                Viene gente.
NOVIA.
                        ¡Huye!
    Es justo que yo aquí muera
    con los pies dentro del agua,
    espinas en la cabeza.
    Y que me lloren las hojas,
    mujer perdida y doncella.

LEONARDO.
    Cállate. Ya suben.
NOVIA.
                ¡Vete!
LEONARDO.
    Silencio. Que no nos sientan.
    Tú delante. ¡Vamos, digo!

            (*Vacila la* NOVIA.)

NOVIA.

¡Los dos juntos!

LEONARDO. (*Abrazándola.*)

¡Como quieras!

Si nos separan, será

porque esté muerto.

NOVIA.

Y yo muerta.

(*Salen abrazados. Aparece la* LUNA *muy despacio. La escena adquiere una fuerte luz azul. Se oyen los dos violines. Bruscamente se oyen dos largos gritos desgarrados y se corta la música de los violines. Al segundo grito aparece la* MENDIGA *y queda de espaldas. Abre el manto y queda en el centro, como un gran pájaro de alas inmensas. La* LUNA *se detiene. El telón baja en medio de un silencio absoluto.*)

T E L Ó N

CUADRO ULTIMO

Habitación blanca con arcos y gruesos muros. A
la derecha y a la izquierda, escaleras blancas. Gran
arco al fondo y pared del mismo color. El suelo
será también de un blanco reluciente. Esta habitación simple tendrá un sentido monumental de
iglesia. No habrá ni un gris, ni una sombra, ni siquiera lo preciso para la perspectiva.

> (*Dos* Muchachas *vestidas de azul os-
> curo están devanando una madeja roja.*)

Muchacha 1.ª
      Madeja, madeja,
      ¿qué quieres hacer?

Muchacha 2.ª
      Jazmín de vestido,
      cristal de papel.
      Nacer a las cuatro,
      morir a las diez.
      Ser hilo de lana,
      cadena a tus pies
      y nudo que apriete
      amargo laurel.

Niña. (*Cantando.*)
      ¿Fuiste a la boda?

Muchacha 1.ª
      No.

Niña.
      ¡Tampoco fui yo!

¿Qué pasaría
por los tallos de la viña?
¿Qué pasaría
por el ramo de la oliva?
¿Qué pasó
que nadie volvió?
¿Fuiste a la boda?

MUCHACHA 2.ª

Hemos dicho que no.

NIÑA. (*Yéndose.*)

¡Tampoco fui yo!

MUCHACHA 2.ª

Madeja, madeja,
¿qué quieres cantar?

MUCHACHA 1.ª

Heridas de cera.
dolor de arrayán.
Dormir la mañana,
de noche velar.

NIÑA. (*En la puerta.*)

El hilo tropieza
con el pedernal.
Los montes azules
lo dejan pasar.
Corre, corre, corre,
y al fin llegará
a poner cuchillo
y a quitar el pan.

(*Se va.*)

MUCHACHA 2.ª

Madeja, madeja,
¿qué quieres decir?

MUCHACHA 1.ª

Amante sin habla.
Novio carmesí.

19

Por la orilla muda
tendidos los vi.

(*Se detiene mirando la madeja.*)

NIÑA. (*Asomándose a la puerta.*)
Corre, corre, corre,
el hilo hasta aquí.
Cubiertos de barro
los siento venir.
Cuerpos estirados,
paños de marfil!

(*Se va. Aparecen la* MUJER *y la* SUEGRA
de LEONARDO. *Llegan angustiadas.*)

MUCHACHA 1.ª
¿Vienen ya?
SUEGRA. (*Agria.*)
No sabemos.
MUCHACHA 2.ª
¿Qué contáis de la boda?
MUCHACHA 1.ª

                                        Dime
SUEGRA. (*Seca.*)

                                                Nada.
MUJER.
Quiero volver para saberlo todo.
SUEGRA. (*Enérgica.*)
Tú, a tu casa.
Valiente y sola en tu casa.
A envejecer y a llorar.
Pero la puerta cerrada.
Nunca. Ni muerto ni vivo.
Clavaremos las ventanas.
Y vengan lluvias y noches
sobre las hierbas amargas.
MUJER.
¿Qué habrá pasado?

SUEGRA.

No importa.
Echate un velo en la cara.
Tus hijos son hijos tuyos
nada más. Sobre la cama
pon una cruz de ceniza
donde estuvo su almohada.

(*Salen.*)

MENDIGA. (*A la puerta.*)
Un pedazo de pan, muchachas.
NIÑA.

¡Vete!

(*Las* MUCHACHAS *se agrupan.*)

MENDIGA.
¿Por qué?
NIÑA.

Porque tú gimes: vete.
MUCHACHA 1.ª

¡Niña!

MENDIGA.
¡Pude pedir tus ojos! Una nube
de pájaros me sigue: ¿quieres uno?
NIÑA.
¡Yo me quiero marchar!
MUCHACHA 2.ª (*A la* MENDIGA.)

¡No le hagas caso!

MUCHACHA 1.ª
¿Vienes por el camino del arroyo?
MENDIGA.
Por allí vine.
MUCHACHA 1.ª (*Tímida.*)
¿Puedo preguntarte?

MENDIGA.

> Yo los vi; pronto llegan: dos torrentes
> quietos al fin entre las piedras grandes,
> dos hombres en las patas del caballo.
> Muertos en la hermosura de la noche.

>> (*Con delectación.*)

> Muertos, sí, muertos.

MUCHACHA 1.ª

>> ¡Calla, vieja, calla!

MENDIGA.

> Flores rotas los ojos, y sus dientes
> dos puñados de nieve endurecida.
> Los dos cayeron, y la novia vuelve
> teñida en sangre falda y cabellera.
> Cubiertos con dos mantas ellos vienen
> sobre los hombros de los mozos altos.
> Así fue; nada más. Era lo justo.
> Sobre la flor del oro, sucia arena.

>> (*Se va. Las* MUCHACHAS *inclinan la ca-*
>> *beza y rítmicamente van saliendo.*)

MUCHACHA 1.ª

> Sucia arena.

MUCHACHA 2.ª

> Sobre la flor del oro.

NIÑA.

> Sobre la flor del oro
> traen a los novios del arroyo.
> Morenito el uno,
> morenito el otro.
> ¡Qué ruiseñor de sombra vuela y gime
> sobre la flor del oro!

>> (*Se va. Queda la escena sola. Aparece*
>> *la* MADRE *con una* VECINA. *La* VECINA *vie-*
>> *ne llorando.*)

MADRE.—Calla.

VECINA.—No puedo.

MADRE.—Calla, he dicho. (*En la puerta.*) ¿No hay nadie aquí? (*Se lleva las manos a la frente.*) Debía contestarme mi hijo. Pero mi hijo es ya un brazado de flores secas. Mi hijo es ya una voz oscura detrás de los montes. (*Con rabia, a la* VECINA.) ¿Te quieres callar? No quiero llantos en esta casa. Vuestras lágrimas son lágrimas de los ojos nada más, y las mías vendrán cuando yo esté sola, de las plantas de los pies, de mis raíces, y serán más ardientes que la sangre.

VECINA.—Vente a mi casa; no te quedes aquí.

MADRE.—Aquí. Aquí quiero estar. Y tranquila. Ya todos están muertos. A medianoche dormiré, dormiré sin que ya me aterren la escopeta o el cuchillo. Otras madres se asomarán a las ventanas, azotadas por la lluvia, para ver el rostro de sus hijos. Yo, no. Yo haré con mi sueño una fría paloma de marfil que lleve camelias de escarcha sobre el camposanto. Pero no; camposanto, no, camposanto, no; lecho de tierra, cama que los cobija y que los mece por el cielo. (*Entra una* MUJER *de negro que se dirige a la derecha y allí se arrodilla. A la* VECINA.) Quítate las manos de la cara. Hemos de pasar días terribles. No quiero ver a nadie. La tierra y yo. Mi llanto y yo. Y estas cuatro paredes. ¡Ay! ¡Ay! (*Se sienta transida.*)

VECINA.—Ten caridad de ti misma.

MADRE. (*Echándose el pelo hacia atrás.*)—He de estar serena. (*Se sienta.*) Porque vendrán las vecinas y no quiero que me vean tan pobre. ¡Tan pobre! Una mujer que no tiene un hijo siquiera que poderse llevar a los labios.

VECINA. (*Viendo a la* NOVIA, *con rabia.*)—¿Dónde vas?

NOVIA.—Aquí vengo.

MADRE. (*A la* VECINA.)—¿Quién es?

VECINA.—¿No la reconoces?

MADRE.—Por eso pregunto quién es. Porque tengo que reconocerla, para no clavarla mis dientes en el cuello. ¡Víbora! (*Se dirige hacia la* NOVIA *con ademán fulminante; se detiene. A la* VECINA.) ¿La ves? Está ahí y está llorando, y yo quieta, sin arrancarle los ojos. No me entiendo. ¿Será que yo no quería a mi hijo? Pero ¿y su honra? ¿Dónde está su honra?

(*Golpea a la* NOVIA. *Esta cae al suelo.*)

VECINA.—¡Por Dios! (*Trata de separarlas.*)

NOVIA. (*A la* VECINA.)—Déjala; he venido para que me mate y que me lleven con ellos. (*A la* MADRE.) Pero no con las manos; con garfios de alambre, con una hoz, y con fuerza, hasta que se rompa en mis huesos. ¡Déjala! Que quiero que sepa que yo soy limpia, que estaré loca, pero que me pueden enterrar sin que ningún hombre se haya mirado en la blancura de mis pechos.

MADRE.—Calla, calla; ¿qué me importa eso a mí?

NOVIA.—¡Porque yo me fui con el otro, me fui! (*Con angustia.*) Tú también te hubieras ido. Yo era una mujer quemada, llena de llagas por dentro y por fuera, y tu hijo era un poquito de agua de la que yo esperaba hijos, tierra, salud; pero el otro era un río oscuro, lleno de ramas, que acercaba a mí el rumor de sus juncos y su cantar entre dientes. Y yo corría con tu hijo que era como un niñito de agua, frío, y el otro me mandaba cientos de pájaros que me impedían el andar y que dejaban escarcha sobre mis heridas

de pobre mujer marchita, de muchacha acaricia-
da por el fuego. Yo no quería, ¡óyelo bien!; yo
no quería. ¡Tu hijo era mi fin y yo no lo he en-
gañado, pero el brazo del otro me arrastró como
un golpe de mar, como la cabezada de un mulo,
y me hubiera arrastrado siempre, siempre, siempre, aunque hubiera sido vieja y todos los hijos
de tu hijo me hubiesen agarrado de los cabellos!

(*Entra una* VECINA.)

MADRE.—Ella no tiene la culpa, ¡ni yo! (*Sarcástica.*)
¿Quién la tiene, pues? ¡Floja, delicada, mujer de
mal dormir es quien tira una corona de azahar
para buscar un pedazo de cama calentado por
otra mujer!

NOVIA.—¡Calla, calla! Véngate de mí; ¡aquí estoy!
Mira que mi cuello es blando; te costará menos
trabajo que segar una dalia de tu huerto. Pero
¡eso no! Honrada, honrada como una niña recién nacida. Y fuerte para demostrártelo. Enciende la lumbre. Vamos a meter las manos; tú
por tu hijo; yo, por mi cuerpo. Las retirarás
antes tú.

(*Entra otra* VECINA.)

MADRE.—Pero, ¿qué me importa a mí tu honradez?
¿Qué me importa tu muerte? ¿Qué me importa
a mí nada de nada? Benditos sean los trigos,
porque mis hijos están debajo de ellos; bendita
sea la lluvia, porque moja la cara de los muertos.
Bendito sea Dios, que nos tiende juntos para
descansar.

(*Entra otra* VECINA.)

NOVIA.—Déjame llorar contigo.

MADRE.—Llora. Pero en la puerta.

> (*Entra la* NIÑA. *La* NOVIA *queda en la
> puerta. La* MADRE, *en el centro de la es-
> cena.*)

MUJER. (*Entrando y dirigiéndose a la izquierda.*)
Era hermoso jinete,
y ahora montón de nieve.
Corría ferias y montes
y brazos de mujeres.
Ahora, musgo de noche
le corona la frente.

MADRE.

Girasol de tu madre,
espejo de la tierra.
Que te pongan al pecho
cruz de amargas adelfas;
sábana que te cubra
de reluciente seda;
y el agua forme un llanto
entre tus manos quietas.

MUJER.

¡Ay, qué cuatro muchachos
llegan con hombros cansados!

NOVIA.

¡Ay, qué cuatro galanes
traen a la muerte por el aire!

MADRE.

Vecinas.

NIÑA. (*En la puerta.*)
    Ya los traen.

MADRE.

Es lo mismo.
La cruz, la cruz.

MUJERES.

Dulces clavos,
dulce cruz,
dulce nombre
de Jesús.

NOVIA.

Que la cruz ampare a muertos y vivos.

MADRE.

Vecinas: con un cuchillo,
con un cuchillito,
en un día señalado, entre las dos y las tres,
se mataron los dos hombres del amor.
Con un cuchillo,
con un cuchillito
que apenas cabe en la mano,
pero que penetra fino
por las carnes asombradas
y que se para en el sitio
donde tiembla enmarañada
la oscura raíz del grito.

NOVIA.

Y esto es un cuchillo,
un cuchillito
que apenas cabe en la mano;
pez sin escamas ni río,
para que un día señalado, entre las dos y las tres,
con este cuchillo
se queden dos hombres duros
con los labios amarillos.

MADRE.
Y apenas cabe en la mano,
pero que penetra frío
por las carnes asombradas
y allí se para, en el sitio
donde tiembla enmarañada
la oscura raíz del grito.

> (*Las* VECINAS, *arrodilladas en el suelo,
> lloran.*)

T E L ÓN

FIN DE "BODAS DE SANGRE"

YERMA

POEMA TRAGICO EN TRES ACTOS Y SEIS CUADROS
(1934)

PERSONAJES

YERMA.
MARÍA.
VIEJA PAGANA.
DOLORES.
LAVANDERA 1.ª
LAVANDERA 2.ª
LAVANDERA 3.ª
LAVANDERA 4.ª
LAVANDERA 5.ª
LAVANDERA 6.ª
MUCHACHA 1.ª
MUCHACHA 2.ª
HEMBRA.
CUÑADA 1.ª
CUÑADA 2.ª
MUJER 1.ª
MUJER 2.ª
NIÑO.
JUAN.
VÍCTOR.
MACHO.
HOMBRE 1.º
HOMBRE 2.º
HOMBRE 3.º

ACTO PRIMERO

CUADRO PRIMERO

(*Al levantarse el telón está* YERMA *dormida, con un tabanque de costura a los pies. La escena tiene una extraña luz de sueño. Un pastor sale de puntillas mirando fijamente a* YERMA. *Lleva de la mano a un niño vestido de blanco. Suena el reloj. Cuando sale el pastor la luz se cambia por una alegre luz de mañana de primavera.* YERMA *se despierta.*)

CANTO

VOZ ADENTRO.

A la nana, nana, nana,
a la nanita le haremos
una chocita en el campo
y en ella nos meteremos.

YERMA.—Juan, ¿me oyes?, Juan.
JUAN.—Voy.
YERMA.—Ya es la hora.
JUAN.—¿Pasaron las yuntas?
YERMA.—Ya pasaron.
JUAN.—Hasta luego.

(*Va a salir.*)

YERMA.—¿No tomas un vaso de leche?

JUAN.—¿Para qué?

YERMA.—Trabajas mucho y no tienes tú cuerpo para resistir los trabajos.

JUAN.—Cuando los hombres se quedan enjutos se ponen fuertes como el acero.

YERMA.—Pero tú no. Cuando nos casamos eras otro. Ahora tienes la cara blanca como si no te diera en ella el sol. A mí me gustaría que fueras al río y nadaras y que te subieras al tejado cuando la lluvia cala nuestra vivienda. Veinticuatro meses llevamos casados, y tú cada vez más triste, más enjuto, como si crecieras al revés.

JUAN.—¿Has acabado?

YERMA. (*Levantándose.*)—No lo tomes a mal. Si yo estuviera enferma me gustaría que tú me cuidases. "Mi mujer está enferma". Voy a matar este cordero para hacerle un buen guiso de carne. "Mi mujer está enferma". Voy a guardar esta enjundia de gallina para aliviar su pecho, voy a llevarle esta piel de oveja para guardar sus pies de la nieve. Así soy yo. Por eso te cuido.

JUAN.—Y yo te lo agradezco.

YERMA.—Pero no te dejas cuidar.

JUAN.—Es que no tengo nada. Todas esas cosas son suposiciones tuyas. Trabajo mucho. Cada año seré más viejo.

YERMA.—Cada año... Tú y yo seguiremos aquí cada año...

JUAN. (*Sonriente.*)—Naturalmente. Y bien sosegados. Las cosas de la labor van bien, no tenemos hijos que gasten.

YERMA.—No tenemos hijos... ¡Juan!

JUAN.—Dime.

YERMA.—¿Es que yo no te quiero a ti?

JUAN.—Me quieres.

Margarita Xirgu y Pedro López Lagar
en una escena de YERMA

Madrid, 1935

YERMA.—Yo conozco muchachas que han tembla-
do y que lloraban antes de entrar en la cama
con sus maridos. ¿Lloré yo la primera vez que
me acosté contigo? ¿No cantaba al levantar los
embozos de holanda? Y no te dije, ¡cómo huelen a manzanas estas ropas!

JUAN.—¡Eso dijiste!

YERMA.—Mi madre lloró porque no sentí separar-
me de ella. ¡Y era verdad! Nadie se casó con
más alegría. Y, sin embargo...

JUAN.—Calla. Demasiado trabajo tengo yo con oír
en todo momento...

YERMA.—No. No me repitas lo que dicen. Yo veo
por mis ojos que eso no puede ser... A fuerza
de caer la lluvia sobre las piedras, éstas se ablan-
dan y hacen crecer jaramagos, que las gentes
dicen que no sirven para nada. "Los jaramagos
no sirven para nada", pero yo bien lo veo mover
sus flores amarillas en el aire.

JUAN.—¡Hay que esperar!

YERMA.—Sí; queriendo.

(YERMA *abraza y besa al marido, tomando ella la iniciativa.*)

JUAN.—Si necesitas algo me lo dices y lo traeré.
Ya sabes que no me gusta que salgas.

YERMA.—Nunca salgo.

JUAN.—Estás mejor aquí.

YERMA.—Sí.

JUAN.—La calle es para la gente desocupada.

YERMA. (*Sombría.*)—Claro. (*El marido sale y* YER-
MA *se dirige a la costura, se pasa la mano por
el vientre, alza los brazos en un hermoso boste-
zo y se sienta a coser.*)
    ¿De dónde vienes, amor, mi niño?
    "De la cresta del duro frío."

¿Qué necesitas, amor, mi niño?
La tibia tela de tu vestido.

(*Enhebra la aguja.*)

¡Que se agiten las ramas al sol
y salten las fuentes alrededor!

(*Como si hablara con un niño.*)

En el patio ladra el perro,
en los árboles canta el viento.
Los bueyes mugen al boyero
y la luna me riza los cabellos.
¿Qué pides, niño, desde tan lejos?

(*Pausa.*)

Los blancos montes que hay en tu pecho.
¡Que se agiten las ramas al sol
y salten las fuentes alrededor!

(*Cosiendo.*)

Te diré, niño mío, que sí,
tronchada y rota soy para ti.
¡Cómo me duele esta cintura
donde tendrás primera cuna!
¿Cuándo, mi niño, vas a venir?

(*Pausa.*)

Cuando tu carne huela a jazmín.
¡Que se agiten las ramas al sol
y salten las fuentes alrededor!

(YERMA *queda cantando. Por la puerta entra MA-
RÍA, que viene con un lío de ropa.*) ¿De dónde
vienes?

MARÍA.—De la tienda.

YERMA.—¿De la tienda tan temprano?

María.—Por mi gusto hubiera esperado en la puerta a que abrieran; y ¿a que no sabes lo que he comprado?

Yerma.—Habrás comprado café para el desayuno, azúcar, los panes.

María.—No. He comprado encajes, tres varas de hilo, cintas y lana de color para hacer madroños. El dinero lo tenía mi marido y me lo ha dado él mismo.

Yerma.—Te vas a hacer una blusa.

María.—No, es porque... ¿sabes?

Yerma.—¿Qué?

María.—Porque ¡ya ha llegado!

> (*Queda con la cabeza baja.* Yerma *se levanta y queda mirándola con admiración.*)

Yerma.—¡A los cinco meses!

María.—Sí.

Yerma.—¿Te has dado cuenta de ello?

María.—Naturalmente.

Yerma. (*Con curiosidad.*)—¿Y qué sientes?

María.—No sé. Angustia.

Yerma.—Angustia. (*Agarrada a ella.*) Pero... ¿cuándo llegó...? Dime. Tú estabas descuidada.

María.—Sí, descuidada...

Yerma.—Estarías cantando, ¿verdad? Yo canto. Tú... dime...

María.—No me preguntes. ¿No has tenido nunca un pájaro vivo apretado en la mano?

Yerma.—Sí.

María.—Pues, lo mismo..:, pero por dentro de la sangre.

Yerma.—¡Qué hermosura!

> (*La mira extraviada.*)

MARÍA.—Estoy aturdida. No sé nada.

YERMA.—¿De qué?

MARÍA.—De lo que tengo que hacer. Le preguntaré a mi madre.

YERMA.—¿Para qué? Ya está vieja y habrá olvidado estas cosas. No andes mucho y cuando respires respira tan suave como si tuvieras una rosa entre los dientes.

MARÍA.—Oye, dicen que más adelante te empuja suavemente con las piernecitas.

YERMA.—Y entonces es cuando se le quiere más, cuando se dice ya: ¡mi hijo!

MARÍA.—En medio de todo tengo vergüenza.

YERMA.—¿Qué ha dicho tu marido?

MARÍA.—Nada.

YERMA.—¿Te quiere mucho?

MARÍA.—No me lo dice, pero se pone junto a mí y sus ojos tiemblan como dos hojas verdes.

YERMA.—¿Sabía él que tú...?

MARÍA.—Sí.

YERMA.—¿Y por qué lo sabía?

MARÍA.—No sé. Pero la noche que nos casamos me lo decía constantemente con su boca puesta en mi mejilla, tanto que a mí me parece que mi niño es un palomo de lumbre que él me deslizó por la oreja.

YERMA.—¡Dichosa!

MARÍA.—Pero tú estás más enterada de esto que yo.

YERMA.—¿De qué me sirve?

MARÍA.—¡Es verdad! ¿Por qué será eso? De todas las novias de tu tiempo tú eres la única...

YERMA.—Es así. Claro que todavía es tiempo. Elena tardó tres años y otras antiguas del tiempo de mi madre mucho más, pero dos años y veinte días, como yo, es demasiada espera. Pienso que no es justo que yo me consuma aquí. Muchas

noches salgo descalza al patio para pisar la
tierra, no sé por qué. Si sigo así, acabaré vol-
viéndome mala.

María.—Pero ven acá, criatura; hablas como si
fueras una vieja. ¡Qué digo! Nadie puede que-
jarse de estas cosas. Una hermana de mi madre
lo tuvo a los catorce años, ¡y si vieras qué hermosura de niño!

Yerma. (*Con ansiedad.*)—¿Qué hacía?

María.—Lloraba como un torito, con la fuerza de
mil cigarras cantando a la vez y nos orinaba
y nos tiraba de las trenzas y cuando tuvo cuatro
meses nos llenaba la cara de arañazos.

Yerma. (*Riendo.*)—Pero esas cosas no duelen.

María.—Te diré...

Yerma.—¡Bah! Yo he visto a mi hermana dar de
mamar a su niño con el pecho lleno de grietas
y le producía un gran dolor, pero era un dolor
fresco, bueno, necesario para la salud.

María.—Dicen que con los hijos se sufre mucho.

Yerma.—Mentira. Eso lo dicen las madres débiles,
las quejumbrosas. ¿Para qué los tienen? Tener
un hijo no es tener un ramo de rosas. Hemos
de sufrir para verlos crecer. Yo pienso que se
nos va la mitad de nuestra sangre. Pero esto
es bueno, sano, hermoso. Cada mujer tiene sangre para cuatro o cinco hijos y cuando no los
tienen se les vuelve veneno, como me va a pasar a mí.

María.—No sé lo que tengo.

Yerma.—Siempre oí decir que las primerizas tienen susto.

María. (*Tímida.*)—Veremos... Como tú coses tan
bien...

Yerma. (*Cogiendo el lío.*)—Trae. Te cortaré dos
trajecitos. ¿Y esto?

MARÍA.—Son los pañales.

YERMA.—Bien.

(*Se sienta.*)

MARÍA.—Entonces... Hasta luego.

(*Se acerca y* YERMA *le recoge amorosa-
mente el vientre con las manos.*)

YERMA.—No corras por las piedras de la calle.

MARÍA.—Adiós.

(*La besa y sale.*)

YERMA.—Vuelve pronto. (YERMA *queda en la misma actitud que al principio. Coge las tijeras y
empieza a cortar. Sale* VÍCTOR.) Adiós, Víctor.

VÍCTOR. (*Es profundo y lleva firme gravedad.*)—
¿Y Juan?

YERMA.—En el campo.

VÍCTOR.—¿Qué coses?

YERMA.—Corto unos pañales.

VÍCTOR. (*Sonriente.*)—¡Vamos!

YERMA. (*Ríe.*)—Los voy a rodear de encajes.

VÍCTOR.—Si es niña le pondrás tu nombre.

YERMA. (*Temblando.*)—¿Cómo...?

VÍCTOR.—Me alegro por ti.

YERMA. (*Casi ahogada.*)—No..., no son para mí.
Son para el hijo de María.

VÍCTOR.—Bueno, pues a ver si con el ejemplo te
animas. En esta casa hace falta un niño.

YERMA. (*Con angustia.*)—¡Hace falta!

VÍCTOR.—Pues adelante. Dile a tu marido que piense menos en el trabajo. Quiere juntar dinero
y lo juntará, pero ¿a quién lo va a dejar cuando
se muera? Yo me voy con las ovejas. Dile a Juan
que recoja las dos que me compró, y en cuanto
a lo otro, ¡que ahonde!

(*Se va sonriente.*)

YERMA. (*Con pasión.*)
　　　　¡Eso! ¡Que ahonde!
　　　　Te diré, niño mío, que sí,
　　　　tronchada y rota soy para ti.
　　　　¡Cómo me duele esta cintura,
　　　　donde tendrás primera cuna!
　　　　¿Cuándo, mi niño, vas a venir?
　　　　¡Cuando tu carne huela a jazmín!

　　　　(YERMA, *que en actitud pensativa se
　　　　levanta y acude al sitio donde ha estado*
　　　　VÍCTOR *y respira fuertemente, como si
　　　　aspirara aire de montaña, después va al
　　　　otro lado de la habitación como buscan-
　　　　do algo y de allí vuelve a sentarse y coge
　　　　otra vez la costura. Comienza a coser y
　　　　queda con los ojos en un punto.*)

　　　　　　　T E L Ó N

CUADRO SEGUNDO

(*Campo. Sale* YERMA. *Trae una cesta.
Sale la* VIEJA 1.ª)

YERMA.—Buenos días.

VIEJA 1.ª—Buenos los tenga la hermosa muchacha.
¿Dónde vas?

YERMA.—Vengo de llevar la comida a mi esposo,
que trabaja en los olivos.

VIEJA 1.ª—¿Llevas mucho tiempo de casada?

YERMA.—Tres años.

VIEJA 1.ª—¿Tienes hijos?

YERMA.—No.

VIEJA 1.ª—¡Bah! ¡Ya tendrás!

YERMA. (*Con ansia.*)—¿Usted lo cree?

VIEJA 1.ª—¿Por qué no? (*Se sienta.*) También yo
vengo de traer la comida a mi esposo. Es viejo.
Todavía trabaja. Tengo nueve hijos como nueve soles, pero como ninguno es hembra, aquí
me tienes a mí de un lado para otro.

YERMA.—Usted vive al otro lado del río.

VIEJA 1.ª—Sí. En los molinos. ¿De qué familia
eres tú?

YERMA.—Yo soy hija de Enrique el pastor.

VIEJA 1.ª—¡Ah! Enrique el pastor. Lo conocí. Buena gente. Levantarse. Sudar, comer unos panes
y morirse. Ni más juego, ni más nada. Las ferias para otros. Criaturas de silencio. Pude ha-
berme casado con un tío tuyo. Pero ¡ca! Yo he
sido una mujer de faldas en el aire, he ido fle-
chada a la tajada de melón, a la fiesta, a la torta

de azúcar. Muchas veces me he asomado de madrugada a la puerta creyendo oír música de bandurrias que iba, que venía, pero era el aire. (*Ríe.*) Te vas a reír de mí. He tenido dos maridos, catorce hijos, cinco murieron y, sin embargo, no estoy triste, y quisiera vivir mucho más. Es lo que digo yo. Las higueras, ¡cuánto duran! Las casas, ¡cuánto duran!, y sólo nosotras, las endemoniadas mujeres, nos hacemos polvo por cualquier cosa.

YERMA.—Yo quisiera hacerle una pregunta.

VIEJA 1.ª—¿A ver? (*La mira.*) Ya sé lo que me vas a decir. De estas cosas no se puede decir palabra.

        (*Se levanta.*)

YERMA. (*Deteniéndola.*)—¿Por qué no? Me ha dado confianza el oírla hablar. Hace tiempo estoy deseando tener conversación con mujer vieja. Porque yo quiero enterarme. Sí. Usted me dirá...

VIEJA 1.ª—¿Qué?

YERMA. (*Bajando la voz.*)—Lo que usted sabe. ¿Por qué estoy yo seca? ¿Me he de quedar en plena vida para cuidar aves o poner cortinitas planchadas en mi ventanillo? No. Usted me ha de decir lo que tengo que hacer, que yo haré lo que sea, aunque me mande clavarme agujas en el sitio más débil de mis ojos.

VIEJA 1.ª—¿Yo? Yo no sé nada. Yo me he puesto boca arriba y he comenzado a cantar. Los hijos llegan como el agua. ¡Ay! ¿Quién puede decir que este cuerpo que tienes no es hermoso? Pisas, y al fondo de la calle relincha el caballo. ¡Ay! Déjame, muchacha, no me hagas hablar. Pienso muchas ideas que no quiero decir.

YERMA.—¿Por qué? ¡Con mi marido no hablo de otra cosa!

Vieja 1.ª—Oye. ¿A ti te gusta tu marido?

Yerma.—¿Cómo?

Vieja 1.ª—¿Que si lo quieres? ¿Si deseas estar con él...?

Yerma.—No sé.

Vieja 1.ª—¿No tiemblas cuando se acerca a ti? ¿No te da así como un sueño cuando acerca sus labios? Dime.

Yerma.—No. No lo he sentido nunca.

Vieja 1.ª—¿Nunca? ¿Ni cuando has bailado?

Yerma. (*Recordando.*)—Quizá... Una vez... Víctor...

Vieja 1.ª—Sigue.

Yerma.—Me cogió de la cintura y no pude decirle nada porque no podía hablar. Otra vez el mismo Víctor, teniendo catorce años (él era un zagalón), me cogió en sus brazos para saltar una acequia y me entró un temblor que me sonaron los dientes. Pero es que yo he sido vergonzosa.

Vieja 1.ª—Y con tu marido...

Yerma.—Mi marido es otra cosa. Me lo dio mi padre y yo lo acepté. Con alegría. Esta es la pura verdad. Pues el primer día que me puse novia con él ya pensé... en los hijos... Y me miraba en sus ojos. Sí, pero era para verme muy chica, muy manejable, como si yo misma fuera hija mía.

Vieja 1.ª—Todo lo contrario que yo. Quizá por eso no hayas parido a tiempo. Los hombres tienen que gustar, muchacha. Han de deshacernos las trenzas y darnos de beber agua en su misma boca. Así corre el mundo.

Yerma.—El tuyo, que el mío no. Yo pienso muchas cosas, y estoy segura que las cosas que pienso las ha de realizar mi hijo. Yo me entregué a mi marido por él, y me sigo entregando para ver si llega, pero nunca por divertirme.

VIEJA 1.ª—¡Y resulta que estás vacía!

YERMA.—No, vacía no, porque me estoy llenando de odio. Dime: ¿tengo yo la culpa? ¿Es preciso buscar en el hombre al hombre nada más? Entonces, ¿qué vas a pensar cuando te deja en la cama con los ojos tristes mirando al techo y da media vuelta y se duerme? ¿He de quedarme pensando en él o en lo que puede salir relumbrando de mi pecho? Yo no sé, ¡pero dímelo tú, por caridad!

(*Se arrodilla.*)

VIEJA 1.ª—¡Ay, qué flor abierta! Qué criatura tan hermosa eres. Déjame. No me hagas hablar más. No quiero hablarte más. Son asuntos de honra y yo no quemo la honra de nadie. Tú sabrás. De todos modos debías ser menos inocente.

YERMA. (*Triste.*)—Las muchachas que se crían en el campo como yo tienen cerradas todas las puertas. Todo se vuelve medias palabras, gestos, porque todas estas cosas dicen que no se pueden saber. Y tú también, tú también te callas y te vas con aire de doctora, sabiéndolo todo, pero negándolo a la que se muere de sed.

VIEJA 1.ª—A otra mujer serena yo le hablaría. A ti no. Soy vieja, y sé lo que digo.

YERMA.—Entonces, que Dios me ampare.

VIEJA 1.ª—Dios, no. A mí no me ha gustado nunca Dios. ¿Cuándo os vais a dar cuenta de que no existe? Son los hombres los que te tienen que amparar.

YERMA.—Pero ¿por qué me dices eso, por qué?

VIEJA 1.ª (*Yéndose.*)—Aunque debía haber Dios, aunque fuera pequeñito, para que mandara rayos contra los hombres de simiente podrida que encharcan la alegría de los campos.

YERMA.—No sé lo que me quieres decir.

VIEJA 1.ª—Bueno, yo me entiendo. No pases tristeza. Espera en firme. Eres muy joven todavía. ¿Qué quieres que haga yo?

(*Se va. Aparecen dos* MUCHACHAS.)

MUCHACHA 1.ª—Por todas partes nos vamos encontrando gente.

YERMA.—Con las faenas, los hombres están en los olivos, hay que traerles de comer. No quedan en las casas más que los ancianos.

MUCHACHA 2.ª—¿Tú regresas al pueblo?

YERMA.—Hacia allá voy.

MUCHACHA 1.ª—Yo llevo mucha prisa. Me dejé al niño dormido y no hay nadie en casa.

YERMA.—Pues aligera, mujer. Los niños no se pueden dejar solos. ¿Hay cerdos en tu casa?

MUCHACHA 1.ª—No. Pero tienes razón. Voy de prisa.

YERMA.—Anda. Así pasan las cosas. Seguramente lo has dejado encerrado.

MUCHACHA 1.ª—Es natural.

YERMA.—Sí, pero es que no os dais cuenta lo que es un niño pequeño. La causa que nos parece más inofensiva puede acabar con él. Una agujita, un sorbo de agua.

MUCHACHA 1.ª—Tienes razón. Voy corriendo. Es que no me doy bien cuenta de las cosas.

YERMA.—Anda.

MUCHACHA 2.ª—Si tuvieras cuatro o cinco no hablarías así.

YERMA.—¿Por qué? Aunque tuviera cuarenta.

MUCHACHA 2.ª—De todos modos, tú y yo con no tenerlos, vivimos más tranquilas.

YERMA.—Yo, no.

MUCHACHA 2.ª—Yo, sí. ¡Qué afán! En cambio, mi

madre no hace más que darme yerbajos para
que los tenga, y en octubre iremos al Santo
que dicen que los da a la que lo pide con ansia.
Mi madre pedirá. Yo, no.

YERMA.—¿Por qué te has casado?

MUCHACHA 2.ª—Porque me han casado. Se casan
todas. Si seguimos así no va a haber solteras
más que las niñas. Bueno, y además..., una se
casa, en realidad, mucho antes de ir a la iglesia.
Pero las viejas se empeñan en todas estas cosas. Yo tengo diecinueve años y no me gusta
guisar, ni lavar. Bueno, pues todo el día he de
estar haciendo lo que no me gusta. ¿Y para qué?
¿Qué necesidad tiene mi marido de ser mi marido? Porque lo mismo hacíamos de novios que
ahora. Tonterías de los viejos.

YERMA.—Calla, no digas esas cosas.

MUCHACHA 2.ª—También tú me dirás loca, ¡la loca,
la loca! (*Ríe.*) Yo te puedo decir lo único que he
aprendido en la vida: toda la gente está metida
dentro de sus casas haciendo lo que no les gusta.
Cuánto mejor se está en medio de la calle. Ya
voy al arroyo, ya subo a tocar las campanas, ya
me tomo un refresco de anís.

YERMA.—Eres una niña.

MUCHACHA 2.ª—Claro, pero no estoy loca.

(*Ríe.*)

YERMA.—¿Tu madre vive en la puerta más alta
del pueblo?

MUCHACHA 2.ª—Sí.

YERMA.—¿En la última casa?

MUCHACHA 2.ª—Sí.

YERMA.—¿Cómo se llama?

MUCHACHA 2.ª—Dolores. ¿Por qué preguntas?

YERMA.—Por nada.

MUCHACHA 2.ª—¡Por algo preguntarás!

YERMA.—No sé..., es un decir...

MUCHACHA 2.ª—Allá tú... Mira, me voy a dar la
comida a mi marido. (*Ríe.*) Es lo que hay que
ver. Qué lástima no poder decir mi novio, ¿verdad? (*Ríe.*) ¡Ya se va la loca! (*Se va riendo alegremente.*) ¡Adiós!

VOZ DE VÍCTOR. (*Cantando.*)

> ¿Por qué duermes solo, pastor?
> ¿Por qué duermes solo, pastor?
> En mi colcha de lana
> dormirías mejor.
> ¿Por qué duermes solo, pastor?

YERMA. (*Escuchando.*)

> ¿Por qué duermes solo, pastor?
> En mi colcha de lana
> dormirías mejor.
> Tu colcha de oscura piedra,
>   pastor,
> y tu camisa de escarcha,
>   pastor,
> juncos grises del invierno
>   la noche de tu cama.
> Los robles ponen agujas,
>   pastor,
> debajo de tu almohada,
>   pastor,
> y si oyes voz de mujer
> es la rota voz del agua.
>   Pastor, pastor.
> ¿Qué quiere el monte de ti?,
>   pastor.
> Monte de hierbas amargas,
> ¿qué niño te está matando?

¡La espina de la retama!

(*Va a salir y se tropieza con* VÍCTOR *que entra.*)

VÍCTOR. (*Alegre.*)—¿Dónde va lo hermoso?
YERMA.—¿Cantabas tú?
VÍCTOR.—Yo.
YERMA.—¡Qué bien! Nunca te había sentido.
VÍCTOR.—¿No?
YERMA.—Y qué voz tan pujante. Parece un chorro de agua que te llena toda la boca.
VÍCTOR.—Soy alegre.
YERMA.—Es verdad.
VÍCTOR.—Como tú triste.
YERMA.—No soy triste, es que tengo motivos para estarlo.
VÍCTOR.—Y tu marido más triste que tú.
YERMA.—El, sí. Tiene un carácter seco.
VÍCTOR.—Siempre fue igual. (*Pausa.* YERMA *está sentada.*) ¿Viniste a traer la comida?
YERMA.—Sí. (*Lo mira. Pausa.*) ¿Qué tienes aquí?

(*Señala la cara.*)

VÍCTOR.—¿Dónde?
YERMA. (*Se levanta y se acerca a* VÍCTOR.)—Aquí..., en la mejilla; como una quemadura.
VÍCTOR.—No es nada.
YERMA.—Me había parecido.

(*Pausa.*)

VÍCTOR.—Debe ser el sol...
YERMA.—Quizá... (*Pausa. El silencio se acentúa y sin el menor gesto comienza una lucha entre los dos personajes. Temblando.*) ¿Oyes?
VÍCTOR.—¿Qué?
YERMA.—¿No sientes llorar?

Víctor. (*Escuchando.*)—No.

Yerma.—Me había parecido que lloraba un niño.

Víctor.—¿Sí?

Yerma.—Muy cerca. Y lloraba como ahogado.

Víctor.—Por aquí hay siempre muchos niños que vienen a robar fruta.

Yerma.—No. Es la voz de un niño pequeño.

(*Pausa.*)

Víctor.—No oigo nada.

Yerma.—Serán ilusiones mías.

(*Lo mira fijamente y* Víctor *la mira también y desvía la mirada lentamente como con miedo. Sale* Juan.)

Juan.—¡Qué haces todavía aquí!

Yerma.—Hablaba.

Víctor.—Salud.

(*Sale.*)

Juan.—Debías estar en casa.

Yerma.—Me entretuve.

Juan.—No comprendo en qué te has entretenido.

Yerma.—Oí cantar los pájaros.

Juan.—Está bien. Así darás que hablar a las gentes.

Yerma. (*Fuerte.*)—Juan, ¿qué piensas?

Juan.—No lo digo por ti, lo digo por las gentes.

Yerma.—¡Puñalada que les den a las gentes!

Juan.—No maldigas. Está feo en una mujer.

Yerma.—Ojalá fuera yo una mujer.

Juan.—Vamos a dejarnos de conversación. Vete a la casa.

(*Pausa.*)

Yerma.—Está bien. ¿Te espero?

JUAN.—No. Estaré toda la noche regando. Viene poca agua, es mía hasta la salida del sol y tengo que defenderla de los ladrones. Te acuestas y te duermes.

YERMA. (*Dramática.*)—¡Me dormiré!

(*Sale.*)

FIN DEL ACTO PRIMERO

ACTO SEGUNDO

CUADRO PRIMERO

Canto a telón corrido. Torrente donde lavan las mujeres del pueblo. Las lavanderas están situadas en varios planos.

CANTAN:

> En el arroyo frío
> lavo tu cinta,
> como un jazmín caliente
> tienes la risa.

LAVANDERA 1.ª—A mí no me gusta hablar.

LAVANDERA 3.ª—Pero aquí se habla.

LAVANDERA 4.ª—Y no hay mal en ello.

LAVANDERA 5.ª—La que quiera honra que la gane.

LAVANDERA 4.ª

> Yo planté un tomillo,
> yo lo vi crecer.
> El que quiera honra
> que se porte bien.

(*Ríen.*)

LAVANDERA 5.ª—Así se habla.

LAVANDERA 1.ª—Pero es que nunca se sabe nada.

LAVANDERA 4.ª—Lo cierto es que el marido se ha llevado a vivir con ellos a sus dos hermanas.

LAVANDERA 5.ª—¿Las solteras?

LAVANDERA 4.ª—Sí. Estaban encargadas de cuidar la iglesia y ahora cuidarán de su cuñada. Yo no podría vivir con ellas.

LAVANDERA 1.ª—¿Por qué?

LAVANDERA 4.ª—Porque dan miedo. Son como esas hojas grandes que nacen de pronto sobre los sepulcros. Están untadas con cera. Son metidas hacia adentro. Se me figura que guisan su comida con el aceite de las lámparas.

LAVANDERA 3.ª—¿Y están ya en la casa?

LAVANDERA 4.ª—Desde ayer. El marido sale otra vez a sus tierras.

LAVANDERA 1.ª—Pero ¿se puede saber lo que ha ocurrido?

LAVANDERA 5.ª—Anteanoche, ella la pasó sentada en el tranco, a pesar del frío.

LAVANDERA 1.ª—Pero ¿por qué?

LAVANDERA 4.ª—Le cuesta trabajo estar en su casa.

LAVANDERA 5.ª—Estas machorras son así: cuando podían estar haciendo encajes o confituras de manzanas, les gusta subirse al tejado y andar descalzas por esos ríos.

LAVANDERA 1.ª—¿Quién eres tú para decir estas cosas? Ella no tiene hijos, pero no es por culpa suya.

LAVANDERA 4.ª—Tiene hijos la que quiere tenerlos. Es que las regalonas, las flojas, las endulzadas no son a propósito para llevar el vientre arrugado.

(*Ríen.*)

LAVANDERA 3.ª—Y se echan polvos de blancura y colorete y se prenden ramos de adelfa en busca de otro que no es su marido.

LAVANDERA 5.ª—¡No hay otra verdad!

LAVANDERA 1.ª—Pero ¿vosotras la habéis visto con otro?

LAVANDERA 4.ª—Nosotras no, pero las gentes sí.

LAVANDERA 1.ª—¡Siempre las gentes!

LAVANDERA 5.ª—Dicen que en dos ocasiones.

LAVANDERA 2.ª—¿Y qué hacían?

LAVANDERA 4.ª—Hablaban.

LAVANDERA 1.ª—Hablar no es pecado.

LAVANDERA 4.ª—Hay una cosa en el mundo que es la mirada. Mi madre lo decía. No es lo mismo una mujer mirando unas rosas que una mujer mirando los muslos de un hombre. Ella lo mira.

LAVANDERA 1.ª—Pero ¿a quién?

LAVANDERA 4.ª—A uno, ¿lo oyes? Entérate tú, ¿quieres que lo diga más alto? (*Risas.*) Y cuando no lo mira, porque está sola, porque no lo tiene delante, lo lleva retratado en los ojos.

LAVANDERA 1.ª—¡Eso es mentira!

(*Algazara.*)

LAVANDERA 5.ª—¿Y el marido?

LAVANDERA 3.ª—El marido está como sordo. Parado, como un lagarto puesto al sol.

(*Ríen.*)

LAVANDERA 1.ª—Todo esto se arreglaría si tuvieran criaturas.

LAVANDERA 2.ª—Todo esto son cuestiones de gente que no tiene conformidad con su sino.

LAVANDERA 4.ª.—Cada hora que transcurre aumenta el infierno en aquella casa. Ella y las cuñadas, sin despegar los labios, blanquean todo el día las paredes, friegan los cobres, limpian con vaho los cristales, dan aceite a la solería, pues cuanto más relumbra la vivienda más arde por dentro.

LAVANDERA 1.ª—El tiene la culpa; él: cuando un padre no da hijos debe cuidar de su mujer.

LAVANDERA 4.ª—La culpa es de ella que tiene por lengua un pedernal.

LAVANDERA 1.ª—¿Qué demonio se te ha metido entre los cabellos para que hables así?

LAVANDERA 4.ª—¿Y quién ha dado licencia a tu boca para que me des consejos?

LAVANDERA 2.ª—¡Callar!

LAVANDERA 1.ª—Con una aguja de hacer calceta ensartaría yo las lenguas murmuradoras.

LAVANDERA 2.ª—¡Calla!

LAVANDERA 4.ª—Y yo la tapa del pecho de las fingidas.

LAVANDERA 2.ª—Silencio. ¿No ves que por ahí vienen las cuñadas?

> (*Murmullos. Entran las dos cuñadas de* YERMA. *Van vestidas de luto. Se ponen a lavar en medio de un silencio. Se oyen esquilas.*)

LAVANDERA 1.ª—¿Se van ya los zagales?

LAVANDERA 3.ª—Sí, ahora salen todos los rebaños.

LAVANDERA 4.ª—Me gusta el olor de las ovejas.

LAVANDERA 3.ª—¿Sí?

LAVANDERA 4.ª—¿Y por qué no? Olor de lo que una tiene. Como me gusta el olor del fango rojo que trae el río por el invierno.

LAVANDERA 3.ª—Caprichos.

LAVANDERA 5.ª (*Mirando.*)—Van juntos todos los rebaños.

LAVANDERA 4.ª—¡Mira cómo corren! ¡Qué manada de enemigos!

LAVANDERA 1.ª—Ya salieron todos, no falta uno.

LAVANDERA 4.ª—A ver..., no... Sí, sí, falta uno.

LAVANDERA 5.ª—¿Cuál...?

LAVANDERA 4.ª—El de Víctor.

> (*Las dos cuñadas se yerguen y miran.*)

En el arroyo frío
lavo tu cinta.

Como un jazmín caliente
tienes la risa.
Quiero vivir
en la nevada chica
de ese jazmín.

LAVANDERA 1.ª

¡Ay de la casada seca!
¡Ay de la que tiene los pechos de arena!

LAVANDERA 5.ª

Dime si tu marido
guarda semilla
para que el agua cante
por tu camisa.

LAVANDERA 4.ª

Es tu camisa
nave de plata y viento
por las orillas.

LAVANDERA 1.ª

Las ropas de mi niño
vengo a lavar
para que tome el agua
lecciones de cristal.

LAVANDERA 2.ª

Por el monte ya llega
mi marido a comer.
El me trae una rosa
y yo le doy tres.

LAVANDERA 5.ª

Por el llano ya vino
mi marido a cenar.
Las brasas que me entrega
cubro con arrayán.

LAVANDERA 4.ª

Por el aire ya viene
mi marido a dormir.
Yo alhelíes rojos
y él rojo alhelí.

LAVANDERA 1.ª

Hay que juntar flor con flor
cuando el verano seca la sangre al segador.

LAVANDERA 4.ª

Y abrir el vientre a pájaros sin sueño
cuando a la puerta llama temblando el invierno

LAVANDERA 1.ª

Hay que gemir en la sábana.

LAVANDERA 4.ª

¡Y hay que cantar!

LAVANDERA 5.ª

Cuando el hombre nos trae
la corona y el pan.

LAVANDERA 4.ª

Porque los brazos se enlazan.

LAVANDERA 2.ª

Porque la luz se nos quiebra en la garganta.

LAVANDERA 4.ª

Porque se endulza el tallo de las ramas.

LAVANDERA 1.ª

Y las tiendas del viento cubren a las montañas.

LAVANDERA 6.ª (*Apareciendo en lo alto del torrente.*)

Para que un niño funda
yertos vidrios del alba.

LAVANDERA 1.ª

Y nuestro cuerpo tiene
ramas furiosas de coral.

LAVANDERA 6.ª

Para que haya remeros
en las aguas del mar.

LAVANDERA 1.ª

Un niño pequeño, un niño.

LAVANDERA 2.ª

Y las palomas abren las alas y el pico.

LAVANDERA 3.ª

Un niño que gime, un hijo.

LAVANDERA 4.ª
  Y los hombres avanzan
  como ciervos heridos.
LAVANDERA 5.ª
  ¡Alegría, alegría, alegría,
  del vientre redondo, bajo la camisa!
LAVANDERA 2.ª
  ¡Alegría, alegría, alegría
  ombligo, cáliz tierno de maravilla!
LAVANDERA 1.ª
  ¡Pero, ay de la casada seca!
  ¡Ay de la que tiene los pechos de arena!
LAVANDERA 3.ª
  ¡Que relumbre!
LAVANDERA 2.ª
  ¡Que corra!
LAVANDERA 5.ª
  ¡Que vuelva a relumbrar!
LAVANDERA 1.ª
  ¡Que cante!
LAVANDERA 2.ª
  ¡Que se esconda!
LAVANDERA 1.ª
  Y que vuelva a cantar.
LAVANDERA 6.ª
  La aurora que mi niño
  lleva en el delantal.
LAVANDERA. 2.ª *(Cantan todas a coro.)*
  En el arroyo frío
  lavo tu cinta.
  Como un jazmín caliente
  tienes la risa.
  ¡Ja, ja, ja!

        *(Mueven los paños con ritmo y los
        golpean.)*

                TELÓN

330 FEDERICO GARCIA LORCA

CUADRO SEGUNDO

(*Casa de* YERMA. *Atardece.* JUAN *está sentado. Las dos cuñadas de pie.*)

JUAN.—¿Dices que salió hace poco? (*La hermana mayor contesta con la cabeza.*) Debe estar en la fuente. Pero ya sabéis que no me gusta que salga sola. (*Pausa.*) Puedes poner la mesa. (*Sale la hermana menor.*) Bien ganado tengo el pan que como. (*A su hermana.*) Ayer pasé un día duro. Estuve podando los manzanos y a la caída de la tarde me puse a pensar para qué pondría yo tanta ilusión en la faena si no puedo llevarme una manzana a la boca. Estoy harto. (*Se pasa la mano por la cara. Pausa.*) Esa no viene... Una de vosotras debía salir con ella, porque para eso estáis aquí comiendo en mi mantel y bebiendo mi vino. Mi vida está en el campo, pero mi honra está aquí. Y mi honra es también la vuestra. (*La hermana inclina la cabeza.*) No lo tomes a mal. (*Entra* YERMA *con dos cántaros. Queda parada en la puerta.*) ¿Vienes de la fuente?

YERMA.—Para tener agua fresca en la comida. (*Sale la otra hermana.*) ¿Cómo están las tierras?

(YERMA *deja los cántaros. Pausa.*)

JUAN.—Ayer estuve podando los árboles.

YERMA.—¿Te quedarás?

JUAN.—He de cuidar el ganado. Tú sabes que esto es cosa del dueño.

YERMA.—Lo sé muy bien. No lo repitas.

JUAN.—Cada hombre tiene su vida.

YERMA.—Y cada mujer la suya. No te pido yo que te quedes. Aquí tengo todo lo que necesito. Tus hermanas me guardan bien. Pan tierno y requesón y cordero asado como yo aquí, y pasto lleno de rocío tus ganados en el monte. Creo que puedes vivir en paz.

JUAN.—Para vivir en paz se necesita estar tranquilo.

YERMA.—Y tú no estás.

JUAN.—No estoy.

YERMA.—Desvía la intención.

JUAN.—¿Es que no conoces mi modo de ser? Las ovejas en el redil y las mujeres en su casa. Tú sales demasiado. ¿No me has oído decir esto siempre?

YERMA.—Justo. Las mujeres dentro de sus casas. Cuando las casas no son tumbas. Cuando las sillas se rompen y las sábanas de hilo se gastan con el uso. Pero aquí no. Cada noche, cuando me acuesto, encuentro mi cama más nueva, más reluciente, como si estuviera recién traída de la ciudad.

JUAN.—Tú misma reconoces que llevo razón al quejarme. ¡Que tengo motivos para estar alerta!

YERMA.—Alerta ¿de qué? En nada te ofendo. Vivo sumisa a ti, y lo que sufro lo guardo pegado a mis carnes. Y cada día que pase será peor. Vamos a callarnos. Yo sabré llevar mi cruz como mejor pueda, pero no me preguntes nada. Si pudiera de pronto volverme vieja y tuviera la boca como una flor machacada te podría sonreír y conllevar la vida contigo. Ahora, ahora déjame con mis clavos.

JUAN.—Hablas de una manera que yo no te entiendo. No te privo de nada. Mando a los pueblos

vecinos por las cosas que te gustan. Yo tengo
mis defectos, pero quiero tener paz y sosiego
contigo. Quiero dormir fuera y pensar que tú
duermes también.

YERMA.—Pero yo no duermo, yo no puedo dormir.

JUAN.—¿Es que te falta algo? Dime. ¡Contesta!

YERMA. (*Con intención y mirando fijamente al marido.*)—Sí, me falta.

(*Pausa.*)

JUAN.—Siempre lo mismo. Hace ya más de cinco
años. Yo casi lo estoy olvidando.

YERMA.—Pero yo no soy tú. Los hombres tienen
otra vida, los ganados, los árboles, las conversa-
ciones; las mujeres no tenemos más que ésta de
la cría y el cuidado de la cría.

JUAN.—Todo el mundo no es igual. ¿Por qué no te
traes un hijo de tu hermano? Yo no me opongo.

YERMA.—No quiero cuidar hijos de otros. Me fi-
guro que se me van a helar los brazos de
tenerlos.

JUAN.—Con este achaque vives alocada, sin pensar
en lo que debías, y te empeñas en meter la cabeza por una roca.

YERMA.—Roca que es una infamia que sea roca,
porque debía ser un canasto de flores y agua
dulce.

JUAN.—Estando a tu lado no se siente más que inquietud, desasosiego. En último caso, debes re-
signarte.

YERMA.—Yo he venido a estas cuatro paredes para
no resignarme. Cuando tenga la cabeza atada
con un pañuelo para que no se me abra la boca,
y las manos bien amarradas dentro del ataúd,
en esa hora me habré resignado.

JUAN.—Entonces, ¿qué quieres hacer?

YERMA.—Quiero beber agua y no hay vaso ni agua, quiero subir al monte y no tengo pies, quiero bordar mis enaguas y no encuentro los hilos.

JUAN.—Lo que pasa es que no eres una mujer verdadera y buscas la ruina de un hombre sin voluntad.

YERMA.—Yo no sé quién soy. Déjame andar y desahogarme. En nada te he faltado.

JUAN.—No me gusta que la gente me señale. Por eso quiero ver cerrada esa puerta y cada persona en su casa.

(*Sale la* HERMANA PRIMERA *lentamente y se acerca a una alacena.*)

YERMA.—Hablar con la gente no es pecado.

JUAN.—Pero puede parecerlo. (*Sale la otra hermana y se dirige a los cántaros en los cuales llena una jarra.* JUAN, *bajando la voz.*) Yo no tengo fuerza para estas cosas. Cuando te den conversación cierra la boca y piensa que eres una mujer casada.

YERMA. (*Con asombro.*)—¡Casada!

JUAN.—Y que las familias tienen honra y la honra es una carga que se lleva entre dos. (*Sale la hermana con la jarra, lentamente.*) Pero que está oscura y débil en los mismos caños de la sangre. (*Sale la otra hermana con una fuente de modo casi procesional. Pausa.*) Perdóname. (YERMA *mira a su marido, éste levanta la cabeza y se tropieza con la mirada.*) Aunque me miras de un modo, que no debía decirte: perdóname, sino obligarte, encerrarte, porque para eso soy el marido.

(*Aparecen las dos hermanas en la puerta.*)

YERMA.—Te ruego que no hables. Deja quieta la cuestión.

(*Pausa.*)

JUAN.—Vamos a comer. (*Entran las hermanas.*) ¿Me has oído?
YERMA. (*Dulce.*)—Come tú con tus hermanas. Yo no tengo hambre todavía.
JUAN.—Lo que quieras.

(*Entra.*)

YERMA. (*Como soñando.*)
    ¡Ay, qué prado de pena!
    ¡Ay, qué puerta cerrada a la hermosura!,
    que pido un hijo que sufrir, y el aire
    me ofrece dalias de dormida luna.
    Estos dos manantiales que yo tengo
    de leche tibia, son en la espesura
    de mi carne dos pulsos de caballo
    que hacen latir la rama de mi angustia.
    ¡Ay, pechos ciegos bajo mi vestido!
    ¡Ay, palomas sin ojos ni blancura!
    ¡Ay, qué dolor de sangre prisionera
    me está clavando avispas en la nuca!
    Pero tú has de venir, amor, mi niño,
    porque el agua da sal, la tierra fruta,
    y nuestro vientre guarda tiernos hijos,
    como la nube lleva dulce lluvia.
(*Mira hacia la puerta.*) ¡María! ¿Por qué pasas tan de prisa por mi puerta?
MARÍA. (*Con un niño en brazos.*)—Cuando voy con el niño lo hago..., ¡como siempre lloras!
YERMA.—Tienes razón.

(*Coge al niño y se sienta.*)

MARÍA.—Me da tristeza que tengas envidia.

YERMA.—No es envidia lo que tengo; es pobreza.

MARÍA.—No te quejes.

YERMA.—¡Cómo no me voy a quejar cuando te veo a ti y a las otras mujeres llenas por dentro de flores, y viéndome yo inútil en medio de tanta hermosura!

MARÍA.—Pero tienes otras cosas. Si me oyeras podrías ser feliz.

YERMA.—La mujer de campo que no da hijos es inútil como un manojo de espinos, y hasta mala, a pesar de que yo sea de este desecho dejado de la mano de Dios. (MARÍA *hace gestos como para tomar al niño.*) Tómalo, contigo está más a gusto. Yo no debo tener manos de madre.

MARÍA.—¿Por qué dices esto?

YERMA. (*Se levanta.*)—Porque estoy harta. Porque estoy harta de tenerlas y no poderlas usar en cosa propia. Que estoy ofendida, ofendida y rebajada hasta lo último, viendo que los trigos apuntan, que las fuentes no cesan de dar agua y que paren las ovejas cientos de corderos, y las perras, y que parece que todo el campo puesto de pie me enseña sus crías tiernas, adormiladas, mientras yo siento los golpes de martillo aquí, en lugar de la boca de mi niño.

MARÍA.—No me gusta lo que dices.

YERMA.—Las mujeres cuando tenéis hijos no podéis pensar en las que no los tenemos. Os quedáis frescas, ignorantes, como el que nada en agua dulce no tiene idea de la sed.

MARÍA.—No te quiero decir lo que te digo siempre.

YERMA.—Cada vez tengo más deseos y menos esperanzas.

MARÍA.—Mala cosa.

YERMA.—Acabaré creyendo que yo misma soy mi hijo. Muchas veces bajo yo a echar la comida a los bueyes, que antes no lo hacía, porque ninguna mujer lo hace, y cuando paso por lo oscuro del cobertizo mis pasos me suenan a pasos de hombre.

MARÍA.—Cada criatura tiene su razón.

YERMA.—A pesar de todo sigue queriéndome. ¡Ya ves cómo vivo!

MARÍA.—¿Y tus cuñadas?

YERMA.—Muerta me vea y sin mortaja, si alguna vez les dirijo la conversación.

MARÍA.—¿Y tu marido?

YERMA.—Son tres contra mí.

MARÍA.—¿Qué piensan?

YERMA.—Figuraciones. De gente que no tiene la conciencia tranquila. Creen que me puede gustar otro hombre y no saben que, aunque me gustara, lo primera de mi casa es la honradez. Son piedras delante de mí. Pero ellos no saben que yo, si quiero, puedo ser agua de arroyo que las lleve.

(*Una hermana entra y sale llevando un pan.*)

MARÍA.—De todas maneras, creo que tu marido te sigue queriendo.

YERMA.—Mi marido me da pan y casa.

MARÍA.—¡Qué trabajos estás pasando, qué trabajos! Pero acuérdate de las llagas de Nuestro Señor.

(*Están en la puerta.*)

YERMA. (*Mirando al niño.*)—Ya ha despertado.

MARÍA.—Dentro de poco empezará a cantar.

YERMA.—Los mismos ojos que tú, ¿lo sabías? ¿Lo has visto? (*Llorando.*) ¡Tiene los mismos ojos que tienes tú!

(YERMA *empuja suavemente a* MARÍA *y
ésta sale silenciosa.* YERMA *se dirige a la
puerta por donde entró su marido.*)

MUCHACHA 2.ª—Chiss.

YERMA. (*Volviéndose.*)—¿Qué?

MUCHACHA 2.ª—Esperé a que saliera. Mi madre te
está aguardando.

YERMA.—¿Está sola?

MUCHACHA 2.ª—Con dos vecinas.

YERMA.—Diles que esperen un poco.

MUCHACHA 2.ª—¿Pero vas a ir? ¿No te da miedo?

YERMA.—Voy a ir.

MUCHACHA 2.ª—¡Allá tú!

YERMA.—¡Que me esperen aunque sea tarde!

(*Entra* VÍCTOR.)

VÍCTOR.—¿Está Juan?

YERMA.—Sí.

MUCHACHA 2.ª (*Cómplice.*)—Entonces, luego, yo
traeré la blusa.

YERMA.—Cuando quieras. (*Sale la* MUCHACHA.)
Siéntate.

VÍCTOR.—Estoy bien así.

YERMA. (*Llamándolo.*)—¡Juan!

VÍCTOR.—Vengo a despedirme.

(*Se estremece ligeramente, pero vuelve a su serenidad.*)

YERMA.—¿Te vas con tus hermanos?

VÍCTOR.—Así lo quiere mi padre.

YERMA.—Ya debe estar viejo.

VÍCTOR.—Sí. Muy viejo.

(*Pausa.*)

YERMA.—Haces bien de cambiar de campos.

Víctor.—Todos los campos son iguales.

Yerma.—No. Yo me iría muy lejos.

Víctor.—Es todo lo mismo. Las mismas ovejas tienen la misma lana.

Yerma.—Para los hombres, sí; pero las mujeres somos otra cosa. Nunca oí decir a un hombre comiendo: qué buenas son estas manzanas. Vais a lo vuestro sin reparar en las delicadezas. De mí sé decir que he aborrecido el agua de estos pozos.

Víctor.—Puede ser.

(*La escena está en una suave penumbra.*)

Yerma.—Víctor.

Víctor.—Dime.

Yerma.—¿Por qué te vas? Aquí las gentes te quieren.

Víctor.—Yo me porté bien.

(*Pausa.*)

Yerma.—Te portaste bien. Siendo zagalón me llevaste una vez en brazos, ¿no recuerdas? Nunca se sabe lo que va a pasar.

Víctor.—Todo cambia.

Yerma.—Algunas cosas no cambian. Hay cosas encerradas detrás de los muros que no pueden cambiar porque nadie las oye.

Víctor.—Así es.

(*Aparece la* Hermana Segunda *y se dirige lentamente hacia la puerta, donde queda fija, iluminada por la última luz de la tarde.*)

Yerma.—Pero que si salieran de pronto y gritaran, llenarían el mundo.

VÍCTOR.—No se adelantaría nada. La acequia por su sitio, el rebaño en el redil, la luna en el cielo y el hombre con su arado.

YERMA.—¡Qué pena más grande no poder sentir las enseñanzas de los viejos!

> (*Se oye el sonido largo y melancólico de las caracolas de los pastores.*)

VÍCTOR.—Los rebaños.

JUAN. (*Sale.*)—¿Vas ya de camino?

VÍCTOR.—Y quiero pasar el puerto antes del amanecer.

JUAN.—¿Llevas alguna queja de mí?

VÍCTOR.—No. Fuiste buen pagador.

JUAN. (*A* YERMA.)—Le compré los rebaños.

YERMA.—¿Sí?

VÍCTOR. (*A* YERMA.)—Tuyos son.

YERMA.—No lo sabía.

JUAN. (*Satisfecho.*)—Así es.

VÍCTOR.—Tu marido ha de ver su hacienda colmada.

YERMA.—El fruto viene a las manos del trabajador que lo busca.

> (*La hermana que está en la puerta entra dentro.*)

JUAN.—Ya no tenemos sitio donde meter tantas ovejas.

YERMA. (*Sombría.*)—La tierra es grande.

> (*Pausa.*)

JUAN.—Iremos juntos hasta el arroyo.

VÍCTOR.—Deseo la mayor felicidad para esta casa.

> (*Le da la mano a* YERMA.)

YERMA.—¡Dios te oiga! ¡Salud!

> (VÍCTOR *le da salida y, a un movimiento imperceptible de* YERMA, *se vuelve.*)

VÍCTOR.—¿Decías algo?
YERMA. (*Dramática.*)—Salud dije.
VÍCTOR.—Gracias.

> (*Salen.* YERMA *queda angustiada mirando la mano que ha dado a* VÍCTOR. YERMA *se dirige rápidamente hacia la izquierda y toma un mantón.*)

MUCHACHA 2.ª—Vamos.

> (*En silencio, tapándole la cabeza.*)

YERMA.—Vamos.

> (*Salen sigilosamente. La escena está casi a oscuras. Sale la* HERMANA PRIMERA *con un velón que no debe dar al teatro luz ninguna, sino la natural que lleva. Se dirige al fin de la escena, buscando a* YERMA. *Suenan las caracolas de los rebaños.*)

CUÑADA 1.ª (*En boz baja.*)—¡Yerma!

> (*Sale la* HERMANA SEGUNDA. *Se miran las dos y se dirigen hacia la puerta.*)

CUÑADA 2.ª (*Más alto.*)—¡Yerma!
CUÑADA 1.ª (*Dirigiéndose a la puerta y con una imperiosa voz.*)—¡Yerma!

> (*Se oyen las caracolas y los cuernos de los pastores. La escena está oscurísima.*)

FIN DEL ACTO SEGUNDO

ACTO TERCERO

CUADRO PRIMERO

(Casa de Dolores *la conjuradora. Está amaneciendo. Entra* Yerma *con* Dolores *y dos* Viejas.*)*

Dolores.—Has estado valiente.

Vieja 1.ª—No hay en el mundo fuerza como la del deseo.

Vieja 2.ª—Pero el cementerio estaba demasiado oscuro.

Dolores.—Muchas veces yo he hecho estas oraciones en el cementerio con mujeres que ansiaban críos y todas han pasado miedo. Todas menos tú.

Yerma.—Yo he venido por el resultado. Creo que no eres mujer engañadora.

Dolores.—No soy. Que mi lengua se llene de hormigas, como está la boca de los muertos, si alguna vez he mentido. La última vez hice la oración con una mujer mendicante que estaba seca más tiempo que tú, y se le endulzó el vientre de manera tan hermosa que tuvo dos criaturas ahí abajo en el río, porque no le daba tiempo de llegar a las casas, y ella misma las trajo en un pañal para que yo las arreglase.

Yerma.—¿Y pudo venir andando desde el río?

Dolores.—Vino. Con los zapatos y las enaguas empapados en sangre... pero con la cara reluciente.

YERMA.—¿Y no le pasó nada?

DOLORES.—¿Qué le iba a pasar? Dios es Dios.

YERMA.—Naturalmente, Dios es Dios. No le podía pasar nada. Sino agarrar las criaturas y lavarlas con agua viva. Los animales los lamen, ¿verdad? A mí no me da asco de mi hijo. Yo tengo la idea de que las recién paridas están como iluminadas por dentro y los niños se duermen horas y horas sobre ellas, oyendo ese arroyo de leche tibia que les va llenando los pechos para que ellos mamen, para que ellos jueguen hasta que no quieran más, hasta que retiren la cabeza: "otro poquito más, niño..." y se les llene la cara y el pecho de gotas blancas.

DOLORES.—Ahora tendrás un hijo. Te lo puedo asegurar.

YERMA.—Lo tendré porque lo tengo que tener. O no entiendo el mundo. A veces, cuando ya estoy segura de que jamás, jamás..., me sube como una oleada de fuego por los pies y se me quedan vacías todas las cosas, y los hombres que andan por la calle y los toros y las piedras me parecen como cosas de algodón. Y me pregunto: ¿para qué estarán ahí puestos?

VIEJA 1.ª—Está bien que una casada quiera hijos, pero si no los tiene, ¿por qué esa ansia por ellos? Lo importante de este mundo es dejarse llevar por los años. No te critico. Ya has visto cómo he ayudado a los rezos. Pero, ¿qué vega esperas dar a tu hijo ni qué felicidad, ni qué silla de plata?

YERMA.—Yo no pienso en el mañana, pienso en el hoy. Tú estás vieja y lo ves ya todo como un libro leído. Yo pienso que tengo sed y no tengo libertad. Yo quiero tener a mi hijo en los brazos para dormir tranquila, y óyelo bien y no te espantes de lo que digo: aunque ya supiera que mi hijo me iba a martirizar después y me iba a odiar y me iba a llevar de los cabellos por las calles, recibiría con gozo su nacimiento, porque es mucho mejor llorar por un hombre vivo que nos apuñala, que llorar por este fantasma sentado año tras año encima de mi corazón.

VIEJA 1.ª—Eres demasiado joven para oír consejo. Pero mientras esperas la gracia de Dios debes ampararte en el amor de tu marido.

YERMA.—¡Ay! Has puesto el dedo en la llaga más honda que tienen mis carnes.

DOLORES.—Tu marido es bueno.

YERMA. (*Se levanta.*)—¡Es bueno! ¡Es bueno! ¿Y qué? Ojalá fuera malo. Pero no. El va con sus ovejas por sus caminos y cuenta el dinero por las noches. Cuando me cubre cumple con su deber, pero yo le noto la cintura fría como si tuviera el cuerpo muerto y yo, que siempre he tenido asco de las mujeres calientes, quisiera ser en aquel instante como una montaña de fuego.

DOLORES.—¡Yerma!

YERMA.—No soy una casada indecente; pero yo sé que los hijos nacen del hombre y de la mujer. ¡Ay, si los pudiera tener yo sola!

DOLORES.—Piensa que tu marido también sufre.

YERMA.—No sufre. Lo que pasa es que él no ansía hijos.

VIEJA 1.ª—¡No digas eso!

YERMA.—Se lo conozco en la mirada, y como no los ansía no me los da. No lo quiero, no lo quiero y, sin embargo, es mi única salvación. Por honra y por casta. Mi única salvación.

VIEJA 1.ª (*Con miedo.*)—Pronto empezará a amanecer. Debes irte a tu casa.

DOLORES.—Antes de nada saldrán los rebaños y no conviene que te vean sola.

YERMA.—Necesitaba este desahogo. ¿Cuántas veces repito las oraciones?

DOLORES.—La oración del laurel dos veces, y al mediodía la oración de Santa Ana. Cuando te sientas encinta me traes la fanega de trigo que me has prometido.

VIEJA 1.ª—Por encima de los montes ya empieza a clarear. Vete.

DOLORES.—Como en seguida empezarán a abrir los portones, te vas dando un rodeo por la acequia.

YERMA. (*Con desaliento.*)—¡No sé por qué he venido!

DOLORES.—¿Te arrepientes?

YERMA.—¡No!

DOLORES. (*Turbada.*)—Si tienes miedo te acompañaré hasta la esquina.

VIEJA 1.ª (*Con inquietud.*)—Van a ser las claras del día cuando llegues a tu puerta.

(*Se oyen voces.*)

DOLORES.—¡Calla!

(*Escuchan.*)

VIEJA 1.ª—No es nadie. Anda con Dios.

(YERMA *se dirige a la puerta y en este momento llaman a ella. Las tres mujeres quedan paradas.*)

DOLORES.—¿Quién es?

VOZ.—Soy yo.

YERMA.—Abre. (DOLORES *duda.*) ¿Abres o no?

(*Se oyen murmullos. Aparece* JUAN *con las dos* CUÑADAS.)

CUÑADA 2.ª—Aquí está.

YERMA.—Aquí estoy.

JUAN.—¿Qué haces en este sitio? Si pudiera dar voces levantaría a todo el pueblo para que viera dónde iba la honra de mi casa; pero he de ahogarlo todo y callarme porque eres mi mujer.

YERMA.—Si pudiera dar voces, también las daría yo para que se levantaran hasta los muertos y vieran esta limpieza que me cubre.

JUAN.—¡No, eso no! Todo lo aguanto menos eso. Me engañas, me envuelves y como soy un hombre que trabaja la tierra no tengo ideas para tus astucias.

DOLORES.—¡Juan!

JUAN.—¡Vosotras, ni palabra!

DOLORES. (*Fuerte.*)—Tu mujer no ha hecho nada malo.

JUAN.—Lo está haciendo desde el mismo día de la boda. Mirándome con dos agujas, pasando las noches en vela con los ojos abiertos al lado mío y llenando de malos suspiros mis almohadas.

YERMA.—¡Cállate!

JUAN.—Y yo no puedo más. Porque se necesita ser de bronce para ver a tu lado una mujer que te quiere meter los dedos dentro del corazón y que se sale de noche fuera de su casa, ¿en busca de qué? ¡Dime!, ¿buscando qué? Las calles están llenas de machos. En las calles no hay flores que cortar.

YERMA.—No te dejo hablar ni una sola palabra. Ni una más. Te figuras tú y tu gente que sois vosotros los únicos que guardáis honra, y no sabes que mi casta no ha tenido nunca nada que ocultar. Anda. Acércate a mí y huele mis vestidos; ¡acércate! A ver dónde encuentras un olor que no sea tuyo, que no sea de tu cuerpo. Me pones desnuda en mitad de la plaza y me escupes. Haz conmigo lo que quieras, que soy tu mujer, pero guárdate de poner nombre de varón sobre mis pechos.

JUAN.—No soy yo quien lo pone, lo pones tú con tu conducta y el pueblo lo empieza a decir. Lo empieza a decir claramente. Cuando llego a un corro, todos callan; cuando voy a pesar la harina, todos callan y hasta de noche, en el campo, cuando despierto me parece que también se callan las ramas de los árboles.

YERMA.—Yo no sé por qué empiezan los malos aires que revuelcan el trigo; ¡y mira tú si el trigo es bueno!

JUAN.—Ni yo sé lo que busca una mujer a todas horas fuera de su tejado.

YERMA. (*en un arranque y abrazándose a su marido.*)—Te busco a ti. Te busco a ti, es a ti a quien busco día y noche sin encontrar sombra donde respirar. Es tu sangre y tu amparo lo que deseo.

JUAN.—Apártate.

YERMA.—No me apartes y quiere conmigo.

JUAN.—¡Quita!

YERMA.—Mira que me quedo sola. Como si la luna se buscara ella misma en el cielo. ¡Mírame!

(*Lo mira.*)

JUAN. (*La mira y la aparta bruscamente.*)—¡Déjame ya de una vez!

DOLORES.—¡Juan!

(YERMA *cae al suelo.*)

YERMA. (*Alto.*)—Cuando salía por mis claveles me tropecé con el muro. ¡Ay! ¡Ay! Es en ese muro donde tengo que estrellar mi cabeza.

JUAN.—Calla. Vamos.

DOLORES.—¡Dios mío!

YERMA. (*A gritos.*)—Maldito sea mi padre que me dejó su sangre de padre de cien hijos. Maldita sea mi sangre que los busca golpeando por las paredes.

JUAN.—¡Calla he dicho!

DOLORES.—¡Viene gente! Habla bajo.

YERMA.—No me importa. Dejarme libre siquiera la voz, ahora que voy entrando en lo más oscuro del pozo. (*Se levanta.*) Dejad que de mi cuerpo salga siquiera esta cosa hermosa y que llene el aire.

(*Se oyen voces.*)

DOLORES.—Van a pasar por aquí.

JUAN.—Silencio.

YERMA.—¡Eso! ¡Eso! Silencio. Descuida.

JUAN.—Vamos. ¡Pronto!

YERMA.—¡Ya está! ¡Ya está! ¡Y es inútil que me retuerza las manos! Una cosa es querer con la cabeza...

JUAN.—Calla.

YERMA. (*Bajo.*)—Una cosa es querer con la cabeza y otra cosa es que el cuerpo, ¡maldito sea el cuerpo!, no nos responda. Está escrito y no me voy a poner a luchar a brazo partido con los mares. ¡Ya está! ¡Que mi boca se quede muda!

(*Sale.*)

TELÓN RÁPIDO

CUADRO SEGUNDO

(*Alrededores de una ermita, en plena montaña. En primer término, unas ruedas de carro y unas mantas formando una tienda rústica donde está* YERMA. *Entran las mujeres con ofrendas a la ermita. Vienen descalzas. En escena está la vieja alegre del primer acto.*)

(*Canto a telón corrido.*)

> No te pude ver
> cuando eras soltera,
> mas de casada
> te encontraré.
> Te desnudaré
> casada y romera,
> cuando en lo oscuro
> las doce den.

VIEJA. (*Con sorna.*)—¿Habéis bebido ya el agua santa?

MUJER 1.ª—Sí.

VIEJA.—Y ahora a ver a ése.

MUJER 1.ª—Creemos en él.

VIEJA.—Venís a pedir hijos al Santo y resulta que cada año vienen más hombres solos a esta romería; ¿qué es lo que pasa?

(*Ríe.*)

MUJER 1.ª—¿A qué vienes aquí si no crees?

VIEJA.—A ver. Yo me vuelvo loca por ver. Y a cuidar de mi hijo. El año pasado se mataron dos por una casada seca y quiero vigilar. Y en último caso, vengo porque me da la gana.

MUJER 1.ª—¡Que Dios te perdone!

(*Entran.*)

VIEJA. (*Con sarcasmo.*)—Que te perdone a ti.

(*Se va. Entra* MARÍA *con la* MUCHACHA 1.ª)

MUCHACHA 1.ª—¿Y ha venido?

MARÍA.—Ahí tienes el carro. Me costó mucho que vinieran. Ella ha estado un mes sin levantarse de la silla. Le tengo miedo. Tiene una idea que no sé cuál es, pero desde luego es una idea mala.

MUCHACHA 1.ª—Yo llegué con mi hermana. Lleva ocho años viniendo sin resultado.

MARÍA.—Tiene hijos la que los tiene que tener.

MUCHACHA 1.ª—Es lo que yo digo.

(*Se oyen voces.*)

MARÍA.—Nunca me gustó esta romería. Vamos a las eras, que es donde está la gente.

MUCHACHA 1.ª—El año pasado, cuando se hizo oscuro, unos mozos atenazaron con sus manos los pechos de mi hermana.

MARÍA.—En cuatro leguas a la redonda no se oyen más que palabras terribles.

MUCHACHA 1.ª—Más de cuarenta toneles de vino he visto en las espaldas de la ermita.

MARÍA.—Un río de hombres solos baja esas sierras.

(*Salen. Se oyen voces. Entra* YERMA *con seis mujeres que van a la iglesia. Van descalzas y llevan cirios rizados. Empieza el anochecer.*)

Señor, que florezca la rosa,
no me la dejéis en sombra.

MUJER 2.ª

Sobre su carne marchita
florezca la rosa amarilla.

María.

> Y en el vientre de tus siervas
> la llama oscura de la tierra.

Coro de Mujeres.

> Señor, que florezca la rosa,
> no me la dejéis en sombra.

(*Se arrodillan.*)

Yerma.

> El cielo tiene jardines
> con rosales de alegría,
> entre rosal y rosal
> la rosa de maravilla.
> Rayo de aurora parece,
> y un arcángel la vigila,
> las alas como tormentas,
> los ojos como agonías.
> Alrededor de sus hojas
> arroyos de leche tibia
> juegan y mojan la cara
> de las estrellas tranquilas.
> Señor, abre tu rosal
> sobre mi carne marchita.

(*Se levantan.*)

Mujer 2.ª

> Señor, calma con tu mano
> las ascuas de su mejilla.

Yerma.

> Escucha a la penitente
> de tu santa romería.
> Abre tu rosa en mi carne
> aunque tenga mil espinas.

Coro.

> Señor, que florezca la rosa,
> no me la dejéis en sombra.

YERMA.

> Sobre mi carne marchita
> la rosa de maravilla.

> (*Entran. Salen muchachas corriendo,
> con largas cintas en las manos, por la
> izquierda. Por la derecha, otras tres mi-
> rando hacia atrás. Hay en la escena co-
> mo un crescendo de voces y de ruidos de
> cascabeles y colleras de campanilleros.
> En un plano superior aparecen las siete
> muchachas que agitan las cintas hacia
> la izquierda. Crece el ruido y entran dos
> máscaras populares. Una como macho
> y otra como hembra. Llevan grandes ca-
> retas. El macho empuña un cuerno de
> toro en la mano. No son grotescas de
> ningún modo, sino de gran belleza y con
> un sentido de pura tierra. La hembra agi-
> ta un collar de grandes cascabeles. El
> fondo se llena de gente que grita y co-
> menta la danza. Está muy anochecido.*)

NIÑOS.—¡El demonio y su mujer! ¡El demonio y su
mujer!

HEMBRA.

> En el río de la sierra
> la esposa triste se bañaba.
> Por el cuerpo le subían
> los caracoles del agua.
> La arena de las orillas
> y el aire de la mañana
> le daban fuego a su risa
> y temblor a sus espaldas.
> ¡Ay, qué desnuda estaba
> la doncella en el agua!

NIÑO.
>¡Ay, cómo se quejaba!

HOMBRE 1.º
>¡Ay, marchita de amores
>con el viento y el agua!

HOMBRE 2.º
>¡Que diga a quién espera!

HOMBRE 1.º
>¡Que diga a quién aguarda!

HOMBRE 2.º
>¡Ay, con el vientre seco
>y la color quebrada!

HEMBRA.
>Cuando llegue la noche lo diré,
>cuando llegue la noche clara.
>Cuando llegue la noche de la romería
>rasgaré los volantes de mi enagua.

NIÑO.
>Y en seguida vino la noche.
>¡Ay, que la noche llegaba!
>Mirad qué oscuro se pone
>el chorro de la montaña.

(*Empiezan a sonar unas guitarras.*)

MACHO. (*Se levanta y agita el cuerno.*)
>¡Ay, qué blanca
>la triste casada!
>¡Ay, cómo se queja entre las ramas!
>Amapola y clavel será luego
>cuando el macho despliegue su capa.

(*Se acerca.*)

>Si tú vienes a la romería
>a pedir que tu vientre se abra,
>no te pongas un velo de luto
>sino dulce camisa de Holanda.

Una escena de YERMA
Buenos Aires

Vete sola detrás de los muros
donde están las higueras cerradas
y soporta mi cuerpo de tierra
hasta el blanco gemido del alba.
¡Ay, cómo relumbra!
¡Ay, cómo relumbraba,
ay, cómo se cimbrea la casada!

HEMBRA.

Ay, que el amor le pone
coronas y guirnaldas,
y dardos de oro vivo
en su pecho se clavan.

MACHO.

Siete veces gemía,
nueve se levantaba,
quince veces juntaron
jazmines con naranjas.

HOMBRE 3.º
¡Dale ya con el cuerno!

HOMBRE 2.º
¡Con la rosa y la danza!

HOMBRE 1.º
¡Ay, cómo se cimbrea la casada!

MACHO.

En esta romería
el varón siempre manda.
Los maridos son toros.
El varón siempre manda.
¡Dale ya con la rama!
Y las romeras flores
para aquel que las gana.

NIÑO.
¡Dale ya con el aire!

HOMBRE 2.º
¡Dale ya con la rama!

MACHO.

> ¡Venid a ver la lumbre
> de la que se bañaba!

HOMBRE 1.º

> Como junco se curva.

HEMBRA.

> Y como flor se cansa.

HOMBRES.

> ¡Que se aparten las niñas!

MACHO.

> Que se queme la danza
> y el cuerpo reluciente
> de la limpia casada.

> > (*Se van bailando con son de palmas y sonrisas. Cantan.*)

> El cielo tiene jardines
> con rosales de alegría,
> entre rosal y rosal
> la rosa de maravilla.

> > (*Vuelven a pasar dos muchachas gritando. Entra la* VIEJA *alegre.*)

VIEJA.—A ver si luego nos dejáis dormir. Pero luego será ella. (*Entra* YERMA.) ¡Tú! (YERMA *está abatida y no habla.*) Dime, ¿para qué has venido?

YERMA.—No sé.

VIEJA.—¿No te convences? ¿Y tu esposo?

> > (YERMA *da muestras de cansancio y de persona a la que una idea fija le quiebra la cabeza.*)

YERMA.—Ahí está.

VIEJA.—¿Qué hace?

YERMA.—Bebe. (*Pausa. Llevándose las manos a la frente.*) ¡Ay!

Vieja.—¡Ay, ay! Menos ¡ay! y más alma. Antes no he podido decirte nada, pero ahora sí.

Yerma.—¡Y qué me vas a decir que ya no sepa!

Vieja.—Lo que ya no se puede callar. Lo que está puesto encima del tejado. La culpa es de tu marido. ¿Lo oyes? Me dejaría cortar las manos. Ni su padre, ni su abuelo, ni su bisabuelo se portaron como hombres de casta. Para tener un hijo ha sido necesario que se junte el cielo con la tierra. Están hechos con saliva. En cambio, tu gente no. Tienes hermanos y primos a cien leguas a la redonda. Mira qué maldición ha venido a caer sobre tu hermosura.

Yerma.—Una maldición. Un charco de veneno sobre las espigas.

Vieja.—Pero tú tienes pies para marcharte de tu casa.

Yerma.—¿Para marcharme?

Vieja.—Cuando te vi en la romería me dio un vuelco el corazón. Aquí vienen las mujeres a conocer hombres nuevos. Y el Santo hace el milagro. Mi hijo está sentado detrás de la ermita esperándote. Mi casa necesita una mujer. Vete con él y viviremos los tres juntos. Mi hijo sí es de sangre. Como yo. Si entras en mi casa todavía queda olor de cunas. La ceniza de tu colcha se te volverá pan y sal para las crías. Anda. No te importe la gente. Y en cuanto a tu marido, hay en mi casa entrañas y herramientas para que no cruce siquiera la calle.

Yerma.—¡Calla, calla, si no es eso! Nunca lo haría. Yo no puedo ir a buscar. ¿Te figuras que puedo conocer otro hombre? ¿Dónde pones mi honra? El agua no se puede volver atrás ni la luna llena sale al mediodía. Vete. Por el camino que voy, seguiré. ¿Has pensado en serio que yo me pueda doblar a otro hombre? ¿Que yo vaya a pedirle lo que es mío como una esclava? Conóceme, para que nunca me hables más. Yo no busco.

VIEJA.—Cuando se tiene sed, se agradece el agua.

YERMA.—Yo soy como un campo seco donde caben arando mil pares de bueyes y lo que tú me das es un pequeño vaso de agua de pozo. Lo mío es dolor que ya no está en las carnes.

VIEJA. (*Fuerte.*)—Pues sigue así. Por tu gusto es. Como los cardos del secano, pinchosa, marchita.

YERMA. (*Fuerte.*)—¡Marchita, sí, ya lo sé! ¡Marchita! No es preciso que me lo refriegues por la boca. No vengas a solazarte como los niños pequeños en la agonía de un animalito. Desde que me casé estoy dándole vueltas a esta palabra, pero es la primera vez que la oigo, la primera vez que me la dicen en la cara. La primera vez que veo que es verdad.

VIEJA.—No me das ninguna lástima, ninguna. Yo buscaré otra mujer para mi hijo.

> (*Se va. Se oye un gran coro lejano cantado por los romeros.* YERMA *se dirige hacia el carro y aparece detrás del mismo su marido.*)

YERMA.—¿Estabas ahí?

JUAN.—Estaba.

YERMA.—¿Acechando?

JUAN.—Acechando.

YERMA.—¿Y has oído?

JUAN.—Sí.

YERMA.—¿Y qué? Déjame y vete a los cantos.

> (*Se sienta en las mantas.*)

JUAN.—También es hora de que yo hable.

YERMA.—¡Habla!

JUAN.—Y que me queje.

YERMA.—¿Con qué motivos?

JUAN.—Que tengo el amargor en la garganta.

YERMA.—Y yo en los huesos.

JUAN.—Ha llegado el último minuto de resistir este continuo lamento por cosas oscuras, fuera de la vida, por cosas que están en el aire.

YERMA. (*Con asombro dramático.*)—¿Fuera de la vida, dices? ¿En el aire, dices?

JUAN.—Por cosas que no han pasado y ni tú ni yo dirigimos.

YERMA. (*Violenta.*)—¡Sigue! ¡Sigue!

JUAN.—Por cosas que a mí no me importan. ¿Lo oyes? Que a mí no me importan. Ya es necesario que te lo diga. A mí me importa lo que tengo entre las manos. Lo que veo por mis ojos.

YERMA. (*Incorporándose de rodillas, desesperada.*) Así, así. Eso es lo que yo quería oír de tus labios. No se siente la verdad cuando está dentro de una misma, pero ¡qué grande y **cómo grita** cuando se pone fuera y levanta los brazos! ¡No te importa! ¡Ya lo he oído!

JUAN. (*Acercándose.*)—Piensa que tenía que pasar así. Oyeme. (*La abraza para incorporarla.*) Muchas mujeres serían felices de llevar tu vida. Sin hijos es la vida más dulce. Yo soy feliz no teniéndolos. No tenemos culpa ninguna.

YERMA.—¿Y qué buscabas en mí?

JUAN.—A ti misma.

YERMA. (*Excitada.*)—¡Eso! Buscabas la casa, la tranquilidad y una mujer. Pero nada más. ¿Es verdad lo que digo?

JUAN.—Es verdad. Como todos.

YERMA.—¿Y lo demás? ¿Y tu hijo?

JUAN. (*Fuerte.*)—¿No oyes que no me importa? ¡No me preguntes más! ¡Que te lo **tengo que**

gritar al oído para que lo sepas, a ver si de
una vez vives ya tranquila!

YERMA.—¿Y nunca has pensado en él cuando me
has visto desearlo?

JUAN.—Nunca.

(*Están los dos en el suelo.*)

YERMA.—¿Y no podré esperarlo?

JUAN.—No.

YERMA.—¿Ni tú?

JUAN.—Ni yo tampoco. ¡Resígnate!

YERMA.—¡Marchita!

JUAN.—Y a vivir en paz. Uno y otro, con suavidad,
con agrado. ¡Abrázame!

(*La abraza.*)

YERMA.—¿Qué buscas?

JUAN.—A ti te busco. Con la luna estás hermosa.

YERMA.—Me buscas como cuando te quieres comer
una paloma.

JUAN.—Bésame..., así.

YERMA.—Eso nunca. (YERMA *da un grito y aprieta
la garganta de su esposo. Este cae hacia atrás.
Le aprieta la garganta hasta matarle. Empieza
el coro de la romería.*) Marchita. Marchita, pero
segura. Ahora sí que lo sé de cierto. Y sola.
(*Se levanta. Empieza a llegar gente.*) Voy a descansar sin despertarme sobresaltada, para ver
si la sangre me anuncia otra sangre nueva. Con
el cuerpo seco para siempre. ¿Qué queréis saber? No os acerquéis, porque he matado a mi
hijo, ¡yo misma he matado a mi hijo!

(*Acude un grupo que queda al fondo.
Se oye el coro de la romería.*)

TELÓN

LA CASA DE BERNARDA ALBA

DRAMA DE MUJERES EN LOS PUEBLOS DE ESPAÑA

PERSONAJES

BERNARDA.

MARÍA JOSEFA.

MAGDALENA.

AMELIA.

MARTIRIO.

ADELA.

LA PONCIA.

CRIADA.

PRUDENCIA.

MENDIGA.

MUJER 1.ª

MUJER 2.ª

MUJER 3.ª

MUJER 4.ª

MUCHACHA.

A C T O   P R I M E R O

Habitación blanquísima del interior de la casa de
BERNARDA. Muros gruesos. Puertas en arco con
cortinas de yute rematados con madroños y vo-
lantes. Sillas de anea. Cuadros con paisajes inverosímiles de ninfas o reyes de leyenda. Es verano.
Un gran silencio umbroso se extiende por la escena. Al levantarse el telón está la escena sola. Se
oyen doblar las campanas.

(*Sale la* CRIADA.)

CRIADA.—Ya tengo el doble de esas campanas metido entre las sienes.

LA PONCIA. (*Sale comiendo chorizo y pan.*)—Llevan
ya más de dos horas de gori-gori. Han venido
curas de todos los pueblos. La iglesia está hermosa. En el primer responso se desmayó la
Magdalena.

CRIADA.—Es la que se queda más sola.

LA PONCIA.—Era la única que quería al padre. ¡Ay!
¡Gracias a Dios que estamos solas un poquito!
Yo he venido a comer.

CRIADA.—¡Si te viera Bernarda...!

LA PONCIA.—¡Quisiera que ahora, como no come
ella, que todas nos muriéramos de hambre!
¡Mandona! ¡Dominanta! ¡Pero se fastidia! Le he
abierto la orza de chorizos.

CRIADA. (*Con tristeza ansiosa.*)—¿Por qué no me das para mi niña, Poncia?

LA PONCIA.—Entra y llévate también un puñado de garbanzos. ¡Hoy no se dará cuenta!

VOZ. (*Dentro.*)—¡Bernarda!

LA PONCIA.—La vieja. ¿Está bien cerrada?

CRIADA.—Con dos vueltas de llave.

LA PONCIA.—Pero debes poner también la tranca. Tiene unos dedos como cinco ganzúas.

VOZ.—¡Bernarda!

LA PONCIA. (*A voces.*)—¡Ya viene! (*A la* CRIADA.) Limpia bien todo. Si Bernarda no ve relucientes las cosas me arrancará los pocos pelos que me quedan.

CRIADA.—¡Qué mujer!

LA PONCIA.—Tirana de todos los que la rodean. Es capaz de sentarse encima de tu corazón y ver cómo te mueres durante un año sin que se le cierre esa sonrisa fría que lleva en su maldita cara. ¡Limpia, limpia ese vidriado!

CRIADA.—Sangre en las manos tengo de fregarlo todo.

LA PONCIA.—Ella la más aseada, ella la más decente, ella la más alta. ¡Buen descanso ganó su pobre marido!

(*Cesan las campanas.*)

CRIADA.—¿Han venido todos sus parientes?

LA PONCIA.—Los de ella. La gente de él la odia. Vinieron a verlo muerto y le hicieron la cruz.

CRIADA.—¿Hay bastantes sillas?

LA PONCIA.—Sobran. Que se sienten en el suelo. Desde que murió el padre de Bernarda no han vuelto a entrar las gentes bajo estos techos. Ella no quiere que la vean en su dominio. ¡Maldita sea!

CRIADA.—Contigo se portó bien.

LA PONCIA.—Treinta años lavando sus sábanas; treinta años comiendo sus sobras; noches en vela cuando tose; días enteros mirando por la rendija para espiar a los vecinos y llevarle el cuento; vida sin secretos una con otra, y sin embargo, ¡maldita sea! ¡Mal dolor de clavo le pinche en los ojos!

CRIADA.—¡Mujer!

LA PONCIA.—Pero yo soy buena perra; ladro cuando me lo dicen y muerdo los talones de los que piden limosna cuando ella me azuza; mis hijos trabajan en sus tierras y ya están los dos casados, pero un día me hartaré.

CRIADA.—Y ese día...

LA PONCIA.—Ese día me encerraré con ella en un cuarto y le estaré escupiendo un año entero. "Bernarda, por esto, por aquello, por lo otro", hasta ponerla como un lagarto machacado por los niños, que es lo que es ella y toda su parentela. Claro es que no la envidio la vida. Le quedan cinco mujeres, cinco hijas feas, que quitando Angustias, la mayor, que es la hija del primer marido y tiene dineros, las demás, mucha puntilla bordada, muchas camisas de hilo, pero pan y uvas por toda herencia.

CRIADA.—¡Ya quisiera tener yo lo que ellas!

LA PONCIA.—Nosotras tenemos nuestras manos y un hoyo en la tierra de la verdad.

CRIADA.—Esa es la única tierra que nos dejan a las que no tenemos nada.

LA PONCIA. (*En la alacena.*)—Este cristal tiene unas motas.

CRIADA.—Ni con el jabón ni con bayeta se le quitan.

(*Suenan las campanas.*)

La Poncia.—El último responso. Me voy a oírlo. A mí me gusta mucho cómo canta el párroco. En el "Pater Noster" subió, subió la voz que parecía un cántaro de agua llenándose poco a poco; claro es que al final dio un gallo; pero da gloria oírlo. Ahora, que nadie como el antiguo sacristán Tronchapinos. En la misa de mi madre, que esté en gloria, cantó. Retumbaban las paredes y cuando decía Amén era como si un lobo hubiese entrado en la iglesia. (*Imitándolo.*) ¡Amé-é-én!

(*Se echa a toser.*)

Criada.—Te vas a hacer el gaznate polvo.
La Poncia.—¡Otra cosa hacía polvo yo!

(*Sale riendo. La* Criada *limpia. Suenan las campanas.*)

Criada. (*Llevando el canto.*)—Tin, tin, tan. Tin, tin, tan. ¡Dios lo haya perdonado!
Mendiga. (*Con una niña.*)—¡Alabado sea Dios!
Criada.—Tin, tin, tan. ¡Que nos espere muchos años! Tin, tin, tan.
Mendiga. (*Fuerte y con cierta irritación.*)—¡Alabado sea Dios!
Criada. (*Irritada.*)—¡Por siempre!
Mendiga.—Vengo por las sobras.

(*Cesan las campanas.*)

Criada.—Por la puerta se va a la calle. Las sobras de hoy son para mí.
Mendiga.—Mujer, tú tienes quien te gane. ¡Mi niña y yo estamos solas!
Criada.—También están solos los perros y viven.
Mendiga.—Siempre me las dan.
Criada.—Fuera de aquí. ¿Quién os dijo que entraseis? Ya me habéis dejado los pies señalados.

(*Se van. Limpia.*) Suelos barnizados con aceite, alacenas, pedestales, camas de acero, para que traguemos quina las que vivimos en las chozas de tierra con un plato y una cuchara. Ojalá que un día no quedáramos ni uno para contarlo. (*Vuelven a sonar las campanas.*) Sí, sí, ¡vengan clamores! ¡Venga caja con filos dorados y toalla para llevarla! ¡Que lo mismo estarás tú que estaré yo! Fastídiate, Antonio María Benavides, tieso con tu traje de paño y tus botas enterizas. ¡Fastídiate! ¡Ya no volverás a levantarme las enaguas detrás de la puerta de tu corral! (*Por el fondo, de dos en dos, empiezan a entrar mujeres de luto, con pañuelos grandes, faldas y abanicos negros. Entran lentamente hasta llenar la escena. La* CRIADA, *rompiendo a gritar.*) ¡Ay, Antonio María Benavides, que ya no verás estas paredes ni comerás el pan de esta casa! Yo fui la que más te quiso de las que te sirvieron. (*Tirándose del cabello.*) ¿Y he de vivir yo después de haberte marchado? ¿Y he de vivir?

> (*Terminan de entrar las doscientas mujeres y aparece* BERNARDA *y sus cinco hijas.*)

BERNARDA. (*A la* CRIADA.)—¡Silencio!

CRIADA. (*Llorando.*)—¡Bernarda!

BERNARDA.—Menos gritos y más obras. Debías haber procurado que todo estuviera más limpio para recibir al duelo. Vete. No es éste tu lugar. (*La* CRIADA *se va llorando.*) Los pobres son como los animales; parece como si estuvieran hechos de otras sustancias.

MUJER 1.ª—Los pobres sienten también sus penas.

BERNARDA.—Pero las olvidan delante de un plato de garbanzos.

MUCHACHA. (*Con timidez.*)—Comer es necesario para vivir.

BERNARDA.—A tu edad no se habla delante de las personas mayores.

MUJER 1.ª—Niña, cállate.

BERNARDA.—No he dejado que nadie me dé lecciones. Sentarse. (*Se sientan. Pausa. Fuerte.*) Magdalena, no llores; si quieres llorar te metes debajo de la cama. ¿Me has oído?

MUJER 2.ª (*A* BERNARDA.)—¿Habéis empezado los trabajos en la era?

BERNARDA.—Ayer.

MUJER 3.ª—Cae el sol como plomo.

MUJER 1.ª—Hace años no he conocido calor igual.

(*Pausa. Se abanican todas.*)

BERNARDA.—¿Está hecha la limonada?

LA PONCIA.—Sí, Bernarda.

(*Sale con una gran bandeja llena de jarritas blancas que distribuye.*)

BERNARDA.—Dale a los hombres.

LA PONCIA.—Ya están tomando en el patio.

BERNARDA.—Que salgan por donde han entrado. No quiero que pasen por aquí.

MUCHACHA. (*A* ANGUSTIAS.)—Pepe el Romano estaba con los hombres del duelo.

ANGUSTIAS.—Allí estaba.

BERNARDA.—Estaba su madre. Ella ha visto a su madre. A él no lo ha visto ella ni yo.

MUCHACHA.—Me pareció...

BERNARDA.—Quien sí estaba era el viudo de Darajalí. Muy cerca de tu tía. A ése lo vimos todas.

MUJER 2.ª (*Aparte, en voz baja.*)—¡Mala, más que mala!

MUJER 3.ª (*Lo mismo.*)—¡Lengua de cuchillo!

BERNARDA.—Las mujeres en la iglesia no deben de mirar más hombre que al oficiante y ése porque tiene faldas. Volver la cabeza es buscar el calor de la pana.

MUJER 1.ª (*En voz baja.*)—¡Vieja lagarta recocida!

LA PONCIA. (*Entre dientes.*)—¡Sarmentosa por calenturas de varón!

BERNARDA.—¡Alabado sea Dios!

TODAS. (*Santiguándose.*)—Sea por siempre bendito y alabado.

BERNARDA.—¡Descansa en paz con la santa compaña de cabecera!

TODAS.—¡Descansa en paz!

BERNARDA.—Con el ángel San Miguel, y su espada justiciera.

TODAS.—¡Descansa en paz!

BERNARDA.—Con la llave que todo lo abre, y la mano que todo lo cierra.

TODAS.—¡Descansa en paz!

BERNARDA.—Con los bienaventurados, y las lucecitas del campo.

TODAS.—¡Descansa en paz!

BERNARDA.—Con nuestra santa caridad, y las almas de tierra y mar.

TODAS.—¡Descansa en paz!

BERNARDA.—Concede el reposo a tu siervo Antonio María Benavides y dale la corona de tu santa gloria.

TODAS.—Amén.

BERNARDA. (*Se pone de pie y canta.*)—Requiem aeternam donat eis domine.

TODAS. (*De pie y cantando al modo gregoriano.*)— Et lux perpetua luce ab eis.

(*Se santiguan.*)

MUJER 1.ª—Salud para rogar por su alma.

(*Van desfilando.*)

24

MUJER 3.ª—No te faltará la hogaza de pan caliente.
MUJER 2.ª—Ni el techo para tus hijas.

> (*Van desfilando todas por delante de* BERNARDA *y saliendo. Sale* ANGUSTIAS *por otra puerta que da al patio.*)

MUJER 4.ª—El mismo trigo de tu casamiento lo sigas disfrutando.
LA PONCIA. (*Entrando con una bolsa.*)—De parte de los hombres esta bolsa de dineros para responsos.
BERNARDA.—Dales las gracias y échales una copa de aguardiente.
MUCHACHA. (*A* MAGDALENA.)—Magdalena...
BERNARDA. (*A* MAGDALENA, *que inicia el llanto.*)—Chisss. (*Salen todas. A las que se han ido.*) ¡Andad a vuestras casas a criticar todo lo que habéis visto! ¡Ojalá tardéis muchos años en pasar el arco de mi puerta!
LA PONCIA.—No tendrás queja ninguna. Ha venido todo el pueblo.
BERNARDA.—Sí; para llenar mi casa con el sudor de sus refajos y el veneno de sus lenguas.
AMELIA.—¡Madre, no hable usted así!
BERNARDA.—Es así como se tiene que hablar en este maldito pueblo sin río, pueblo de pozos, donde siempre se bebe el agua con el miedo de que esté envenenada.
LA PONCIA.—¡Cómo han puesto la solería!
BERNARDA.—Igual que si hubiese pasado por ella una manada de cabras. (*LA* PONCIA *limpia el suelo.*) Niña, dame el abanico.
ADELA.—Tome usted.

> (*Le da un abanico redondo con flores rojas y verdes.*)

BERNARDA. (*Arrojando el abanico al suelo.*)—¿Es éste el abanico que se da a una viuda? Dame uno negro y aprende a respetar el luto de tu padre.

MARTIRIO.—Tome usted el mío.

BERNARDA.—¿Y tú?

MARTIRIO.—Yo no tengo calor.

BERNARDA.—Pues busca otro, que te hará falta. En ocho años que dure el luto no ha de entrar en esta casa el viento de la calle. Hacemos cuenta que hemos tapiado con ladrillos puertas y ventanas. Así pasó en casa de mi padre y en casa de mi abuelo. Mientras, podéis empezar a bordar el ajuar. En el arca tengo veinte piezas de hilo con el que podréis cortar sábanas y embozos. Magdalena puede bordarlas.

MAGDALENA.—Lo mismo me da.

ADELA. (*Agria.*)—Si no quieres bordarlas irán sin bordados. Así las tuyas lucirán más.

MAGDALENA.—Ni las mías ni las vuestras. Sé que yo no me voy a casar. Prefiero llevar sacos al molino. Todo menos estar sentada días y días dentro de esta sala oscura.

BERNARDA.—Eso tiene ser mujer.

MAGDALENA.—Malditas sean las mujeres.

BERNARDA.—Aquí se hace lo que yo mando. Ya no puedes ir con el cuento a tu padre. Hilo y aguja para las hembras. Látigo y mula para el varón. Eso tiene la gente que nace con posibles.

(*Sale* ADELA.)

VOZ.—¡Bernarda! ¡Déjame salir!

BERNARDA. (*En voz alta.*)—¡Dejadla ya!

(*Sale la* CRIADA.)

CRIADA.—Me ha costado mucho sujetarla. A pesar

de sus ochenta años, tu madre es fuerte como un roble.

BERNARDA.—Tiene a quien parecerse. Mi abuelo fue igual.

CRIADA.—Tuve durante el duelo que taparle varias veces la boca con un costal vacío porque quería llamarte para que le dieras agua de fregar siquiera, para beber, y carne de perro, que es lo que ella dice que tú le das.

MARTIRIO.—¡Tiene mala intención!

BERNARDA. (*A la* CRIADA.)—Dejadla que se desahogue en el patio.

CRIADA.—Ha sacado del cofre sus anillos y los pendientes de amatista; se los ha puesto, y me ha dicho que se quiere casar.

(*Las hijas ríen.*)

BERNARDA.—Ve con ella y ten cuidado que no se acerque al pozo.

CRIADA.—No tengas miedo que se tire.

BERNARDA.—No es por eso... Pero desde aquel sitio las vecinas pueden verla desde su ventana.

(*Sale la* CRIADA.)

MARTIRIO.—Nos vamos a cambiar de ropa.

BERNARDA.—Sí, pero no el pañuelo de la cabeza. (*Entra* ADELA.) ¿Y Angustias?

ADELA. (*Con intención.*)—La he visto asomada a las rendijas del portón. Los hombres se acababan de ir.

BERNARDA.—¿Y tú a qué fuiste también al portón?

ADELA.—Me llegué a ver si habían puesto las gallinas.

BERNARDA.—¡Pero el duelo de los hombres habría salido ya!

ADELA. (*Con intención.*)—Todavía estaba un grupo parado por fuera.

BERNARDA. (*Furiosa.*)—¡Angustias! ¡Angustias!

ANGUSTIAS. (*Entrando.*)—¿Qué manda usted?

BERNARDA.—¿Qué mirabas y a quién?

ANGUSTIAS.—A nadie.

BERNARDA.—¿Es decente que una mujer de tu clase vaya con el anzuelo detrás de un hombre el día de la misa de su padre? ¡Contesta! ¿A quién mirabas?

(*Pausa.*)

ANGUSTIAS.—Yo...

BERNARDA.—¡Tú!

ANGUSTIAS.—¡A nadie!

BERNARDA. (*Avanzando y golpeándola.*)—¡Suave! ¡Dulzarrona!

LA PONCIA. (*Corriendo.*)—¡Bernarda, cálmate!

(*La sujeta.* ANGUSTIAS *llora.*)

BERNARDA.—¡Fuera de aquí todas!

(*Salen.*)

LA PONCIA.—Ella lo ha hecho sin dar alcance a lo que hacía, que está francamente mal. Ya me chocó a mí verla escabullirse hacia el patio. Luego estuvo detrás de una ventana oyendo la conversación que traían los hombres, que como siempre no se puede oír.

BERNARDA.—A eso vienen a los duelos. (*Con curiosidad.*) ¿De qué hablaban?

LA PONCIA.—Hablaban de Paca la Roseta. Anoche ataron a su marido a un pesebre y a ella se la llevaron en la grupa del caballo hasta lo alto del olivar.

BERNARDA.—¿Y ella?

LA PONCIA.—Ella, tan conforme. Dicen que iba con los pechos fuera y Maximiliano la llevaba cogida como si tocara la guitarra. ¡Un horror!

BERNARDA.—¿Y qué pasó?

LA PONCIA.—Lo que tenía que pasar. Volvieron de día. Paca la Roseta traía el pelo suelto y una corona de flores en la cabeza.

BERNARDA.—Es la única mujer mala que tenemos en el pueblo.

LA PONCIA.—Porque no es de aquí. Es de muy lejos. Y los que fueron con ella son también hijos de forasteros. Los hombres de aquí no son capaces de eso.

BERNARDA.—No; pero les gusta verlo y comentarlo, y se chupan los dedos de que esto ocurra.

LA PONCIA.—Contaban muchas cosas más.

BERNARDA. (*Mirando a un lado y otro con cierto temor.*)—¿Cuáles?

LA PONCIA.—Me da vergüenza referirlas.

BERNARDA.—Y mi hija las oyó.

LA PONCIA.—¡Claro!

BERNARDA.—Esa sale a sus tías; blandas y untuosas y que ponían ojos de carnero al piropo de cualquier barberillo. ¡Cuánto hay que sufrir y luchar para hacer que las personas sean decentes y no tiren al monte demasiado!

LA PONCIA.—¡Es que tus hijas están ya en edad de merecer! Demasiado poca guerra te dan. Angustias ya debe tener mucho más de los treinta.

BERNARDA.—Treinta y nueve justos.

LA PONCIA.—Figúrate. Y no ha tenido nunca novio...

BERNARDA. (*Furiosa.*)—¡No ha tenido novio ninguna ni les hacía falta! Pueden pasarse muy bien.

LA PONCIA.—No he querido ofenderte.

BERNARDA.—No hay en cien leguas a la redonda quien se pueda acercar a ellas. Los hombres de aquí no son de su clase. ¿Es que quieres que las entregue a cualquier gañán?

LA PONCIA.—Debías haberte ido a otro pueblo.

BERNARDA.—Eso. ¡A venderlas!

LA PONCIA.—No, Bernarda, a cambiar... Claro que en otros sitios ellas resultan las pobres.

BERNARDA.—¡Calla esa lengua atormentadora!

LA PONCIA.—Contigo no se puede hablar. ¿Tenemos o no tenemos confianza?

BERNARDA.—No tenemos. Me sirves y te pago. ¡Nada más!

CRIADA. (*Entrando.*)—Ahí está don Arturo que viene a arreglar las particiones.

BERNARDA.—Vamos. (*A la* CRIADA.) Tú empieza a blanquear el patio. (*A* LA PONCIA.) Y tú ve guardando en el arca grande toda la ropa del muerto.

LA PONCIA.—Algunas cosas las podíamos dar.

BERNARDA.—Nada, ¡ni un botón! Ni el pañuelo con que le hemos tapado la cara.

> (*Sale lentamente y al salir vuelve la cabeza y mira a sus criadas. Las criadas salen después. Entran* AMELIA *y* MARTIRIO.)

AMELIA.—¿Has tomado la medicina?

MARTIRIO.—¡Para lo que me va a servir!

AMELIA.—Pero la has tomado.

MARTIRIO.—Yo hago las cosas sin fe, pero como un reloj.

AMELIA.—Desde que vino el médico nuevo estás más animada.

MARTIRIO.—Yo me siento lo mismo.

AMELIA.—¿Te fijaste? Adelaida no estuvo en el duelo.

MARTIRIO.—Ya lo sabía. Su novio no la deja salir ni al tranco de la calle. Antes era alegre; ahora ni polvos se echa en la cara.

AMELIA.—Ya no sabe una si es mejor tener novio o no.

MARTIRIO.—Es lo mismo.

AMELIA.—De todo tiene la culpa esta crítica que no nos deja vivir. Adelaida habrá pasado mal rato.

MARTIRIO.—Le tiene miedo a nuestra madre. Es la única que conoce la historia de su padre y el origen de sus tierras. Siempre que viene le tira puñaladas en el asunto. Su padre mató en Cuba al marido de su primera mujer para casarse con ella. Luego aquí la abandonó y se fue con otra que tenía una hija y luego tuvo relaciones con esta muchacha, la madre de Adelaida, y se casó con ella después de haber muerto loca la segunda mujer.

AMELIA.—Y ese infame, ¿por qué no está en la cárcel?

MARTIRIO.—Porque los hombres se tapan unos a otros las cosas de esta índole y nadie es capaz de delatar.

AMELIA.—Pero Adelaida no tiene culpa de esto.

MARTIRIO.—No. Pero las cosas se repiten. Yo veo que todo es una terrible repetición. Y ella tiene el mismo sino de su madre y de su abuela, mujeres las dos del que la engendró.

AMELIA.—¡Qué cosa más grande!

MARTIRIO.—Es preferible no ver a un hombre nunca. Desde niña les tuve miedo. Los veía en el corral uncir los bueyes y levantar los costales de trigo entre voces y zapatazos, y siempre tuve miedo de crecer por temor de encontrarme de pronto abrazada por ellos. Dios me ha hecho débil y fea y los ha apartado definitivamente de mí.

AMELIA.—¡Eso no digas! Enrique Humanas estuvo detrás de ti y le gustabas.

MARTIRIO.—¡Invenciones de la gente! Una vez estuve en camisa detrás de la ventana hasta que fue de día, porque me avisó con la hija de su gañán que iba a venir y no vino. Fue todo cosa de lenguas. Luego se casó con otra que tenía más que yo.

AMELIA.—¡Y fea como un demonio!

MARTIRIO.—¡Qué les importa a ellos la fealdad! A ellos les importa la tierra, las yuntas, y una perra sumisa que les dé de comer.

AMELIA.—¡Ay!

(*Entra* MAGDALENA.)

MAGDALENA.—¿Qué hacéis?

MARTIRIO.—Aquí.

AMELIA.—¿Y tú?

MAGDALENA.—Vengo de correr las cámaras. Por andar un poco. De ver los cuadros bordados de cañamazo de nuestra abuela, el perrito de lanas y el negro luchando con el león, que tanto nos gustaba de niñas. Aquélla era una época más alegre. Una boda duraba diez días y no se usaban las malas lenguas. Hoy hay más finura, las novias se ponen de velo blanco como en las poblaciones y se bebe vino de botella, pero nos pudrimos por el qué dirán.

MARTIRIO.—¡Sabe Dios lo que entonces pasaría!

AMELIA. (*A* MAGDALENA.)—Llevas desabrochados los cordones de un zapato.

MAGDALENA.—¡Qué más da!

AMELIA.—Te los vas a pisar y te vas a caer.

MAGDALENA.—¡Una menos!

MARTIRIO.—¿Y Adela?

MAGDALENA.—¡Ah! Se ha puesto el traje verde que se hizo para estrenar el día de su cumpleaños, se ha ido al corral, y ha comenzado a voces. ¡Gallinas! ¡Gallinas, miradme! ¡Me he tenido que reír!

AMELIA.—¡Si la hubiera visto madre!

Magdalena.—¡Pobrecilla! Es la más joven de nosotras y tiene ilusión. Daría algo por verla feliz.

(*Pausa.* Angustias *cruza la escena con unas toallas en la mano.*)

Angustias.—¿Qué hora es?
Magdalena.—Ya deben ser las doce.
Angustias.—¿Tanto?
Amelia.—Estarán al caer.

(*Sale* Angustias.)

Magdalena. (*Con intención.*)—¿Sabéis ya la cosa?

(*Señalando a* Angustias.)

Amelia.—No.
Magdalena.—¡Vamos!
Martirio.—No sé a qué cosa te refieres...
Magdalena.—Mejor que yo lo sabéis las dos. Siempre cabeza con cabeza como dos ovejitas, pero sin desahogarse con nadie. ¡Lo de Pepe el Romano!
Martirio.—¡Ah!
Magdalena. (*Remedándola.*)—¡Ah! Ya se comenta por el pueblo. Pepe el Romano viene a casarse con Angustias. Anoche estuvo rondando la casa y creo que pronto va a mandar un emisario.
Martirio.—Yo me alegro. Es buen hombre.
Amelia.—Yo también. Angustias tiene buenas condiciones.
Magdalena.—Ninguna de las dos os alegráis.
Martirio.—¡Magdalena! ¡Mujer!
Magdalena.—Si viniera por el tipo de Angustias, por Angustias como mujer, yo me alegraría, pero viene por el dinero. Aunque Angustias es nuestra hermana, aquí estamos en familia y reconocemos que está vieja, enfermiza, y que

siempre ha sido la que ha tenido menos méritos de todas nosotras. Porque si con veinte años parecía un palo vestido, ¡qué será ahora que tiene cuarenta!

MARTIRIO.—No hables así. La suerte viene a quien menos la aguarda.

AMELIA.—¡Después de todo dice la verdad! Angustias tiene todo el dinero de su padre, es la única rica de la casa y por eso ahora que nuestro padre ha muerto y ya se harán particiones, vienen por ella.

MAGDALENA.—Pepe el Romano tiene veinticinco años y es el mejor tipo de todos estos contornos. Lo natural sería que te pretendiera a ti, Amelia, o a nuestra Adela, que tiene veinte años, pero no que venga a buscar lo más oscuro de esta casa, a una mujer que, como su padre, habla con las narices.

MARTIRIO.—¡Puede que a él le guste!

MAGDALENA.—¡Nunca he podido resistir tu hipocresía!

MARTIRIO.—¡Dios me valga!

(*Entra* ADELA.)

MAGDALENA.—¿Te han visto ya las gallinas?

ADELA.—¿Y qué queríais que hiciera?

AMELIA.—¡Si te ve nuestra madre te arrastra del pelo!

ADELA.—Tenía mucha ilusión con el vestido. Pensaba ponérmelo el día que vamos a comer sandías a la noria. No hubiera habido otro igual.

MARTIRIO.—Es un vestido precioso.

ADELA.—Y que me está muy bien. Es lo mejor que ha cortado Magdalena.

MAGDALENA.—Y las gallinas, ¿qué te han dicho?

ADELA.—Regalarme unas cuantas pulgas que me han acribillado las piernas.

(*Ríen.*)

MARTIRIO.—Lo que puedes hacer es teñirlo de negro.

MAGDALENA.—Lo mejor que puedes hacer es regalárselo a Angustias para la boda con Pepe el Romano...

ADELA. (*Con emoción contenida.*)—Pero Pepe el Romano...

AMELIA.—¿No lo has oído decir?

ADELA.—No.

MAGDALENA.—¡Pues ya lo sabes!

ADELA.—¡Pero si no puede ser!

MAGDALENA.—¡El dinero lo puede todo!

ADELA.—¿Por eso ha salido detrás del duelo y estuvo mirando por el portón? (*Pausa.*) Y ese hombre es capaz de...

MAGDALENA.—Es capaz de todo.

(*Pausa.*)

MARTIRIO.—¿Qué piensas, Adela?

ADELA.—Pienso que este luto me ha cogido en la peor época de mi vida para pasarlo.

MAGDALENA.—Ya te acostumbrarás.

ADELA. (*Rompiendo a llorar con ira.*)—No me acostumbraré. Yo no puedo estar encerrada. No quiero que se me pongan las carnes como a vosotras; no quiero perder mi blancura en estas habitaciones; mañana me pondré mi vestido verde y me echaré a pasear por la calle. ¡Yo quiero salir!

(*Entra la* CRIADA.)

MAGDALENA. (*Autoritaria.*)—¡Adela!

CRIADA.—¡La pobre! Cuánto ha sentido a su padre...

(*Sale.*)

MARTIRIO.—¡Calla!

AMELIA.—Lo que sea de una será de todas.

(ADELA *se calma.*)

MAGDALENA.—Ha estado a punto de oírte la criada.

(*Aparece la* CRIADA.)

CRIADA.—Pepe el Romano viene por lo alto de la calle.

(AMELIA, MARTIRIO y MAGDALENA *corren presurosas.*)

MAGDALENA.—¡Vamos a verlo!

(*Salen rápidas.*)

CRIADA. (*A* ADELA.)—¿Tú no vas?

ADELA.—No me importa.

CRIADA.—Como dará la vuelta a la esquina, desde la ventana de tu cuarto se verá mejor.

(*Sale la* CRIADA. ADELA *queda en escena dudando; después de un instante se va también rápida hasta su habitación. Salen* BERNARDA *y la* PONCIA.)

BERNARDA.—¡Malditas particiones!

LA PONCIA.—¡¡Cuánto dinero le queda a Angustias!!

BERNARDA.—Sí.

LA PONCIA.—Y a las otras bastante menos.

BERNARDA.—Ya me lo has dicho tres veces y no te he querido replicar. Bastante menos, mucho menos. No me lo recuerdes más. (*Sale* ANGUSTIAS *muy compuesta de cara.*) ¡Angustias!

ANGUSTIAS.—Madre.

BERNARDA.—¿Pero has tenido valor de echarte polvos en la cara? ¿Has tenido valor de lavarte la cara el día de la muerte de tu padre?

ANGUSTIAS.—No era mi padre. El mío murió hace tiempo. ¿Es que ya no lo recuerda usted?

BERNARDA.—Más debes a este hombre, padre de tus hermanas, que al tuyo. Gracias a este hombre tienes colmada tu fortuna.

ANGUSTIAS.—¡Eso lo teníamos que ver!

BERNARDA.—Aunque fuera por d e c e n c i a. ¡Por respeto!

ANGUSTIAS.—Madre, déjeme usted salir.

BERNARDA.—¿Salir? Después que te haya quitado esos polvos de la cara. ¡Suavona! ¡Yeyo! ¡Espejo de tus tías! (*Le quita violentamente con un pañuelo los polvos.*) ¡Ahora vete!

LA PONCIA.—¡Bernarda, no seas tan inquisitiva!

BERNARDA.—Aunque mi madre esté loca, yo estoy en mis cinco sentidos y sé perfectamente lo que hago.

(*Entran todas.*)

MAGDALENA.—¿Qué pasa?

BERNARDA.—No pasa nada.

MAGDALENA. (*A* ANGUSTIAS.)—Si es que discuten por las particiones, tú que eres la más rica te puedes quedar con todo.

ANGUSTIAS.—Guárdate la lengua en la madriguera.

BERNARDA. (*Golpeando en el suelo.*)—No os hagáis ilusiones de que vais a poder conmigo. ¡Hasta que salga de esta casa con los pies delante mandaré en lo mío y en lo vuestro!

(*Se oyen unas voces y entra en escena* MARÍA JOSEFA, *la madre de* BERNARDA, *viejísima, ataviada con flores en la cabeza y en el pecho.*)

MARÍA JOSEFA.—Bernarda, ¿dónde está mi mantilla? Nada de lo que tengo quiero que sea para vosotras. Ni mis anillos ni mi traje negro de moaré. Porque ninguna de vosotras se va a casar. ¡Ninguna! Bernarda, dame mi gargantilla de perlas.

BERNARDA. (*A la* CRIADA.)—¿Por qué la habéis dejado entrar?

CRIADA. (*Temblando.*)—¡Se me escapó!

MARÍA JOSEFA.—Me escapé porque me quiero casar, porque quiero casarme con un varón hermoso de la orilla del mar, ya que aquí los hombres huyen de las mujeres.

BERNARDA.—¡Calle usted, madre!

MARÍA JOSEFA.—No, no me callo. No quiero ver a estas mujeres, rabiando por la boda, haciéndose polvo el corazón, y yo me quiero ir a mi pueblo. Bernarda, yo quiero un varón para casarme y para tener alegría.

BERNARDA.—¡Encerradla!

MARÍA JOSEFA.—¡Déjame salir, Bernarda!

(*La* CRIADA *coge a* MARÍA JOSEFA.)

BERNARDA.—¡Ayudadla vosotras!

(*Todas arrastran a la vieja.*)

MARÍA JOSEFA.—¡Quiero irme de aquí! ¡Bernarda! ¡A casarme a la orilla del mar, a la orilla del mar!

TELÓN RÁPIDO

Escena del duelo, de LA CASA DE
BERNARDA ALBA
Madrid, enero 1964

ACTO SEGUNDO

Habitación blanca del interior de la casa de BER-
NARDA. Las puertas de la izquierda dan a los dor-
mitorios.

> (*Las hijas de* BERNARDA *están senta-
> das en sillas bajas cosiendo.* MAGDALENA
> *borda. Con ellas está* LA PONCIA.)

ANGUSTIAS.—Ya he cortado la tercera sábana.

MARTIRIO.—Le corresponde a Amelia.

MAGDALENA.—Angustias. ¿Pongo también las inicia-
les de Pepe?

ANGUSTIAS. (*Seca.*)—No.

MAGDALENA. (*A voces.*)—Adela, ¿no vienes?

AMELIA.—Estará echada en la cama.

LA PONCIA.—Esta tiene algo. La encuentro sin sosiego, temblona, asustada, como si tuviese una
lagartija entre los pechos.

MARTIRIO.—No tiene ni más ni menos que lo que
tenemos todas.

MAGDALENA.—Todas, menos Angustias.

ANGUSTIAS.—Yo me encuentro bien, y al que le due-
la que reviente.

MAGDALENA.—Desde luego hay que reconocer que lo
mejor que has tenido siempre es el talle y la
delicadeza.

ANGUSTIAS.—Afortunadamente, pronto voy a salir
de este infierno.

25

Magdalena.—¡A lo mejor no sales!

Martirio.—Dejar esa conversación.

Angustias.—Y, además, ¡más vale onza en el arca que ojos negros en la cara!

Magdalena.—Por un oído me entra y por otro me sale.

Amelia. (*A* La Poncia.)—Abre la puerta del patio, a ver si nos entra un poco de fresco.

(*La* Criada *lo hace.*)

Martirio.—Esta noche pasada no me podía quedar dormida por el calor.

Amelia.—Yo tampoco.

Magdalena.—Yo me levanté a refrescarme. Había un nublo negro de tormenta y hasta cayeron algunas gotas.

La Poncia.—Era la una de la madrugada y subía fuego de la tierra. También me levanté yo. Todavía estaba Angustias con Pepe en la ventana.

Magdalena. (*Con ironía.*)—¿Tan tarde? ¿A qué hora se fue?

Angustias.—Magdalena, ¿a qué preguntas si lo viste?

Amelia.—Se iría a eso de la una y media.

Angustias.—¿Sí? ¿Tú por qué lo sabes?

Amelia.—Lo sentí toser y oí los pasos de su jaca.

La Poncia.—Pero si yo lo sentí marchar a eso de las cuatro.

Angustias.—No sería él.

La Poncia.—Estoy segura.

Amelia.—A mí también me pareció.

Magdalena.—¡Qué cosa más rara!

(*Pausa.*)

La Poncia.—Oye, Angustias. ¿Qué fue lo que te dijo la primera vez que se acercó a tu ventana?

ANGUSTIAS.—Nada. ¡Qué me iba a decir! Cosas de conversación.

MARTIRIO.—Verdaderamente es raro que dos personas que no se conocen se vean de pronto en una reja y ya novios.

ANGUSTIAS.—Pues a mí no me chocó.

AMELIA.—A mí me daría no sé qué.

ANGUSTIAS.—No, porque cuando un hombre se acerca a una reja ya sabe por los que van y vienen, llevan y traen, que se le va a decir que sí.

MARTIRIO.—Bueno: pero él te lo tendría que decir.

ANGUSTIAS.—¡Claro!

AMELIA. (*Curiosa.*)—¿Y cómo te lo dijo?

ANGUSTIAS.—Pues nada: ya sabes que ando detrás de ti, necesito una mujer buena, modosa, y ésa eres tú si me das la conformidad.

AMELIA.—¡A mí me da vergüenza de estas cosas!

ANGUSTIAS.—Y a mí, pero hay que pasarlas.

LA PONCIA.—¿Y habló más?

ANGUSTIAS.—Sí, siempre habló él.

MARTIRIO.—¿Y tú?

ANGUSTIAS.—Yo no hubiera podido. Casi se me salía el corazón por la boca. Era la primera vez que estaba sola de noche con un hombre.

MAGDALENA.—Y un hombre tan guapo.

ANGUSTIAS.—No tiene mal tipo.

LA PONCIA.—Esas cosas pasan entre personas ya un poco instruidas, que hablan y dicen y mueven la mano... La primera vez que mi marido Evaristo el Colín vino a mi ventana... Ja, ja, ja.

AMELIA.—¿Qué pasó?

LA PONCIA.—Era muy oscuro. Lo vi acercarse y al llegar me dijo, buenas noches. Buenas noches, le dije yo, y nos quedamos callados más de media hora. Me corría el sudor por todo el cuerpo. Entonces Evaristo se acercó, se acercó, que se

quería meter por los hierros y dijo con voz muy
baja: ¡ven que te tiente!

> (*Ríen todas.* AMELIA *se levanta corrien-
> do y espía por una puerta.*)

AMELIA.—¡Ay! Creí que llegaba nuestra madre.
MAGDALENA.—¡Buenas nos hubiera puesto!

> (*Siguen riendo.*)

AMELIA.—Chiss... ¡Que nos van a oír!
LA PONCIA.—Luego se portó bien. En vez de darle
por otra cosa le dio por criar colorines hasta
que se murió. A vosotras que sois solteras os
conviene saber de todos modos que el hombre a
los quince días de boda deja la cama por la mesa y luego la mesa por la tabernilla y la que no
se conforma se pudre llorando en un rincón.
AMELIA.—Tú te conformaste.
LA PONCIA.—¡Yo pude con él!
MARTIRIO.—¿Es verdad que le pegaste algunas
veces?
LA PONCIA.—Sí, y por poco si le dejo tuerto.
MAGDALENA.—¡Así debían ser todas las mujeres!
LA PONCIA.—Yo tengo la escuela de tu madre. Un
día me dijo no sé qué cosa y le maté todos los
colorines con la mano del almirez.

> (*Ríen.*)

MAGDALENA.—Adela, niña, no te pierdas esto.
AMELIA.—Adela.

> (*Pausa.*)

MAGDALENA.—Voy a ver.
LA PONCIA.—Esa niña está mala.
MARTIRIO.—Claro, no duerme apenas.
LA PONCIA.—¿Pues qué hace?

MARTIRIO.—¡Yo qué sé lo que hace!

LA PONCIA.—Mejor lo sabrás tú que yo, que duermes pared por medio.

ANGUSTIAS.—La envidia la come.

AMELIA.—No exageres.

ANGUSTIAS.—Se lo noto en los ojos. Se le está poniendo mirar de loca.

MARTIRIO.—No habléis de locos. Aquí es el único sitio donde no se puede pronunciar esta palabra.

(*Sale* MAGDALENA *con* ADELA.)

MAGDALENA.—¿Pues no estaba dormida?

ADELA.—Tengo mal cuerpo.

MARTIRIO. (*Con intención.*)—¿Es que no has dormido bien esta noche?

ADELA.—Sí.

MARTIRIO.—¿Entonces?

ADELA. (*Fuerte.*)—¡Déjame ya! ¡Durmiendo o velando no tienes por qué meterte en lo mío! ¡Yo hago con mi cuerpo lo que me parece!

MARTIRIO.—¡Sólo es interés por ti!

ADELA.—Interés o inquisición. ¿No estabais cosiendo? Pues seguir. ¡Quisiera ser invisible, pasar por las habitaciones sin que me preguntarais dónde voy!

CRIADA. (*Entra.*)—Bernarda os llama. Está el hombre de los encajes.

(*Salen. Al salir* MARTIRIO *mira fijamente a* ADELA.)

ADELA.—¡No me mires más! Si quieres te daré mis ojos que son frescos y mis espaldas para que te compongas la joroba que tienes, pero vuelve la cabeza cuando yo paso.

(*Se va* MARTIRIO.)

LA PONCIA.—¡Que es tu hermana y además la que
más te quiere!

ADELA.—Me sigue a todos lados. A veces se asoma
a mi cuarto para ver si duermo. No me deja
respirar. Y siempre, "¡qué lástima de cara!,
¡qué lástima de cuerpo, que no vaya a ser para
nadie!" ¡Y eso no! Mi cuerpo será de quien yo
quiera.

LA PONCIA. (*Con intención y en voz baja.*)—De Pepe
el Romano. ¿No es eso?

ADELA. (*Sobrecogida.*)—¿Qué dices?

LA PONCIA.—Lo que digo, Adela.

ADELA.—¡Calla!

LA PONCIA. (*Alto.*)—¿Crees que no me he fijado?

ADELA.—¡Baja la voz!

LA PONCIA.—¡Mata estos pensamientos!

ADELA.—¿Qué sabes tú?

LA PONCIA.—Las viejas vemos a través de las paredes. ¿Dónde vas de noche cuando te levantas?

ADELA.—¡Ciega debías estar!

LA PONCIA.—Con la cabeza y las manos llenas de
ojos cuando se trata de lo que se trata. Por mucho que pienso no sé lo que te propones. ¿Por
qué te pusiste casi desnuda con la luz encendida
y la ventana abierta al pasar Pepe el segundo día
que vino a hablar con tu hermana?

ADELA.—¡Eso no es verdad!

LA PONCIA.—No seas como los niños chicos. ¡Deja
en paz a tu hermana y si Pepe el Romano te
gusta, te aguantas! (ADELA *llora.*) Además, ¿quién
dice que no te puedes casar con él? Tu hermana Angustias es una enferma. Esa no resiste el
primer parto. Es estrecha de cintura, vieja, y
con mi conocimiento te digo que se morirá. Entonces Pepe hará lo que hacen todos los viudos
de esta tierra, se casará con la más joven, la

más hermosa y ésa eres tú. Alimenta esa esperanza, olvídalo, lo que quieras, pero no vayas contra la ley de Dios.

ADELA.—¡Calla!

LA PONCIA.—¡No callo!

ADELA.—Métete en tus cosas, ¡oledora!, ¡pérfida!

LA PONCIA.—Sombra tuya he de ser.

ADELA.—En vez de limpiar la casa y acostarte para rezar a tus muertos buscas como una vieja marrana asuntos de hombres y mujeres para babosear en ellos.

LA PONCIA.—¡Velo! Para que las gentes no escupan al pasar por esta puerta.

ADELA.—¡Qué cariño tan grande te ha entrado de pronto por mi hermana!

LA PONCIA.—No os tengo ley a ninguna, pero quiero vivir en casa decente. ¡No quiero mancharme de vieja!

ADELA.—Es inútil tu consejo. Ya es tarde. No por encima de ti que eres una criada, por encima de mi madre saltaría para apagarme este fuego que tengo levantado por piernas y boca. ¿Qué puedes decir de mí? ¿Que me encierro en mi cuarto y no abro la puerta? ¿Que no duermo? ¡Soy más lista que tú! Mira a ver si puedes agarrar la liebre con tus manos.

LA PONCIA.—No me desafíes, Adela, no me desafíes. Porque yo puedo dar voces, encender luces y hacer que toquen las campanas.

ADELA.—Trae cuatro mil bengalas amarillas y ponlas en las bardas del corral. Nadie podrá evitar que suceda lo que tiene que suceder.

LA PONCIA.—¡Tanto te gusta ese hombre!

ADELA.—¡Tanto! Mirando sus ojos me parece que bebo su sangre lentamente.

LA PONCIA.—Yo no te puedo oír.

ADELA.—¡Pues me oirás! Te he tenido miedo. ¡Pero ya soy más fuerte que tú!

(*Entra* ANGUSTIAS.)

ANGUSTIAS.—¡Siempre discutiendo!

LA PONCIA.—Claro. Se empeña que con el calor que hace vaya a traerle no sé qué de la tienda.

ANGUSTIAS.—¿Me compraste el bote de esencia?

LA PONCIA.—El más caro. Y los polvos. En la mesa de tu cuarto los he puesto.

(*Sale* ANGUSTIAS.)

ADELA.—¡Y chitón!

LA PONCIA.—¡Lo veremos!

(*Entran* MARTIRIO, AMELIA y MAGDA-LENA.)

MAGDALENA. (*A* ADELA.)—¿Has visto los encajes?

AMELIA.—Los de Angustias para sus sábanas de novia son preciosos.

ADELA. (*A* MARTIRIO, *que trae unos encajes.*)—¿Y éstos?

MARTIRIO.—Son para mí. Para una camisa.

ADELA. (*Con sarcasmo.*)—Se necesita buen humor.

MARTIRIO. (*Con intención.*)—Para verlos yo. No necesito lucirme ante nadie.

LA PONCIA.—Nadie le ve a una en camisa.

MARTIRIO. (*Con intención y mirando a* ADELA.)—¡A veces! Pero me encanta la ropa interior. Si fuera rica la tendría de Holanda. Es uno de los pocos gustos que me quedan.

LA PONCIA.—Estos encajes son preciosos para las gorras de niño, para mantehuelos de cristianar. Yo nunca pude usarlos en los míos. A ver si ahora Angustias los usa en los suyos. Como le

dé por tener crías vais a estar cosiendo mañana
y tarde.

MAGDALENA.—Yo no pienso dar una puntada.

AMELIA.—Y mucho menos criar niños ajenos. Mira
tú cómo están las vecinas del callejón, sacrifica-
das por cuatro monigotes.

LA PONCIA.—Esas están mejor que vosotras. ¡Siquiera allí se ríe y se oyen porrazos!

MARTIRIO.—Pues vete a servir con ellas.

LA PONCIA.—No. Ya me ha tocado en suerte este
convento.

> (*Se oyen unos campanillos lejanos,
> como a través de varios muros.*)

MAGDALENA.—Son los hombres que vuelven del trabajo.

LA PONCIA.—Hace un minuto dieron las tres.

MARTIRIO.—¡Con este sol!

ADELA. (*Sentándose.*)—¡Ay, quién pudiera salir también a los campos!

MAGDALENA. (*Sentándose.*)—¡Cada clase tiene que
hacer lo suyo!

MARTIRIO. (*Sentándose.*)—¡Así es!

AMELIA. (*Sentándose.*)—¡Ay!

LA PONCIA.—No hay alegría como la de los campos en esta época. Ayer de mañana llegaron los
segadores. Cuarenta o cincuenta buenos mozos.

MAGDALENA.—¿De dónde son este año?

LA PONCIA.—De muy lejos. Vinieron de los montes. ¡Alegres! ¡Como árboles quemados! ¡Dando
voces y arrojando piedras! Anoche llegó al pueblo una mujer vestida de lentejuelas y que bai-
laba con un acordeón, y quince de ellos la con-
trataron para llevársela al olivar. Yo los vi de
lejos. El que la contrataba era un muchacho de
ojos verdes, apretado como una gavilla de trigo.

AMELIA.—¿Es eso cierto?

ADELA.—¡Pero es posible!

LA PONCIA.—Hace años vino otra de éstas y yo misma di dinero a mi hijo mayor para que fuera. Los hombres necesitan estas cosas.

ADELA.—Se les perdona todo.

AMELIA.—Nacer mujer es el mayor castigo.

MAGDALENA.—Y ni nuestros ojos siquiera nos pertenecen.

> (*Se oye un cantar lejano que se va acercando.*)

LA PONCIA.—Son ellos. Traen unos cantos preciosos.

AMELIA.—Ahora salen a segar.

CORO:

> Ya salen los segadores
> en busca de las espigas;
> se llevan los corazones
> de las muchachas que miran.

> (*Se oyen panderos y carrañacas. Pausa. Todas oyen en un silencio traspasado por el sol.*)

AMELIA.—¡Y no les importa el calor!

MARTIRIO.—Siegan entre llamaradas.

ADELA.—Me gustaría segar para ir y venir. Así se olvida lo que nos muerde.

MARTIRIO.—¿Qué tienes tú que olvidar?

ADELA.—Cada una sabe sus cosas.

MARTIRIO. (*Profunda.*)—¡Cada una!

LA PONCIA.—¡Callar! ¡Callar!

CORO. (*Muy lejano.*):

> Abrir puertas y ventanas
> las que vivís en el pueblo,
> el segador pide rosas
> para adornar su sombrero.

LA PONCIA.—¡Qué canto!

MARTIRIO. (*Con nostalgia.*)

Abrir puertas y ventanas
las que vivís en el pueblo...

ADELA. (*Con pasión.*)

...el segador pide rosas
para adornar su sombrero.

(*Se va alejando el cantar.*)

LA PONCIA.—Ahora dan la vuelta a la esquina.

ADELA.—Vamos a verlos por la ventana de mi cuarto.

LA PONCIA.—Tener cuidado con no entreabrirla mucho, porque son capaces de dar un empujón para ver quién mira.

(*Se van las tres.* MARTIRIO *queda sentada en la silla baja con la cabeza entre las manos.*)

AMELIA. (*Acercándose.*)—¿Qué te pasa?

MARTIRIO.—Me sienta mal el calor.

AMELIA.—¿No es más que eso?

MARTIRIO.—Estoy deseando que llegue noviembre, los días de lluvias, la escarcha, todo lo que no sea este verano interminable.

AMELIA.—Ya pasará y volverá otra vez.

MARTIRIO.—¡Claro! (*Pausa.*) ¿A qué hora te dormiste anoche?

AMELIA.—No sé. Yo duermo como un tronco. ¿Por qué?

MARTIRIO.—Por nada, pero me pareció oír gente en el corral.

AMELIA.—¿Sí?

MARTIRIO.—Muy tarde.

AMELIA.—¿Y no tuviste miedo?

MARTIRIO.—No. Ya lo he oído otras noches.

AMELIA.—Debiéramos tener cuidado. ¿No serían los gañanes?

MARTIRIO.—Los gañanes llegan a las seis.

AMELIA.—Quizá una mulilla sin desbravar.

MARTIRIO. (*Entre dientes y llena de segunda intención.*)—Eso, ¡eso!, una mulilla sin desbravar.

AMELIA.—¡Hay que prevenir!

MARTIRIO.—No. No. No digas nada, puede ser un barrunto mío.

AMELIA.—Quizá.

(*Pausa. AMELIA inicia el mutis.*)

MARTIRIO.—Amelia.

AMELIA. (*En la puerta.*)—¿Qué?

(*Pausa.*)

MARTIRIO.—Nada.

(*Pausa.*)

AMELIA.—¿Por qué me llamaste?

(*Pausa.*)

MARTIRIO.—Se me escapó. Fue sin darme cuenta.

(*Pausa.*)

AMELIA.—Acuéstate un poco.

ANGUSTIAS. (*Entrando furiosa en escena de modo que haya un gran contraste con los silencios anteriores.*)—¿Dónde está el retrato de Pepe que tenía yo debajo de mi almohada? ¿Quién de vosotras lo tiene?

MARTIRIO.—Ninguna.

AMELIA.—Ni que Pepe fuera un San Bartolomé de plata.

ANGUSTIAS.—¿Dónde está el retrato?

(*Entran LA PONCIA, MAGDALENA y ADELA.*)

ADELA.—¿Qué retrato?

ANGUSTIAS.—Una de vosotras me lo ha escondido.

MAGDALENA.—¿Tienes la desvergüenza de decir esto?

ANGUSTIAS.—Estaba en mi cuarto y ya no está.

MARTIRIO.—¿Y no se habrá escapado a medianoche al corral? A Pepe le gusta andar con la luna.

ANGUSTIAS.—¡No me gastes bromas! Cuando venga yo se lo contaré.

LA PONCIA.—¡Eso no! ¡Porque aparecerá!

(*Mirando a* ADELA.)

ANGUSTIAS.—¡Me gustaría saber cuál de vosotras lo tiene!

ADELA. (*Mirando a* MARTIRIO.)—¡Alguna! ¡Todas menos yo!

MARTIRIO. (*Con intención.*)—¡Desde luego!

BERNARDA. (*Entrando.*)—¿Qué escándalo es éste en mi casa y en el silencio del peso del calor? Estarán las vecinas con el oído pegado a los tabiques.

ANGUSTIAS.—Me han quitado el retrato de mi novio.

BERNARDA. (*Fiera.*)—¿Quién? ¿Quién?

ANGUSTIAS.—¡Estas!

BERNARDA.—¿Cuál de vosotras? (*Silencio.*) ¡Contestarme! (*Silencio. A la* PONCIA.) Registra los cuartos, mira por las camas. Esto tiene no ataros más cortas. ¡Pero me vais a soñar! (*A* ANGUSTIAS.) ¿Estás segura?

ANGUSTIAS.—Sí.

BERNARDA.—¿Lo has buscado bien?

ANGUSTIAS.—Sí, madre.

(*Todas están de pie en medio de un embarazoso silencio.*)

BERNARDA.—Me hacéis al final de mi vida beber el veneno más amargo que una madre puede resistir. (*A* La Poncia.) ¿No lo encuentras?

La Poncia. (*Saliendo.*)—Aquí está.

Bernarda.—¿Dónde lo has encontrado?

La Poncia.—Estaba...

Bernarda.—Dilo sin temor.

La Poncia. (*Extrañada.*)—Entre las sábanas de la cama de Martirio.

Bernarda. (*A* Martirio.)—¿Es verdad?

Martirio.—¡Es verdad!

Bernarda. (*Avanzando y golpeándola.*)—Mala puñalada te den, ¡mosca muerta! ¡Sembradura de vidrios!

Martirio. (*Fiera.*)—¡No me pegue usted, madre!

Bernarda.—¡Todo lo que quiera!

Martirio.—¡Si yo la dejo! ¿Lo oye? ¡Retírese usted!

La Poncia.—No faltes a tu madre.

Angustias. (*Cogiendo a* Bernarda.)—Déjela. ¡Por favor!

Bernarda.—Ni lágrimas te quedan en esos ojos.

Martirio.—No voy a llorar para darle gusto.

Bernarda.—¿Por qué has cogido el retrato?

Martirio.—¿Es que yo no puedo gastar una broma a mi hermana? ¿Para qué lo iba a querer?

Adela. (*Saltando llena de celos.*)—No ha sido broma, que tú nunca has gustado jamás de juegos. Ha sido otra cosa que te reventaba en el pecho por querer salir. Dilo ya claramente.

Martirio.—¡Calla y no me hagas hablar, que si hablo se van a juntar las paredes unas con otras de vergüenza!

Adela.—¡La mala lengua no tiene fin para inventar!

Bernarda.—¡Adela!

Magdalena.—Estáis locas.

Amelia.—Y nos apedreáis con malos pensamientos.

Martirio.—Otras hacen cosas más malas.

ADELA.—Hasta que se pongan en cueros de una vez y se las lleve el río.

BERNARDA.—¡Perversa!

ANGUSTIAS.—Yo no tengo la culpa de que Pepe el Romano se haya fijado en mí.

ADELA.—¡Por tus dineros!

ANGUSTIAS.—¡Madre!

BERNARDA.—¡Silencio!

MARTIRIO.—Por tus marjales y tus arboledas.

MAGDALENA.—¡Eso es lo justo!

BERNARDA.—¡Silencio digo! Yo veía la tormenta venir, pero no creía que estallara tan pronto. ¡Ay, qué pedrisco de odio habéis echado sobre mi corazón! Pero todavía no soy anciana y tengo cinco cadenas para vosotras y esta casa levantada por mi padre para que ni las hierbas se enteren de mi desolación. ¡Fuera de aquí! (*Salen.* BERNARDA *se sienta desolada.* LA PONCIA *está de pie arrimada a los muros.* BERNARDA *reacciona, da un golpe en el suelo y dice.*) ¡Tendré que sentarles la mano! Bernarda: acuérdate que ésta es tu obligación.

LA PONCIA.—¿Puedo hablar?

BERNARDA.—Habla. Siento que hayas oído. Nunca está bien una extraña en el centro de la familia.

LA PONCIA.—Lo visto, visto está.

BERNARDA.—Angustias tiene que casarse en seguida.

LA PONCIA.—Claro; hay que retirarla de aquí.

BERNARDA.—No a ella. ¡A él!

LA PONCIA.—Claro. A él hay que alejarlo de aquí. Piensas bien.

BERNARDA.—No pienso. Hay cosas que no se pueden ni se deben pensar. Yo ordeno.

LA PONCIA.—¿Y tú crees que él querrá marcharse?

BERNARDA. (*Levantándose.*)—¿Qué imagina tu cabeza?

LA PONCIA.—El, ¡claro!, se casará con Angustias.

BERNARDA.—Habla, te conozco demasiado para saber que ya me tienes preparada la cuchilla.

LA PONCIA.—Nunca pensé que se llamara asesinato al aviso.

BERNARDA.—¿Me tienes que prevenir algo?

LA PONCIA.—Yo no acuso, Bernarda. Yo sólo te digo: abre los ojos y verás.

BERNARDA.—¿Y verás qué?

LA PONCIA.—Siempre has sido lista. Has visto lo malo de las gentes a cien leguas; muchas veces creí que adivinabas los pensamientos. Pero los hijos son los hijos. Ahora estás ciega.

BERNARDA.—¿Te refieres a Martirio?

LA PONCIA.—Bueno, a Martirio... (*Con curiosidad.*) ¿Por qué habrá escondido el retrato?

BERNARDA. (*Queriendo ocultar a su hija.*)—Después de todo, ella dice que ha sido una broma. ¿Qué otra cosa puede ser?

LA PONCIA.—¿Tú lo crees así?

(*Con sorna.*)

BERNARDA. (*Enérgica.*)—No lo creo. ¡Es así!

LA PONCIA.—Basta. Se trata de lo tuyo. Pero si fuera la vecina de enfrente, ¿qué sería?

BERNARDA.—Ya empiezas a sacar la punta del cuchillo.

LA PONCIA. (*Siempre con crueldad.*)—Bernarda: aquí pasa una cosa muy grande. Yo no te quiero echar la culpa, pero tú no has dejado a tus hijas libres. Martirio es enamoradiza, digas lo que tú quieras. ¿Por qué no la dejaste casar con Enrique Humanas? ¿Por qué el mismo día que iba a venir a la ventana le mandaste recado que no viniera?

BERNARDA.—¡Y lo haría mil veces! ¡Mi sangre no

se junta con la de los Humanas mientras yo viva! Su padre fue gañán.

LA PONCIA.—¡Y así te va a ti con esos humos!

BERNARDA.—Los tengo porque puedo tenerlos. Y tú no los tienes porque sabes muy bien cuál es tu origen.

LA PONCIA. (*Con odio.*)—No me lo recuerdes. Estoy ya vieja. Siempre agradecí tu protección.

BERNARDA. (*Crecida.*)—¡No lo parece!

LA PONCIA. (*Con odio envuelto en suavidad.*)—A Martirio se le olvidará esto.

BERNARDA.—Y si no lo olvida peor para ella. No creo que ésta sea la "cosa muy grande" que aquí pasa. Aquí no pasa nada. ¡Eso quisieras tú! Y si pasa algún día, estáte segura que no traspasará las paredes.

LA PONCIA.—Eso no lo sé yo. En el pueblo hay gentes que leen también de lejos los pensamientos escondidos.

BERNARDA.—¡Cómo gozarías de vernos a mí y a mis hijas camino del lupanar!

LA PONCIA.—¡Nadie puede conocer su fin!

BERNARDA.—¡Yo sí sé mi fin! ¡Y el de mis hijas! El lupanar se queda para alguna mujer ya difunta.

LA PONCIA.—¡Bernarda, respeta la memoria de mi madre!

BERNARDA.—¡No me persigas tú con tus malos pensamientos!

LA PONCIA. (*Pausa.*)—Mejor será que no me meta en nada.

BERNARDA.—Eso es lo que debías hacer. Obrar y callar a todo. Es la obligación de los que viven a sueldo.

LA PONCIA.—Pero no se puede. ¿A ti no te parece

que Pepe estaría mejor casado con Martirio o...
¡sí! con Adela?

BERNARDA.—No me parece.

LA PONCIA.—Adela. ¡Esa es la verdadera novia del
Romano!

BERNARDA.—Las cosas no son nunca a gusto nuestro.

LA PONCIA.—Pero les cuesta mucho trabajo des-
viarse de la verdadera inclinación. A mí me parece mal que Pepe esté con Angustias y a las
gentes y hasta al aire. ¡Quién sabe si se saldrán
con la suya!

BERNARDA.—¡Ya estamos otra vez...! Te deslizas
para llenarme de malos sueños. Y no quiero
entenderte porque si llegara al alcance de todo
lo que dices te tendría que arañar.

LA PONCIA.—¡No llegará la sangre al río!

BERNARDA.—Afortunadamente mis hijas me respe-
tan y jamás torcieron mi voluntad.

LA PONCIA.—¡Eso sí! Pero en cuanto las dejes suel-
tas se te subirán al tejado.

BERNARDA.—¡Ya las bajaré tirándoles cantos!

LA PONCIA.—¡Desde luego eres la más valiente!

BERNARDA.—¡Siempre gasté sabrosa pimienta!

LA PONCIA.—¡Pero lo que son las cosas! A su edad.
¡Hay que ver el entusiasmo de Angustias con su
novio! ¡Y él también parece muy picado! Ayer
me contó mi hijo mayor que a las cuatro y media de la madrugada que pasó por la calle con
la yunta, estaban hablando todavía.

BERNARDA.—¡A las cuatro y media!

ANGUSTIAS. (*Saliendo.*)—¡Mentira!

LA PONCIA.—Eso me contaron.

BERNARDA. (*A* ANGUSTIAS.)—¡Habla!

ANGUSTIAS.—Pepe lleva más de una semana marchándose a la una. Que Dios me mate si miento.

MARTIRIO. (*Saliendo.*)—Yo también lo sentí marcharse a las cuatro.

BERNARDA.—¿Pero lo viste con tus ojos?

MARTIRIO.—No quise asomarme. ¿No habláis ahora por la ventana del callejón?

ANGUSTIAS.—Yo hablo por la ventana de mi dormitorio.

(*Aparece* ADELA *en la puerta.*)

MARTIRIO.—Entonces...

BERNARDA.—¿Qué es lo que pasa aquí?

LA PONCIA.—¡Cuida de enterarte! Pero desde luego, Pepe estaba a las cuatro de la madrugada en una reja de tu casa.

BERNARDA.—¿Lo sabes seguro?

LA PONCIA.—Seguro no se sabe nada en esta vida.

ADELA.—Madre, no oiga usted a quien nos quiere perder a todas.

BERNARDA.—¡Yo sabré enterarme! Si las gentes del pueblo quieren levantar falsos testimonios se encontrarán con mi pedernal. No se hable de este asunto. Hay a veces una ola de fango que levantan los demás para perdernos.

MARTIRIO.—A mí no me gusta mentir.

LA PONCIA.—Y algo habrá.

BERNARDA.—No habrá nada. Nací para tener los ojos abiertos. Ahora vigilaré sin cerrarlos ya hasta que me muera.

ANGUSTIAS.—Yo tengo derecho de enterarme.

BERNARDA.—Tú no tienes derecho más que a obedecer. Nadie me traiga ni me lleve. (*A* LA PONCIA.) Y tú te metes en los asuntos de tu casa. ¡Aquí no se vuelve a dar un paso sin que yo lo sienta!

CRIADA. (*Entrando.*)—En lo alto de la calle hay un gran gentío y todos los vecinos están en sus puertas.

BERNARDA. (*A* LA PONCIA.)—¡Corre a enterarte de lo que pasa! (*Las mujeres corren para salir.*) ¿Dónde vais? Siempre os supe mujeres ventaneras y rompedoras de su luto. ¡Vosotras, al patio!

> (*Salen y sale* BERNARDA. *Se oyen rumores lejanos. Entran* MARTIRIO *y* ADELA, *que se quedan escuchando y sin atreverse a dar un paso más de la puerta de salida.*)

MARTIRIO.—Agradece a la casualidad que no desaté mi lengua.

ADELA.—También hubiera hablado yo.

MARTIRIO.—¿Y qué ibas a decir? ¡Querer no es hacer!

ADELA.—Hace la que puede y la que se adelanta. Tú querías, pero no has podido.

MARTIRIO.—No seguirás mucho tiempo.

ADELA.—¡Lo tendré todo!

MARTIRIO.—Yo romperé tus abrazos.

ADELA. (*Suplicante.*)—¡Martirio, déjame!

MARTIRIO.—¡De ninguna!

ADELA.—El me quiere para su casa.

MARTIRIO.—¡He visto cómo te abrazaba!

ADELA.—Yo no quería. He sido como arrastrada por una maroma.

MARTIRIO.—¡Primero muerta!

> (*Se asoman* MAGDALENA *y* ANGUSTIAS. *Se siente crecer el tumulto.*)

LA PONCIA. (*Entrando con* BERNARDA.)—¡Bernarda!

BERNARDA.—¿Qué ocurre?

LA PONCIA.—La hija de la Librada, la soltera, tuvo un hijo no se sabe con quién.

ADELA.—¿Un hijo?

LA PONCIA.—Y para ocultar su vergüenza lo mató y lo metió debajo de unas piedras, pero unos perros, con más corazón que muchas criaturas, lo sacaron y como llevados por la mano de Dios lo han puesto en el tranco de su puerta. Ahora la quieren matar. La traen arrastrando por la calle abajo, y por las trochas y los terrenos del olivar vienen los hombres corriendo dando unas voces que estremecen los campos.

BERNARDA.—Sí, que vengan todos con varas de olivo y mangos de azadones, que vengan todos para matarla.

ADELA.—No, no. Para matarla, no.

MARTIRIO.—Sí, y vamos a salir también nosotras.

BERNARDA.—Y que pague la que pisotea la decencia.

(*Fuera se oye un grito de mujer y un gran rumor.*)

ADELA.—¡Que la dejen escapar! ¡No salgáis vosotras!

MARTIRIO. (*Mirando a* ADELA.)—¡Que pague lo que debe!

BERNARDA. (*Bajo el arco.*)—¡Acabar con ella antes que lleguen los guardias! ¡Carbón ardiendo en el sitio de su pecado!

ADELA. (*Cogiéndose el vientre.*)—¡No! ¡No!

BERNARDA.—¡Matadla! ¡Matadla!

TELÓN

ACTO TERCERO

Cuatro paredes blancas ligeramente azuladas del patio interior de la casa de BERNARDA. Es de noche. El decorado ha de ser de una perfecta simplicidad. Las puertas, iluminadas por la luz de los interiores, dan un tenue fulgor a la escena.

> (*En el centro una mesa con un quinqué, donde están comiendo* BERNARDA *y sus hijas.* LA PONCIA *las sirve.* PRUDENCIA *está sentada aparte. Al levantarse el telón hay un gran silencio interrumpido por el ruido de platos y cubiertos.*)

PRUDENCIA.—Ya me voy. Os he hecho una visita larga.

> (*Se levanta.*)

BERNARDA.—Espérate, mujer. No nos vemos nunca.
PRUDENCIA.—¿Han dado el último toque para el rosario?
LA PONCIA.—Todavía no.

> (PRUDENCIA *se sienta.*)

BERNARDA.—Y tú marido ¿cómo sigue?
PRUDENCIA.—Igual.
BERNARDA.—Tampoco lo vemos.
PRUDENCIA.—Ya sabes sus costumbres. Desde que se peleó con sus hermanos por la herencia no

ha salido por la puerta de la calle. Pone una escalera y salta las tapias y el corral.

BERNARDA.—Es un verdadero hombre. ¿Y con tu hija...?

PRUDENCIA.—No la ha perdonado.

BERNARDA.—Hace bien.

PRUDENCIA.—No sé qué te diga. Yo sufro por esto.

BERNARDA.—Una hija que desobedece deja de ser hija para convertirse en una enemiga.

PRUDENCIA.—Yo dejo que el agua corra. No me queda más consuelo que refugiarme en la iglesia, pero como estoy quedando sin vista tendré que dejar de venir para que no jueguen con una los chiquillos. (*Se oye un gran golpe dado en los muros.*) ¿Qué es eso?

BERNARDA.—El caballo garañón que está encerrado y da coces contra el muro. (*A voces.*) ¡Trabadlo y que salga al corral! (*En voz baja.*) Debe tener calor.

PRUDENCIA.—¿Vais a echarle las potras nuevas?

BERNARDA.—Al amanecer.

PRUDENCIA.—Has sabido acrecentar tu ganado.

BERNARDA.—A fuerza de dinero y sinsabores.

LA PONCIA. (*Interrumpiendo.*)—Pero tiene la mejor manada de estos contornos. Es una lástima que esté bajo de precio.

BERNARDA.—¿Quieres un poco de queso y miel?

PRUDENCIA.—Estoy desganada.

(*Se oye otra vez el golpe.*)

LA PONCIA.—¡Por Dios!

PRUDENCIA.—¡Me ha retemblado dentro del pecho!

BERNARDA. (*Levantándose furiosa.*)—¿Hay que decir las cosas dos veces? ¡Echadlo que se revuelque en los montones de paja! (*Pausa, y como hablando con los gañanes.*) Pues encerrad las po-

tras en la cuadra, pero dejadlo libre no sea que
nos eche abajo las paredes. (*Se dirige a la mesa
y se sienta otra vez.*) ¡Ay, qué vida!

PRUDENCIA.—Bregando como un hombre.

BERNARDA.—Así es. (ADELA *se levanta de la mesa.*)
¿Dónde vas?

ADELA.—A beber agua.

BERNARDA. (*En voz alta.*)—Trae un jarro de agua
fresca. (*A* ADELA.) Puedes sentarte.

(ADELA *se sienta.*)

PRUDENCIA.—Y Angustias, ¿cuándo se casa?

BERNARDA.—Vienen a pedirla dentro de tres días.

PRUDENCIA.—¡Estarás contenta!

ANGUSTIAS.—¡Claro!

ADELA. (*A* MAGDALENA.)—Ya has derramado la sal.

MAGDALENA.—Peor suerte que tienes no vas a tener.

AMELIA.—Siempre trae mala sombra.

BERNARDA.—¡Vamos!

PRUDENCIA. (*A* ANGUSTIAS.)—¿Te ha regalado ya el
anillo?

ANGUSTIAS.—Mírelo usted.

(*Se lo alarga.*)

PRUDENCIA.—Es precioso. Tres perlas. En mi tiempo las perlas significaban lágrimas.

ANGUSTIAS.—Pero ya las cosas han cambiado.

ADELA.—Yo creo que no. Las cosas significan siempre lo mismo. Los anillos de pedida deben ser
de diamantes.

PRUDENCIA.—Es más propio.

BERNARDA.—Con perlas o sin ellas las cosas son
como uno se las propone.

MARTIRIO.—O como Dios dispone.

PRUDENCIA.—Los muebles me han dicho que son
preciosos.

BERNARDA.—Dieciséis mil reales he gastado.

LA PONCIA. (*Interviniendo.*)—Lo mejor es el armario de luna.

PRUDENCIA.—Nunca vi un mueble de éstos.

BERNARDA.—Nosotras tuvimos arca.

PRUDENCIA.—Lo preciso es que todo sea para bien.

ADELA.—Que nunca se sabe.

BERNARDA.—No hay motivo para que no lo sea.

> (*Se oyen lejanísimas unas campanas.*)

PRUDENCIA.—El último toque. (*A* ANGUSTIAS.) Ya vendré a que me enseñes la ropa.

ANGUSTIAS.—Cuando usted quiera.

PRUDENCIA.—Buenas noches nos dé Dios.

BERNARDA.—Adiós, Prudencia.

LAS CINCO A LA VEZ.—Vaya usted con Dios.

> (*Pausa. Sale* PRUDENCIA.)

BERNARDA.—Ya hemos comido.

> (*Se levantan.*)

ADELA.—Voy a llegarme hasta el portón para estirar las piernas y tomar un poco de fresco.

> (MAGDALENA *se sienta en una silla baja retrepada contra la pared.*)

AMELIA.—Yo voy contigo.

MARTIRIO.—Y yo.

ADELA. (*Con odio contenido.*)—No me voy a perder.

AMELIA.—La noche quiere compaña.

> (*Salen.* BERNARDA *se sienta y* ANGUSTIAS *está arreglando la mesa.*)

BERNARDA.—Ya te he dicho que quiero que hables con tu hermana Martirio. Lo que pasó del retrato fue una broma y lo debes olvidar.

ANGUSTIAS.—Usted sabe que ella no me quiere.

BERNARDA.—Cada uno sabe lo que piensa por dentro. Yo no me meto en los corazones, pero quiero buena fachada y armonía familiar. ¿Lo entiendes?

ANGUSTIAS.—Sí.

BERNARDA.—Pues ya está.

MAGDALENA. (*Casi dormida.*)—Además, ¡si te vas a ir antes de nada!

(*Se duerme.*)

ANGUSTIAS.—Tarde me parece.

BERNARDA.—¿A qué hora terminaste anoche de hablar?

ANGUSTIAS.—A las doce y media.

BERNARDA.—¿Qué cuenta Pepe?

ANGUSTIAS.—Yo lo encuentro distraído. Me habla siempre como pensando en otra cosa. Si le pregunto qué le pasa, me contesta: "Los hombres tenemos nuestras preocupaciones".

BERNARDA.—No le debes preguntar. Y cuando te cases, menos. Habla si él habla y míralo cuando te mire. Así no tendrás disgustos.

ANGUSTIAS.—Yo creo, madre, que él me oculta muchas cosas.

BERNARDA.—No procures descubrirlas, no le preguntes, y, desde luego, que no te vea llorar jamás.

ANGUSTIAS.—Debía estar contenta y no lo estoy.

BERNARDA.—Eso es lo mismo.

ANGUSTIAS.—Muchas veces miro a Pepe con mucha fijeza y se me borra a través de los hierros, como si lo tapara una nube de polvo de las que levantan los rebaños.

BERNARDA.—Eso son cosas de debilidad.

ANGUSTIAS.—¡Ojalá!

BERNARDA.—¿Viene esta noche?

ANGUSTIAS.—No. Fue con su madre a la capital.

BERNARDA.—Así nos acostaremos antes. ¡Magdalena!

ANGUSTIAS.—Está dormida.

(*Entran* ADELA, MARTIRIO *y* AMELIA.)

AMELIA.—¡Qué noche más oscura!

ADELA.—No se ve a dos pasos de distancia.

MARTIRIO.—Una buena noche para ladrones, para el que necesita escondrijo.

ADELA.—El caballo garañón estaba en el centro del corral ¡blanco! Doble de grande, llenando todo lo oscuro.

AMELIA.—Es verdad. Daba miedo. Parecía una aparición.

ADELA.—Tiene el cielo unas estrellas como puños.

MARTIRIO.—Esta se puso a mirarlas de modo que se iba a tronchar el cuello.

ADELA.—¿Es que no te gustan a ti?

MARTIRIO.—A mí las cosas de tejas arriba no me importan nada. Con lo que pasa dentro de las habitaciones tengo bastante.

ADELA.—Así te va a ti.

BERNARDA.—A ella le va en lo suyo como a ti en lo tuyo.

ANGUSTIAS.—Buenas noches.

ADELA.—¿Ya te acuestas?

ANGUSTIAS.—Sí. Esta noche no viene Pepe.

(*Sale.*)

ADELA.—Madre. ¿Por qué cuando se corre una estrella o luce un relámpago se dice:

Santa Bárbara bendita
que en el cielo estás escrita
con papel y agua bendita?

BERNARDA.—Los antiguos sabían muchas cosas que hemos olvidado.

AMELIA.—Yo cierro los ojos para no verlas.

ADELA.—Yo no. A mí me gusta ver correr lleno de lumbre lo que está quieto y quieto años enteros.

MARTIRIO.—Pero estas cosas nada tienen que ver con nosotros.

BERNARDA.—Y es mejor no pensar en ellas.

ADELA.—¡Qué noche más hermosa! Me gustaría quedarme hasta muy tarde para disfrutar el fresco del campo.

BERNARDA.—Pero hay que acostarse. ¡Magdalena!

AMELIA.—Está en el primer sueño.

BERNARDA.—¡Magdalena!

MAGDALENA. (*Disgustada.*)—¡Dejarme en paz!

BERNARDA.—¡A la cama!

MAGDALENA. (*Levantándose malhumorada.*)—¡No la dejáis a una tranquila!

(*Se va refunfuñando.*)

AMELIA.—Buenas noches.

(*Se va.*)

BERNARDA.—Andar vosotras también.

MARTIRIO.—¿Cómo es que esta noche no viene el novio de Angustias?

BERNARDA.—Fue de viaje.

MARTIRIO. (*Mirando a* ADELA.)—¡Ah!

ADELA.—Hasta mañana.

(*Sale.* MARTIRIO *bebe agua y sale lentamente mirando hacia la puerta del corral.*)

LA PONCIA. (*Saliendo.*)—¿Estás todavía aquí?

BERNARDA.—Disfrutando este silencio y sin lograr

ver por parte alguna "la cosa tan grande" que
aquí pasa según tú.

LA PONCIA.—Bernarda, dejemos esa conversación.

BERNARDA.—En esta casa no hay un sí ni un no. Mi
vigilancia lo puede todo.

LA PONCIA.—No pasa nada por fuera. Eso es verdad.
Tus hijas están y viven como metidas en alacenas. Pero ni tú ni nadie puede vigilar por el interior de los pechos.

BERNARDA.—Mis hijas tienen la respiración tranquila.

LA PONCIA.—Eso te importa a ti que eres su madre.
A mí con servir tu casa tengo bastante.

BERNARDA.—Ahora te has vuelto callada.

LA PONCIA.—Me estoy en mi sitio y en paz.

BERNARDA.—Lo que pasa es que no tienes nada que
decir. Si en esta casa hubiera hierbas ya te en-
cargarías de traer a pastar las ovejas del ve-
cindario.

LA PONCIA.—Yo tapo más de lo que te figuras.

BERNARDA.—¿Sigue tu hijo viendo a Pepe a las cuatro de la mañana? ¿Siguen diciendo todavía la
mala letanía de esta casa?

LA PONCIA.—No dicen nada.

BERNARDA.—Porque no pueden. Porque no hay carne donde morder. A la vigilancia de mis ojos se
debe esto.

LA PONCIA.—Bernarda: yo no quiero hablar porque
temo tus intenciones. Pero no estés segura.

BERNARDA.—¡Segurísima!

LA PONCIA.—A lo mejor de pronto cae un rayo. A
lo mejor, de pronto, un golpe te para el corazón.

BERNARDA.—Aquí no pasa nada. Ya estoy alerta contra tus suposiciones.

LA PONCIA.—Pues mejor para ti.

BERNARDA.—¡No faltaba más!

CRIADA. (*Entrando.*)—Ya terminé de fregar los platos. ¿Manda usted algo, Bernarda?

BERNARDA. (*Levantándose.*)—Nada. Voy a descansar.

LA PONCIA.—¿A qué hora quieres que te llame?

BERNARDA.—A ninguna. Esta noche voy a dormir bien.

(*Se va.*)

LA PONCIA.—Cuando una no puede con el mar, lo más fácil es volver las espaldas para no verlo.

CRIADA.—Es tan orgullosa que ella misma se pone una venda en los ojos.

LA PONCIA.—Yo no puedo hacer nada. Quise atajar las cosas, pero ya me asustan demasiado. ¿Tú ves este silencio? Pues hay una tormenta en cada cuarto. El día que estallen nos barrerán a todas. Yo he dicho lo que tenía que decir.

CRIADA.—Bernarda cree que nadie puede con ella y no sabe la fuerza que tiene un hombre entre mujeres solas.

LA PONCIA.—No es toda la culpa de Pepe el Romano. Es verdad que el año pasado anduvo detrás de Adela y ésta estaba loca por él, pero ella debió estarse en su sitio y no provocarlo. Un hombre es un hombre.

CRIADA.—Hay quien cree que habló muchas veces con Adela.

LA PONCIA.—Es verdad. (*En voz baja.*) Y otras cosas.

CRIADA.—No sé lo que va a pasar aquí.

LA PONCIA.—A mí me gustaría cruzar el mar y dejar esta casa de guerra.

CRIADA.—Bernarda está aligerando la boda y es posible que nada pase.

LA PONCIA.—Las cosas se han puesto ya demasiado

maduras. Adela está decidida a lo que sea y las
demás vigilan sin descanso.

CRIADA.—¿Y Martirio también?...

LA PONCIA.—Esa es la peor. Es un pozo de veneno.
Ve que el Romano no es para ella y hundiría el
mundo si estuviera en su mano.

CRIADA.—¡Es que son malas!

LA PONCIA.—Son mujeres sin hombre, nada más.
En estas cuestiones se olvida hasta la sangre.
¡Chissssssss!

(*Escucha.*)

CRIADA.—¿Qué pasa?

LA PONCIA. (*Se levanta.*)—Están ladrando los
perros.

CRIADA.—Debe haber pasado alguien por el portón.

(*Sale* ADELA *en enaguas blancas y corpiño.*)

LA PONCIA.—¿No te habías acostado?

ADELA.—Voy a beber agua.

(*Bebe en un vaso de la mesa.*)

LA PONCIA.—Yo te suponía dormida.

ADELA.—Me despertó la sed. ¿Y vosotras, no des-
cansáis?

CRIADA.—Ahora.

(*Sale* ADELA.)

LA PONCIA.—Vámonos.

CRIADA.—Ganado tenemos el sueño. Bernarda no
me deja descansar en todo el día.

LA PONCIA.—Llévate la luz.

CRIADA.—Los perros están como locos.

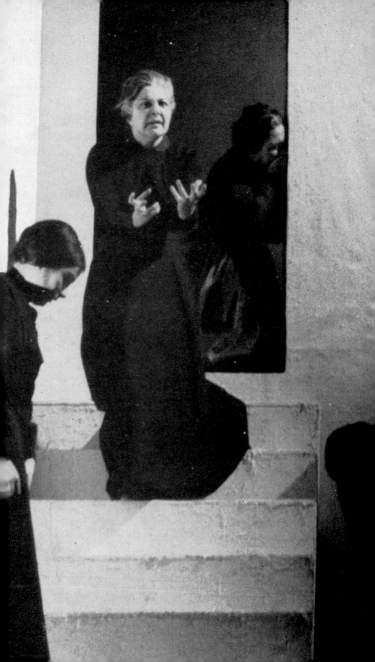

Cándida Losada en una escena de
LA CASA DE BERNARDA ALBA, en su
estreno en España

Madrid, enero 1964

La Poncia.—No nos van a dejar dormir.

> (*Salen. La escena queda casi a oscuras. Sale* María Josefa *con una oveja en los brazos.*)

María Josefa.

Ovejita, niño mío.
Vámonos a la orilla del mar.
La hormiguita estará en su puerta,
yo te daré la teta y el pan.

Bernarda,
cara de leoparda.
Magdalena,
cara de hiena.
¡Ovejita!
Meee, meee.
Vamos a los ramos del portal de Belén.

Ni tú ni yo queremos dormir;
la puerta sola se abrirá
y en la playa nos meteremos
en una choza de coral.

Bernarda,
cara de leoparda.
Magdalena,
cara de hiena.
¡Ovejita!
Meee, meee.
Vamos a los ramos del portal de Belén.

> (*Se va cantando. Entra* Adela. *Mira a un lado y otro con sigilo y desaparece por la puerta del corral. Sale* Martirio *por otra puerta y queda en angustioso acecho en el centro de la escena. Tam-*

bién va en enaguas. Se cubre con un pe-
queño mantón negro de talle. Sale por
enfrente de ella MARÍA JOSEFA.)

MARTIRIO.—¿Abuela, dónde va usted?

MARÍA JOSEFA.—¿Vas a abrirme la puerta? ¿Quién eres tú?

MARTIRIO.—¿Cómo está aquí?

MARÍA JOSEFA.—Me escapé. ¿Tú quién eres?

MARTIRIO.—Vaya a acostarse.

MARÍA JOSEFA.—Tú eres Martirio, ya te veo. Martirio, cara de martirio. ¿Y cuándo vas a tener un niño? Yo he tenido éste.

MARTIRIO.—¿Dónde cogió esa oveja?

MARÍA JOSEFA.—Ya sé que es una oveja. Pero ¿por qué una oveja no va a ser un niño? Mejor es tener una oveja que no tener nada. Bernarda, cara de leoparda; Magdalena, cara de hiena.

MARTIRIO.—No dé voces.

MARÍA JOSEFA.—Es verdad. Está todo muy oscuro. Como tengo el pelo blanco crees que no puedo tener crías, y sí, crías y crías y crías. Este niño tendrá el pelo blanco y tendrá otro niño, y éste, otro, y todos con el pelo de nieve, seremos como las olas, una y otra y otra. Luego nos sentaremos todos y todos tendremos el cabello blanco y seremos espuma. ¿Por qué aquí no hay espumas? Aquí no hay más que mantos de luto.

MARTIRIO.—Calle, calle.

MARÍA JOSEFA.—Cuando mi vecina tenía un niño yo le llevaba chocolate, y luego ella me lo traía a mí y así siempre, siempre, siempre. Tú tendrás el pelo blanco, pero no vendrán las vecinas. Yo tengo que marcharme, pero tengo miedo que los perros me muerdan. ¿Me acompañarás tú a salir al campo? Yo quiero campo. Yo quiero casas, pero casas abiertas y las vecinas acostadas en sus camas con sus niños chiquitos y los hombres fuera sentados en sus sillas. Pepe el Romano es un gigante. Todas lo queréis. Pero él os va a devorar porque vosotras sois granos de trigo. No granos de trigo. ¡Ranas sin lengua!

MARTIRIO.—Vamos. Váyase a la cama.

(*La empuja.*)

MARÍA JOSEFA.—Sí, pero luego tú me abrirás, ¿verdad?

MARTIRIO.—De seguro.

MARÍA JOSEFA. (*Llorando.*)

Ovejita, niño mío.
Vámonos a la orilla del mar.
La hormiguita estará en su puerta.
Yo te daré la teta y el pan.

(MARTIRIO *cierra la puerta por donde ha salido* MARÍA JOSEFA *y se dirige a la puerta del corral. Allí vacila, pero avanza dos pasos más.*)

MARTIRIO. (*En voz baja.*)—Adela. (*Pausa. Avanza hasta la misma puerta. En voz alta.*) ¡Adela!

(*Aparece* ADELA. *Viene un poco despeinada.*)

ADELA.—¿Por qué me buscas?

MARTIRIO.—¡Deja a ese hombre!

ADELA.—¿Quién eres tú para decírmelo?

MARTIRIO.—No es ése el sitio de una mujer honrada.

ADELA.—¡Con qué ganas te has quedado de ocuparlo!

MARTIRIO. (*En voz alta.*)—Ha llegado el momento de que yo hable. Esto no puede seguir así.

ADELA.—Esto no es más que el comienzo. He te-

nido fuerza para adelantarme. El brío y el mérito que tú no tienes. He visto la muerte debajo
de estos techos y he salido a buscar lo que era
mío, lo que me pertenecía.

MARTIRIO.—Ese hombre sin alma vino por otra.
Tú te has atravesado.

ADELA.—Vino por el dinero, pero sus ojos los puso
siempre en mí.

MARTIRIO.—Yo no permitiré que lo arrebates. El
se casará con Angustias.

ADELA.—Sabes mejor que yo que no la quiere.

MARTIRIO.—Lo sé.

ADELA.—Sabes, porque lo has visto, que me quiere
a mí.

MARTIRIO.—Sí.

ADELA. (*Acercándose.*)—Me quiere a mí. Me quiere
a mí.

MARTIRIO.—Clávame un cuchillo si es tu gusto,
pero no me lo digas más.

ADELA.—Por eso procuras que no vaya con él. No
te importa que abrace a la que no quiere, a mí
tampoco. Ya puede estar cien años con Angustias, pero que me abrace a mí se te hace terrible, porque tú lo quieres también, lo quieres.

MARTIRIO. (*Dramática.*)—¡Sí! Déjame decirlo con
la cabeza fuera de los embozos. ¡Sí! Déjame que
el pecho se me rompa como una granada de
amargura. ¡Le quiero!

ADELA. (*En un arranque y abrazándola.*)—Martirio,
Martirio, yo no tengo la culpa.

MARTIRIO.—¡No me abraces! No quiero ablandar
mis ojos. Mi sangre ya no es la tuya. Aunque
quisiera verte como hermana no te miro ya más
que como mujer.

(*La rechaza.*)

ADELA.—Aquí no hay ningún remedio. La que tenga que ahogarse que se ahogue. Pepe el Romano es mío. El me lleva a los juncos de la orilla.

MARTIRIO.—¡No será!

ADELA.—Ya no aguanto el horror de estos techos después de haber probado el sabor de su boca. Seré lo que él quiera que sea. Todo el pueblo contra mí, quemándome con sus dedos de lumbre, perseguida por los que dicen que son decentes, y me pondré la corona de espinas que tienen las que son queridas de algún hombre casado.

MARTIRIO.—¡Calla!

ADELA.—Sí. Sí. (*En voz baja.*) Vamos a dormir, vamos a dejar que se case con Angustias, ya no me importa, pues yo me iré a una casita sola donde él me verá cuando quiera, cuando le venga en gana.

MARTIRIO.—Eso no pasará mientras yo tenga una gota de sangre en el cuerpo.

ADELA.—No a ti que eres débil. A un caballo encabritado soy capaz de poner de rodillas con la fuerza de mi dedo meñique.

MARTIRIO.—No levantes esa voz que me irrita. Tengo el corazón lleno de una fuerza tan mala, que sin quererlo yo, a mí misma me ahoga.

ADELA.—Nos enseñan a querer a las hermanas. Dios me ha debido dejar sola en medio de la oscuridad, porque te veo como si no te hubiera visto nunca.

(*Se oye un silbido y* ADELA *corre a la puerta, pero* MARTIRIO *se le pone delante.*)

MARTIRIO.—¿Dónde vas?

ADELA.—¡Quítate de la puerta!

MARTIRIO.—¡Pasa si puedes!
ADELA.—¡Aparta!

> (*Lucha.*)

MARTIRIO. (*A voces.*)—¡Madre, madre!

> (*Aparece* BERNARDA. *Sale en enaguas con un mantón negro.*)

BERNARDA.—Quietas, quietas. ¡Qué pobreza la mía, no poder tener un rayo entre los dedos!
MARTIRIO. (*Señalando a* ADELA.)—¡Estaba con él! ¡Mira esas enaguas llenas de paja de trigo!
BERNARDA.—¡Esa es la cama de las mal nacidas!

> (*Se dirige furiosa hacia* ADELA.)

ADELA. (*Haciéndole frente.*)—¡Aquí se acabaron las voces de presidio! (*Arrebata un bastón a su madre y lo parte en dos.*) Esto hago yo con la vara de la dominadora. No dé usted un paso más. En mí no manda nadie más que Pepe.
MAGDALENA. (*Saliendo.*)—¡Adela!

> (*Salen* LA PONCIA *y* ANGUSTIAS.)

ADELA.—Yo soy su mujer. (*A* ANGUSTIAS.) Entérate tú y ve al corral a decírselo. El dominará toda esta casa. Ahí fuera está, respirando como si fuera un león.
ANGUSTIAS.—¡Dios mío!
BERNARDA.—¡La escopeta! ¿Dónde está la escopeta?

> (*Sale corriendo. Sale detrás* MARTIRIO. *Aparece* AMELIA *por el fondo, que mira aterrada con la cabeza sobre la pared.*)

ADELA.—¡Nadie podrá conmigo!

> (*Va a salir.*)

ANGUSTIAS. (*Sujetándola.*)—De aquí no sales con tu cuerpo en triunfo. ¡Ladrona! ¡Deshonra de nuestra casa!

MAGDALENA.—¡Déjala que se vaya donde no la veamos nunca más!

(*Suena un disparo.*)

BERNARDA. (*Entrando.*)—Atrévete a buscarlo ahora.

MARTIRIO. (*Entrando.*)—Se acabó Pepe el Romano.

ADELA.—¡Pepe! ¡Dios mío! ¡Pepe!

(*Sale corriendo.*)

LA PONCIA.—¿Pero lo habéis matado?

MARTIRIO.—No. Salió corriendo en su jaca.

BERNARDA.—No fue culpa mía. Una mujer no sabe apuntar.

MAGDALENA.—¿Por qué lo has dicho entonces?

MARTIRIO.—¡Por ella! Hubiera volcado un río de sangre sobre su cabeza.

LA PONCIA.—Maldita.

MAGDALENA.—¡Endemoniada!

BERNARDA.—Aunque es mejor así. (*Suena un golpe.*) ¡Adela! ¡Adela!

LA PONCIA. (*En la puerta.*)—¡Abre!

BERNARDA.—Abre. No creas que los muros defienden de la vergüenza.

CRIADA. (*Entrando.*)—¡Se han levantado los vecinos!

BERNARDA. (*En voz baja, como un rugido.*)—¡Abre, porque echaré la puerta! (*Pausa. Todo queda en silencio.*) ¡Adela! (*Se retira de la puerta.*) ¡Trae un martillo! (*LA PONCIA da un empellón y entra. Al entrar da un grito y sale.*) ¿Qué?

LA PONCIA. (*Se lleva las manos al cuello.*)—¡Nunca tengamos ese fin! (*Las hermanas se echan hacia atrás. La CRIADA se santigua. BERNARDA da un grito y avanza.*) ¡No entres!

BERNARDA.—No. ¡Yo no! Pepe: tú irás corriendo
vivo por lo oscuro de las alamedas, pero otro día
caerás. ¡Descolgarla! ¡Mi hija ha muerto virgen!
Llevadla a su cuarto y vestirla como una doncella. ¡Nadie diga nada! Ella ha muerto virgen.
Avisad que al amanecer den dos clamores las
campanas.

MARTIRIO.—Dichosa ella mil veces que lo pudo
tener.

BERNARDA.—Y no quiero llantos. La muerte hay
que mirarla cara a cara. ¡Silencio! (*A otra hija.*)
¡A callar he dicho! (*A otra hija.*) ¡Las lágrimas
cuando estés sola! Nos hundiremos todas en un
mar de luto. Ella, la hija menor de Bernarda
Alba, ha muerto virgen. ¿Me habéis oído? ¡Silencio, silencio he dicho! ¡Silencio!

Viernes, 19 de junio de 1936.

T E L Ó N

RETABLILLO
DE DON CRISTOBAL

FARSA PARA GUIÑOL (1931)

PROLOGO HABLADO

SEÑORAS Y SEÑORES:

El poeta que ha interpretado y recogido de labios populares esta farsa de guiñol tiene la evidencia de que el público culto de esta tarde sabrá recoger, con inteligencia y corazón limpio, el delicioso y duro lenguaje de los muñecos.

Todo el guiñol popular tiene este ritmo, esta fantasía y esta encantadora libertad que el poeta ha conservado en el diálogo.

El guiñol es la expresión de la fantasía del pueblo y da el clima de su gracia y de su inocencia.

Así, pues, el poeta sabe que el público oirá con alegría y sencillez expresiones y vocablos que nacen de la tierra y que servirán de limpieza en una época en que maldades, errores y sentimientos turbios llegan hasta lo más hondo de los hogares.

(*Sale el poeta.*)

Hombres y mujeres, atención; niño, cállate. Quiero que haya un silencio tan profundo que oigamos el glu-glú de los manantiales. Y si un pájaro mueve un ala, que también lo oigamos; y si una hormiguita mueve la patita, que también la oigamos; y si un corazón late con fuerza, nos parezca una mano apartando los juncos de la orilla. ¡Ay, ay! Será necesario que las muchachas cierren los abanicos y las niñas saquen sus pañuelitos de encaje para oír y para ver las cosas de doña Rosita, casada con don Cristóbal, y las cosas de don Cristóbal, casado con doña Rosita.

¡Ay!, ¡ay! Ya empieza a tocar el tambor. Podéis llorar y podéis reír, a mí no me importa nada de nada. Yo voy a comer ahora un poquito pan, un poquitirrito pan que me han dejado los pájaros, y luego a planchar los trajes de la compañía. (*Mira si es observado.*) Quiero deciros que yo sé cómo nacen las rosas y cómo se crían las estrellas del mar, pero...

DIRECTOR.—Haga usted el favor de callarse. El prólogo termina donde se dice: "Voy a planchar los trajes de la compañía."

POETA.—Sí, señor

DIRECTOR.—Usted, como poeta, no tiene derecho a descubrir el secreto con el cual vivimos todos.

POETA.—Sí, señor.

DIRECTOR.—¿No le pago su dinero?

POETA.—Sí, señor; pero es que don Cristóbal yo sé que en el fondo es bueno y que quizá podría serlo.

DIRECTOR.—Majadero. Si no se calla usted, subo y le parto esa cara de pan de maíz que tiene. ¿Quién es usted para terminar con esta ley de maldad?

POETA.—Ya he terminado; me callaré.

DIRECTOR.—No, señor; diga usted lo que es preciso que diga y lo que el público sabe que es verdad.

POETA.—Respetable público: Como poeta tengo que deciros que don Cristóbal es malo.

DIRECTOR.—Y no puede ser bueno.

POETA.—Y no puede ser bueno.

DIRECTOR.—Vamos, siga.

POETA.—Ya voy, señor director. Y nunca podrá ser bueno.

DIRECTOR.—Muy bien. ¿Cuánto le debo?

POETA.—Cinco monedas.

DIRECTOR.—Ahí van.

POETA.—No las quiero de oro. El oro me parece fuego, y yo soy poeta de la noche. Démelas de plata. Las monedas de plata parece que están iluminadas por la luna.

DIRECTOR.—¡Ja, ja, ja! Así salgo ganando. A empezar.

POETA.

Abre tu balcón, Rosita,
que comienza la función.
Te espera una muertecita
y un esposo dormilón.

(*Música.*)

DIRECTOR.—Cristóbal.

CRISTÓBAL.—¿Qué?

DIRECTOR.—Salga usted, que el público lo está esperando.

CRISTÓBAL.—Ya voy.

DIRECTOR.—¿Y doña Rosita?

ROSITA.—Me estoy poniendo los zapatitos.

(*Se oyen ronquidos.*)

DIRECTOR.—¿Qué es eso? ¿Ya está roncando Cristóbal?

CRISTÓBAL.—Ya voy, señor director. Es que estoy meando.

DIRECTOR.—Cállese y no diga barbaridades.

CRISTÓBAL. (*Apareciendo.*)—Buenas noches, caballeros.

DIRECTOR.—Vamos, don Cristóbal; hay necesidad de empezar el drama. Esa es su obligación. Usted es un médico.

CRISTÓBAL.—Yo no soy un médico. Vamos al toro.

DIRECTOR.—Piense, don Cristóbal, que necesita usted dinero para casarse.

CRISTÓBAL.—Es verdad.

DIRECTOR.—Gánelo pronto.

CRISTÓBAL.—Voy por la porra.

DIRECTOR.—Bravo. Veo que me ha entendido usted.

ENFERMO. (*Saliendo.*)—Buenos días.

CRISTÓBAL.—Buenas noches tenga usted.

ENFERMO.—Buenos días.

CRISTÓBAL.—Buenas noches.

ENFERMO.—Buenas tardes.

CRISTÓBAL.—Buenas noches negras.

ENFERMO. (*Tímido.*)—Quizá pueda dar las buenas noches.

CRISTÓBAL.—Buenas noches cerradas.

ENFERMO.—En vista de esto me he convencido de que es usted un gran médico que me puede curar. (*Enérgico.*) Buenos días.

CRISTÓBAL. (*Fuerte.*)—Te he dicho que buenas noches y es buenas noches.

ENFERMO.—Bravo. Cuando usted quiera.

CRISTÓBAL.—¿Qué le duele a usted?

ENFERMO.

> Me duele el cuello
> donde me nace el cabello,
> pero no había caído en ello
> hasta que me lo dijo mi primo
> Juan Cuello.

CRISTÓBAL.—Esto se acaba con el degüello.

(*Lo agarra.*)

Enfermo.—¡Ay!, ¡ay!, ¡ay!, ¡ay! Don Cristóbal.

Cristóbal.—Vamos. Tenga la bondad de sacar un poquito el cuello para que le pueda intervenir la carótida.

Enfermo.—¡Ay! Yo no lo puedo mover.

Cristóbal.—Le digo que pruebe a mover la carótida.

Enfermo.—¡Ay!, es imposible.

Cristóbal.—Apártese usted mismo con las manos las yugulares.

Enfermo.—Si pudiera ya lo hubiera hecho. (*Con agresividad.*) Buenos días, buenos días, buenos días, buenos días, buenos días.

Cristóbal.—Ahora verás. (*Entra.*)

> (*El* Enfermo *se queja, echado sobre la barandilla.*)

Enfermo.—¡Ay!, ¡ay!, lo que me duele la carótida. ¡Ay mi carótida! Yo tengo carotiditis.

Cristóbal. (*Entra con la porra.*)—Aquí estoy.

Enfermo.—¿Qué es eso, don Cristóbal?

Cristóbal.—El aparato del aguardiente.

Enfermo.—¿Para qué sirve?

Cristóbal.—Para ponerte el cuello caliente.

Enfermo.—Pero no me haga usted daño.

Cristóbal.

> En el pegar no hay engaño.
> ¿Tienes mucho dinerito?

Enfermo.

> Veinte duritos y veinte duritos,
> y debajo del chalequito
> seis duritos y tres duritos,
> y en el ojito
> del culito
> tengo un rollito
> con veinte duritos.

CRISTÓBAL.

>Pues te voy a curar.
>Pero no lo contarás.

ENFERMO. (*Agresivo.*)—Buenos días, buenos días, buenos días, buenos días, buenos días, buenos días.

CRISTÓBAL. (*Dándole con la porra.*)—Buenas noches. Te agarré. Saca el cuello.

ENFERMO.—No puedo, don Cristóbal.

CRISTÓBAL. (*Dándole un golpe.*)—Saca el cuello.

ENFERMO.—¡Ay!, mi carótida.

CRISTÓBAL.—Más cuello.

ENFERMO.—¡Ay!, mi carótida.

CRISTÓBAL.—Más cuello. (*Golpe.*) Más cuello, más cuello, más cuello.

>(*El* ENFERMO *saca un cuello de un metro.*)

ENFERMO.—¡Ayyyyyyyy!

>(*Mete todo el cuello y se levanta, pero* DON CRISTÓBAL *lo remata.*)

CRISTÓBAL.

>Te maté, puñetero, te maté...
>una, dos y tres,
>al barranco con él.

>(*Se oye un gran golpe.*)

Ole, ole, ole, ole.

DIRECTOR.—¿Tenía dinero?

CRISTÓBAL.—Sí.

DIRECTOR.—Pues hay que casarse.

CRISTÓBAL.—Hay que casarse.

DIRECTOR.—Ahí viene la madre de doña Rosita. Es preciso que hable usted con ella.

MADRE.

Yo soy la madre de doña Rosita
y quiero que se case,
porque ya tiene dos pechitos
como dos naranjitas,
y un culito
como un quesito,
y una urraquita
que le canta y le grita.
Y es lo que yo digo:
le hace falta un marido,
y si fuera posible, dos.
Ja, ja, ja, ja, ja.

CRISTÓBAL.

Señora.

MADRE.

Caballero
de pluma y tintero.

CRISTÓBAL.

No tengo sombrero.
Usted sabrá
que me quiero casar.

MADRE.

Yo tengo una hija,
¿qué dinero me das?

CRISTÓBAL.

Una onza de oro
de las que cagó el moro,
una onza de plata
de las que cagó la gata,
y un puñado de calderilla
de las que gastó su madre cuando era chiquilla.

MADRE.

Y además quiero una mula
para ir a Lisboa cuando sale la luna.

CRISTÓBAL.

Una mula es mucho; no puedo, señora.

MADRE.

Usted tiene plata, señor don Cristóbal.
Mi Rosita es joven y usted es ya viejo.
Viejo, viejo pellejo.

CRISTÓBAL.

Y usted es vieja,
que se limpia el culito con una teja.

MADRE.

¡Borracho! ¡Indecente!

CRISTÓBAL.

Te voy a poner la barriga caliente.
Cuenta con la mula. ¿Dónde está Rosita?

MADRE.

En camisa en su cuarto.
Y está solita.
Ja, ja, ja.

CRISTÓBAL.

¡Ay!, cómo me pongo.

MADRE.

¡Ay! con el sorongo, ¡ay! con el sorongo.

CRISTÓBAL.

Déme su retrato.

MADRE.

Pero firmaremos antes el contrato.

CRISTÓBAL.

Rosita, por verte
la punta del pie
si a mí me dejaran,
veríamos a ver.

MADRE.

Le darás el pie
cuando esté contigo.
Si me das dinero
hará lo que digo.

(*Se va cantando. Música.*)

Voz de Rosita.
   Con el vito, vito, vito,
   con el vito que me muero,
   cada hora, niño mío,
   estoy más metida en fuego.

   (*Sale* Rosita.)

Rosita.
   ¡Ay! Qué noche tan clarita
   vive sobre los tejados.
   En esta hora los niños
   cuentan las estrellas
   y los viejos se duermen
   sobre sus caballos,
   pero yo quisiera estar:
   en el diván
   con Juan,
   en el colchón
   con Ramón,
   en el canapé
   con José,
   en la silla
   con Medinilla,
   en el suelo
   con el que yo quiero,
   pegada al muro
   con el lindo Arturo,
   y en la gran "chaise-longue"
   con Juan, con José, con Medinilla,
   con Arturo y con Ramón.
   ¡Ay!, ¡ay!, ¡ay!, ¡ay!
   Yo me quiero casar, ¿me han oído?
   Yo me quiero casar
   con un mocito,
   con un militar,
   con un arzobispo,

con un general,
con un macanudo
de macanear
y veinte mocitos
de Portugal.

(*Entra.*)

CRISTÓBAL.—Entonces, ¿estamos conformes?

MADRE.—Estamos.

CRISTÓBAL.—Porque si no estamos, yo tengo la cachiporra y ya sabes lo que pasa.

MADRE.—¡Ay! ¿Qué he hecho yo?

CRISTÓBAL.—¿Tienes miedo?

MADRE. (*Temblando.*)—¡Ay!

CRISTÓBAL.—Di: tengo miedo.

MADRE.—Tengo miedo.

CRISTÓBAL.—Diga: ¡ya me ha domado don Cristóbal!

MADRE.—Ya me ha domado don Cristóbal.

CRISTÓBAL.—Como domaré a tu hija.

MADRE.—Entonces...

CRISTÓBAL.—Yo te doy la onza de oro de las que cagó el moro y tú me entregas a tu hija Rosita, y me lo debes agradecer porque ya está madurita.

MADRE.—Tiene veinte años.

CRISTÓBAL.—He dicho que está madurita y lo está. Pero a pesar de todo, es una linda muchacha. Diga, diga, diga...

MADRE.

Que tiene dos tetitas
como dos naranjitas
y un culito
como un quesito
y una urraquita...

CRISTÓBAL.

¡Ayyyyyyyy!

MADRE.

Y una urraquita
que le canta y le grita.

CRISTÓBAL.—Sí, señor, me voy a casar porque
doña Rosita es un *boccato di cardinali.*

MADRE.—¿Habla vuesa merced el italiano?

CRISTÓBAL.—No. Pero en mi juventud estuve en
Francia y en Italia, sirviendo a un tal don
Pantaleón. A usted no le importa nada de mi
vida. Tiemble usted. Todo el que está delante
de mí tiene que temblar, carajorum, tiene que
temblar.

MADRE.—Ya estoy temblando.

CRISTÓBAL.—Llama a Rosita.

MADRE.—Rositaaaaaaa.

ROSITA.

¿Qué quieres?
Me quiero casar
con un becerro nonato,
con un caimán,
con un borriquito,
con un general,
que para el caso
lo mismo me da.

CRISTÓBAL.

¡Ay! Qué jamoncitos tiene
por delante y por detrás.

MADRE.—¿Te quieres casar?

ROSITA.—Me quiero casar.

MADRE.—¿Te quieres casar?

CRISTÓBAL.—Me quiero casar.

MADRE. (*Llorando.*)—Que no me la trates mal. ¡Ay!,
qué lástima de mi hijita.

CRISTÓBAL.—Avisa al cura.

(*La* Madre *se va gritando.* Cristóbal *se acerca y se van juntos a la iglesia. Suenan las campanas.*)

Poeta.—¿Lo ven ustedes? Sin embargo, más vale que nos riamos todos. La luna es un águila blanca. La luna es una gallina que pone huevos. La luna es un pan para los pobres y un taburete de raso blanco para los ricos. Pero ni don Cristóbal ni doña Rosita ven la luna. Si el director de escena quisiera, don Cristóbal vería las ninfas del agua y doña Rosita podría llenar de escarcha sus cabellos en el acto tercero, donde cae la nieve sobre los inocentes. Pero el dueño del teatro tiene a los personajes metidos en una cajita de hierro para que los vean solamente las señoras con pecho de s e d a y nariz tonta y los caballeros con barba que van al club y dicen: Ca-ram-ba. Porque don Cristóbal no es así, ni doña Rosita.

Director.—¿Quién habla ahí de ese modo?

Poeta.—Digo que ya se están casando.

Director.—Haga el favor de no meter la pata. Si yo tuviera imaginación ya le habría puesto de patitas en la calle.

Cristóbal.—¡Ay!, Rosita.

Rosita.—¿Has bebido mucho?

Cristóbal.—Me gustaría ser todo vino y beberme yo mismo. Jaaaa. Y mi barriga un gran pastel, un gran pastel con ciruelas y batatas. Rosita, cántame algo.

Rosita.—Voy. (*Canta.*) ¿Qué quieres que te cante? ¿El can-can de Goicoechea o la Marsellesa de Gil Robles? ¡Ay!, Cristóbal. Tengo miedo. ¿Qué me vas a hacer?

Cristóbal.—Te haré muuuuuuuuuu.

Rosita.

    ¡Ay!, no me asustarás.

    ¿A las doce de la noche qué me harás?

Cristóbal.—Te haré aaaaaaaaaa.

Rosita.

    ¡Ay!, no me asustarás.

    ¿A las tres de la mañana qué me harás?

Cristóbal.—Te haré piiiiii.

Rosita.

    Y entonces verás

    cómo mi urraquita se pone a volar.

        (*Se abrazan.*)

Cristóbal.—¡Ay!, mi Rosita.

Rosita.

    ¿Has bebido mucho?

    ¿Por qué no te echas una siestecita?

Cristóbal.

    Me pondré a dormir

    para ver si despierta mi colorín.

Rosita.—Sí, sí, sí, sí, sí.

        (Cristóbal *ronca. Entra* Currito *y se abraza a* Rosita *y se oyen unos enormes besos.*)

Cristóbal. (*Se despierta.*)—¿Qué es eso, Rosita?

Rosita.—¡Ay!, ¡ay!, ¡ay! ¿No ves qué luna tan grande hay? ¿Qué resplandorrrrrrrrr? Es mi sombra. Sombra, vete.

Cristóbal.—Vete, sombra.

Rosita.—Qué molesta es la luna, ¿verdad, Cristóbal? ¿Por qué no te echas otra siestecita?

Cristóbal.

    Voy a descansar,

    para ver si despierta mi palomar.

ROSITA.—Ya, ya, ya, ya, ya.

> (*Aparece el* POETA, *se pone a besar a* ROSITA *y se despierta* CRISTÓBAL.)

CRISTÓBAL.—¿Qué es eso, Rosita?

ROSITA.—Como hay tan poca luz no percibes. Es, es... el aparato de hacer encaje de bolillos. ¿No ves cómo suena?

> (*Se oyen besos.*)

CRISTÓBAL.—Me parece que suena demasiado.

ROSITA.

Vete ya, aparato.
Verdad, Cristobita,
¿por qué no te echas otra siestecita?

CRISTÓBAL.

Voy a descansar
para que mi palomo pueda reposar.

> (*Aparece el* ENFERMO *por otro lado, y* DOÑA ROSITA *lo besa también.*)

CRISTÓBAL.—¿Qué es eso que siento yo?

ROSITA.—Es que ya empieza la puesta del sol.

CRISTÓBAL.—Brrrrrr. ¿Qué es eso? ¿Has sido tú?

ROSITA.—No te pongas así. Son las ranas del estanque.

CRISTÓBAL.—Serán. Esto se acabó y se requeteacabó. Brrrrrr.

ROSITA.—Pero no grites. Son los leones del circo, son los maridos ultrajados que hablan en la calle.

MADRE.—Rositaaaaaaaa. Aquí está el médico.

ROSITA.—¡Ay!, el médico. ¡Ay!, ¡ay!, ¡ay!, ¡ay!, mi barriguita.

MADRE.—Mal hombre, perro. Por tu culpa ahora nos tendrás que dar todo tu dinero.

Rosita.—Todo tu dinero, ¡ay!, ¡ay!, ¡ay!

> (*Se van.*)

Director.—Cristóbal.

Cristóbal.—¿Qué pasa?

Director.—Baje usted en seguida, que doña Rosita está enferma.

Cristóbal.—¿Qué tiene?

Director.—Está de parto.

Cristóbal.—¿De partoooooo?

Director.—Ha tenido cuatro niños.

Cristóbal.—¡Ay!, Rosita. Me las pagarás. Mala mujer. Con cien duros que me has costado. Pin, pan, brrrrr.

> (Rosita *grita en esta escena dentro.*)

Cristóbal.—¿De quién son los niños?

Madre.—Tuyos, tuyos, tuyos.

Cristóbal. (*Le da un golpe.*)—¿De quién son los niños?

Madre.—Tuyos, tuyos, tuyos.

> (*Otro golpe. Dentro grita* Rosita *con el parto.*)

Director.—Ahora está naciendo el quinto.

Cristóbal.—¿De quién es el quinto?

Madre.—Tuyo.

> (*Golpe.*)

Cristóbal.—¿De quién es?

Madre.—Tuyo, solo tuyo. (*Golpe.*) Tuyo, tuyo, tuyo, tuyo.

> (*Muere y queda echada sobre la barandilla.*)

Cristóbal.—Te maté, puñetera, te maté. Ahora sabré de quién son esos niños.

> (*Inicia el mutis.*)

MADRE. (*Levantándose.*)—Tuyos, tuyos, tuyos, tuyos.

> CRISTÓBAL *la golpea y entra y sale con*
> DOÑA ROSITA.)

CRISTÓBAL.—Toma, toma, por... por... por...

DIRECTOR. (*Saliendo con la gran cabeza asomada en el teatro.*) Basta. (*Agarra a los muñecos y se queda con ellos en la mano mostrándolos al público.*) Señoras y señores: Los campesinos andaluces oyen con frecuencia comedias de este ambiente bajo las ramas grises de los olivos y en el aire oscuro de los establos abandonados. Entre los ojos de las mulas, duros como puñetazos, entre el cuero bordado de los arreos cordobeses, y entre los grupos tiernos de espigas mojadas, estallan con alegría y con encantadora inocencia las palabrotas y los vocablos que no resistimos en los ambientes de las ciudades, turbios por el alcohol y las barajas. Las malas palabras adquieren ingenuidad y frescura dichas por muñecos que miman el encanto de esta viejísima farsa rural. Llenemos el teatro de espigas frescas, debajo de las cuales vayan palabrotas que luchen en la escena con el tedio y la vulgaridad a que la tenemos condenada, y saludemos hoy en "La Tarumba" a don Cristóbal el andaluz, primo del Bululú gallego y cuñado de la tía Norica, de Cádiz; hermano de Monsieur Guiñol, de París, y tío de don Arlequín, de Bérgamo, como a uno de los personajes donde sigue pura la vieja esencia del teatro.

FIN DEL
"RETABLILLO DE DON CRISTOBAL"

I N D I C E

Este libro titulado
TEATRO SELECTO
de
FEDERICO GARCIA LORCA
se terminó de imprimir en los
talleres gráficos de ESCELI-
CER, S. A., sitos en Comandante
Azcárraga, s/n., el 23 de abril
de 1969, festividad de San Jorge
y Día del Libro.